L' ŒIL NATURE

LES

CHIENS

L' ŒIL NATURE

LES

CHIENS

DAVID ALDERTON

Photographies de
TRACY MORGAN

BORDAS

A DORLING KINDERSLEY BOOK

Édition originale :
Eyewitness Handbook - Dogs

Édition française :
Traduction et adaptation : Marc Baudoux
Fabrication : Fabienne Rousseau
Édition : Yves Verbeek
Responsable d'édition : Jean Arbeille

Composition, mise en pages et films :
Nord Compo, Villeneuve-d'Ascq

ISBN : 2-04-019986-1
Dépôt légal : mars 1994
Achevé d'imprimer à Singapour
sur les presses de Kyodo Printing Co.
Réimpression : mars 1998

Sommaire

Introduction • *6*

Introduction *6*
Comment consulter ce livre *9*
La famille des canidés *10*
Les chiens domestiques *12*
Qu'est-ce qu'un chien ? *14*
Les robes *16*
Sens et comportement *18*
Les chiots *20*
Choisir un chien *22*
Soins et toilettage *24*
Les expositions *26*
Clé d'identification des chiens *28*

Les chiens de compagnie *38*

Les chiens d'arrêt *60*

Les chiens de berger *105*

Les chiens courants *138*

Les terriers *206*

Les chiens d'utilité *231*

Crédits iconographiques *296*
Adresses utiles *298*
Glossaire *299*
Index *300*
Remerciements *304*

INTRODUCTION

Malgré leur diversité de forme et de taille, les lignées actuelles de chiens remontent toutes au loup. Le processus de domestication a commencé il y a plus de douze mille ans, probablement dans différentes régions de l'hémisphère Nord, à une époque où le loup connaissait une distribution bien plus vaste qu'aujourd'hui. Les premiers chiens semi-apprivoisés servaient sans doute à garder les troupeaux, non pas encore comme animaux de compagnie.

LES DÉCOUVERTES archéologiques ont montré qu'une nette différenciation dans la taille des chiens domestiques s'est manifestée il y a plus de neuf mille ans, même chez des lignées géographiquement proches. Cette tendance semble s'être accentuée jusqu'à la formation des nombreuses races actuelles qui se sont créées à l'époque romaine. À ce moment de leur histoire, les chiens accomplissaient, pour l'essentiel, les mêmes tâches qu'aujourd'hui : la chasse, la garde du bétail, celle des propriétés, le rôle de compagnon. Tout au long du Moyen Âge, un élevage hautement sélectif et l'adaptation naturelle à différentes conditions climatiques ont conduit à l'apparition d'innombrables formes canines. Enfin, c'est au XIXe siècle qu'ont évolué bien des races actuellement connues de chiens de chasse, intelligents et spécialisés.

À LA CHASSE
Cette scène de vénerie médiévale montre un lévrier typique, à la poursuite du gibier. Ces chiens élancés et légers étaient les mieux adaptés à la vitesse.

ANCIENS DIEUX
Datant d'environ 200 av. J.-C., cette momie égyptienne de chien a été faite à la ressemblance d'Anubis, le dieu chacal.

LES STANDARDS

Dans le passé, de nombreux chiens avaient sans doute le même aspect général qu'aujourd'hui sans être pour autant catalogués en races particulières. Le changement le plus significatif de ce point de vue s'est produit très récemment dans l'histoire canine.

Les expositions sont devenues à la mode à la fin du XIXe siècle, et elles ont fait naître le besoin de critères permettant de comparer et de juger les individus d'apparence semblable. Les amateurs de Grande-Bretagne se sont groupés en 1873 pour constituer ce qui est devenu le Kennel Club. Cela a entraîné l'ouverture de stud-books (répertoires généalogiques) et, pour certaines races, l'établissement de standards (caractères définissant l'appartenance à la

FOXHOUND

Beaucoup de chiens ont été sélectionnés pour la poursuite d'une proie particulière : les foxhounds possèdent la résistance et la ténacité nécessaires à la chasse au renard.

race). On a aussi édicté des règles pour les concours. Des organisations similaires ont vu le jour dans d'autres pays : en France, la Société centrale canine a été fondée en 1882 ; l'American Kennel Club en 1884.

Reconnaissance des races

Certaines races, comme le berger allemand, sont devenues populaires dans le monde entier. D'autres, comme le coonhound américain, restent beaucoup plus localisées, voire limitées à un pays ou à une région. L'objet principal de ce livre est de servir à l'identification des races, qu'elles soient ubiquistes ou locales.

Quant à leur reconnaissance officielle, elle dépend largement des organisations et des autorités nationales : les standards peuvent différer légèrement d'un pays à l'autre, tout comme les règles relatives à l'essorillage ou à l'amputation de la queue. Autant que possible, et avec la coopération d'excellents éleveurs du monde entier, ce livre reproduit des photographies de chiens particulièrement beaux et représentatifs de leur race.

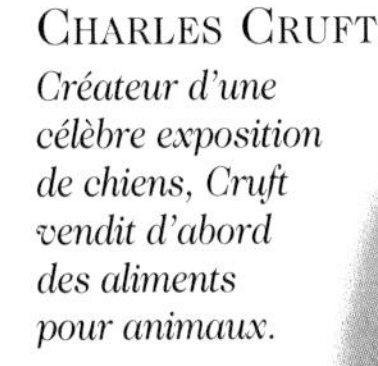

CHARLES CRUFT

Créateur d'une célèbre exposition de chiens, Cruft vendit d'abord des aliments pour animaux.

UN CONCOURS

Danois jugés au Cruft's Dog Show *de 1933 (ci-dessous).*

CONCOURS D'AGILITÉ

Dans ces concours, chiens de race et bâtards sont jugés sur leur capacité de franchir des obstacles et d'obéir à la voix.

EXPOSITIONS ET CONCOURS

Les occasions de montrer un chien ne dépendent pas toutes de la conformité de l'animal aux standards de sa race : toutes les expositions canines ne sont pas aussi exigeantes, pour les chiens ni pour leurs propriétaires, que les championnats institués par Cruft. Les concours *open* (ouverts à tous) se déroulent de la même façon que les championnats, mais ils sont beaucoup plus courts : les vainqueurs des races respectives concourent entre eux pour le titre de plus beau chien exposé *(best in show)*. Aux chiens et aux exposants débutants, ces concours fournissent un excellent moyen de s'initier aux critères des juges.

Les concours d'extérieur (*field trials)*, où l'on met à l'épreuve les chiens de chasse, et ceux de chiens de berger sont des manifestations spécialisées. Dans ces derniers, le chien doit guider un troupeau jusqu'à un enclos, suivant un parcours préétabli. On le note sur sa rapidité et sa concentration, tandis qu'on pénalise les aboiements et les morsures des chiens qui s'énervent. La collaboration entre l'homme et le chien apparaît ici dans toute sa nécessité

UN CHAMPION

Une coupe ou un flot ne récompensent pas seulement la belle performance d'un jour : c'est le couronnement de mois de travail soutenu et patient.

COMMENT CONSULTER CE LIVRE

Après cette introduction et la clé d'identification, la partie principale du livre, concernant les races, se subdivise en six sections : chiens de compagnie, d'arrêt, de berger, courants, terriers et d'utilité. Les races sont classées d'après leur pays d'origine, des États-Unis à l'Australie. La page annotée ci-dessous montre comment s'organise une notice.

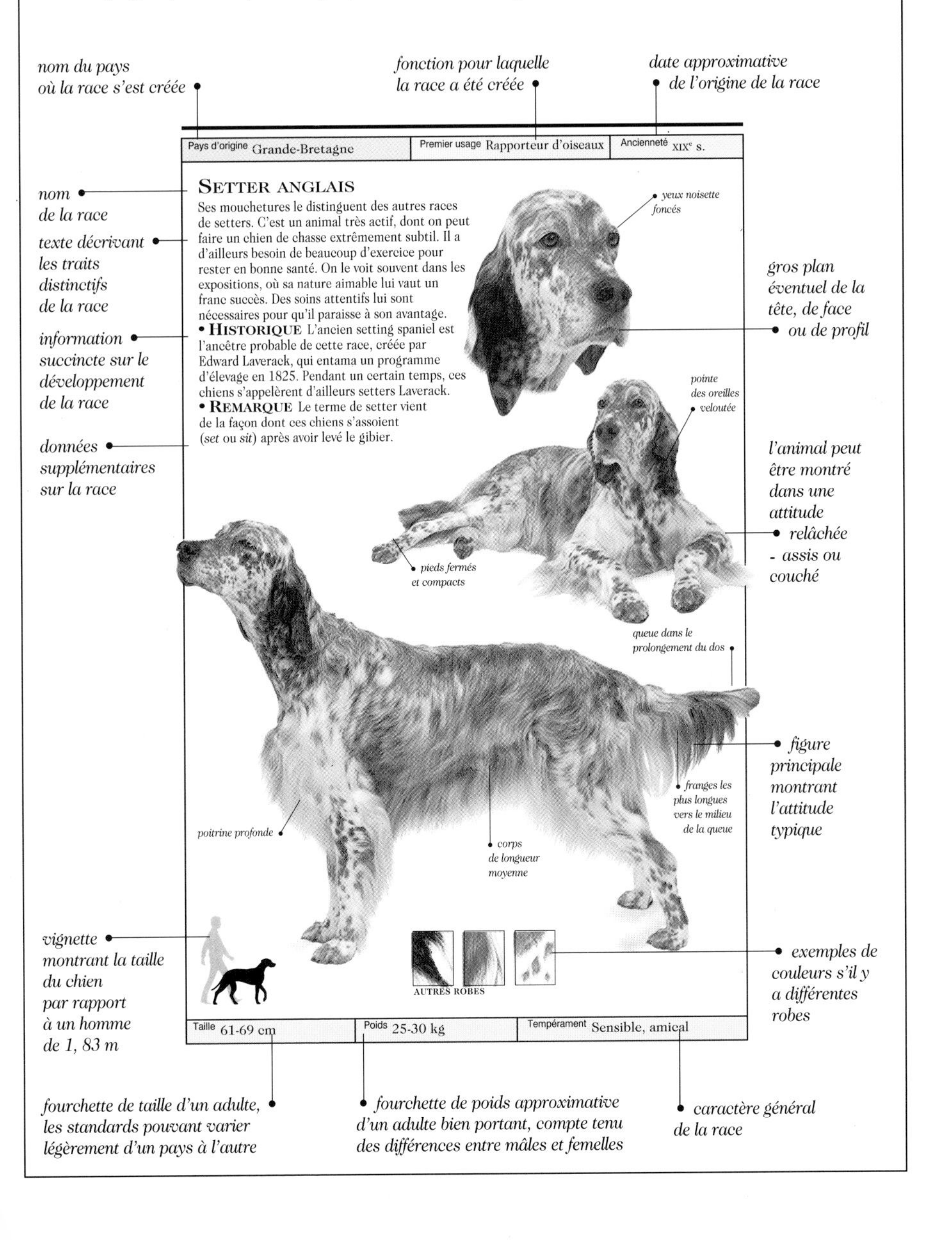

LA FAMILLE DES CANIDÉS

LES PREMIERS membres de la famille des canidés *(Canidae)*, comprenant tous les chiens, chacals et renards actuels, remontent à environ 30 millions d'années. Il y a aujourd'hui 13 genres et 37 espèces connues de ces carnivores répandus sur toute la surface du globe, bien que la distribution de certains, comme le loup *(Canis lupus)*, se soit considérablement réduite. Certaines espèces, comme le renard *(Vulpes vulpes)*, se sont adaptées à la vie urbaine et ont étendu leur zone d'habitat. Tous les chiens domestiques actuels *(Canis familiaris)* descendent du loup commun et gardent une bonne part de ses instincts. Les loups ont ce comportement social représenté

AUTRES GENRES

ESPÈCES

Renard polaire *(Alopex lagopus)*
Otocyon *(Otocyon megalotis)*
Dhole *(Cuon alpinus)*
Lycaon *(Lycaon pictus)*
Loup à crinière *(Chrysocyon brachyurus)*
Chien viverrin *(Nyctereutes procyonoides)*
Chien des buissons *(Speothos venaticus)*
Chien sauvage à oreilles courtes *(Atelocynus microtis)*
Renard crabier *(Cerdocyon thous)*

GENRE *CANIS*

ESPÈCES

Loup *(C. lupus)*
Loup roux *(C. rufus)*
Coyote *(C. latrans)*
Chacal *(C. aureus)*
Loup d'Abyssinie *(C. simensis)*
Chacal à chabraque *(C. mesomelas)*
Chacal à flancs rayés *(C. adustus)*
Dingo *(C. dingo)*
Chien domestique *(C. familiaris)*

LYCAON
Chasseur des plaines africaines, le lycaon vit en groupes familiaux. Ses populations se sont récemment réduites au point que l'espèce est maintenant considérée comme menacée.

CHIEN DOMESTIQUE

Plus de 300 races sont recensées, mais les zoologistes ne les reconnaissent pas comme des espèces distinctes. Toutes ces races sont donc regroupées sous l'appellation de *Canis familiaris*.

LOUP
Apparu il y a environ trois cent mille ans, le loup est le plus grand des canidés sauvages. Très social, chasseur hardi, il se méfie de l'homme, qui l'a persécuté tout au long des siècles.

chez les chiens par leur fidélité à leur maître ; leur territorialité a été exploitée pour créer des chiens de garde ; enfin leur instinct prédateur a été affiné chez les chiens de chasse et les terriers. Le loup connaît même des techniques semblables à celles des bergers, un membre de la meute se chargeant de détourner une proie de son troupeau.

Le dingo

On a cru longtemps que les dingos d'Australie étaient des chiens sauvages. Ce sont en fait d'anciens chiens domestiques retournés à l'état sauvage.

Canidae

Genre *Vulpes*

Espèces

Renard (*V. vulpes*)
Renard argenté (*V. cinereoargenteus*)
Renard gris d'Islande (*V. littoralis*)
Renard véloce (*V. velox*)
Fennec (*V. zerda*)
Renard du Bengale (*V. bengalensis*)
Renard de Blanford (*V. cana*)
Renard du Cap (*V. chama*)
Corsac (*V. corsac*)
Renard sable du Tibet (*V. ferrilata*)
Renard pâle des sables (*V. pallida*)
Renard à oreilles de chauve-souris (*V. macrotis*)
Renard famélique (*V. rueppelli*)

Genre *Dusicyon*

Espèces

Renard gris d'Argentine (*D. griseus*)
Renard colfeo (*D. culpaeus*)
Renard à petites oreilles (*D. microtis*)
Renard de la pampa (*D. gymnocercus*)
Dusicyon sechurae
Dusicyon vetulus
Renard des Falkland (*D. australis*)

Renard
Très adaptable, il s'est accommodé de la vie urbaine : il sort la nuit de son terrier pour se nourrir de détritus. À part le chien domestique, c'est le canidé le plus largement distribué.

Renard gris d'Argentine
Comme les canidés sauvages d'autres parties du monde, ce Dusicyon *a été chassé pour sa fourrure, au grand dam de certaines populations. On sait peu de chose sur ces « renards » sud-américains.*

Les chiens domestiques

On peut classer les chiens domestiques de différentes façons mais la méthode la plus courante consiste à rapporter les races à leur fonction. Beaucoup d'entre elles, bien que servant aujourd'hui d'animaux familiers, ont été d'abord utilisées à des tâches particulières : garde des troupeaux, chasse, protection. Leur caractère, leur physique et leur comportement ont évolué en conséquence. Pour ce livre, six grandes catégories ont été retenues.

Chiens d'arrêt

Sélectionnés pour travailler en couple avec leur maître, ils se caractérisent par leur nature sensible et docile, ainsi que par leur intelligence. Cette catégorie comprend les épagneuls, les setters, les retrievers, les caniches et les pointers. Beaucoup d'entre eux sont polyvalents : ils peuvent flairer le gibier, indiquer la cible au chasseur et rapporter la bête abattue.

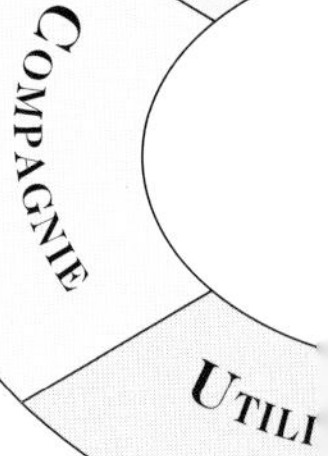

Chiens de compagnie

L'idée de garder des chiens comme animaux familiers vient des cours royales, où ils ont été considérés pendant des siècles comme une marque d'élégance. Les chiens de compagnie (ou d'agrément) se caractérisent généralement par leur petite taille et leur gentillesse.

Chiens d'utilité

Dans le monde entier, on a entraîné des chiens à toutes sortes de tâches, y compris celle de tirer des traîneaux sur la neige et la glace. Dans de nombreux pays, on les emploie à garder les propriétés et le bétail ; dans d'autres, ils ne sont guère plus que du bétail eux-mêmes, puisqu'on les élève traditionnellement pour l'alimentation et pour leur fourrure.

Chiens de berger

C'est une catégorie ancienne, car il y a de nombreux siècles que des chiens sont utilisés pour diriger les mouvements du bétail. On les emploie le plus communément à garder les moutons et les bovidés, mais certains ont « travaillé » avec des cervidés ou même de la volaille. Un bon berger, dit-on, a l'« œil » pour fixer les moutons en les persuadant de se déplacer avec le moins de désordre possible. Le développement de ces races a généralement été local, d'où leur diversité actuelle. Ce sont des chiens actifs, intelligents, dont certains ont un pelage des plus caractéristiques.

Chiens courants

C'est probablement la catégorie la plus ancienne, celle des chiens élevés pour courir le gibier. Elle inclut les canidés les plus rapides : ces élégants chasseurs à vue que sont les lévriers. Mais d'autres chiens courants, comme le saint-hubert, ont été sélectionnés pour leur résistance et ces races, au pelage généralement ras, suivront inlassablement le gibier au flair plutôt qu'à la vue.

Terriers

Ces races, dont le développement s'est concentré en Grande-Bretagne au cours des cent dernières années, sont petites mais tenaces. Vigoureuses et sans peur, elles sont aussi très curieuses. Elles donnent d'excellents ratiers et leur faible taille leur permet de s'engager dans les terriers de proies telles que les renards, qu'elles font sortir pour les livrer aux chiens courants. Les terriers sont d'élégants compagnons, qui aiment explorer les alentours.

Qu'est-ce qu'un chien ?

Tous les chiens sont d'abord des carnivores, aux dents adaptées à la mastication de la chair et au rongement des os. Comme ils étaient, à l'origine, des prédateurs, ils ont les sens affinés pour la détection des proies et une musculature puissante qui leur permet de courir grand train, avec des pointes de vitesse si nécessaire. Tous les canidés marchent sur les doigts (et non sur la plante des pieds comme les ours), ce qui leur donne plus d'agilité – facteur souvent important pour arrêter une bête plus grande qu'eux. Chiens et loups ont également développé la capacité de travailler en équipe, autre moyen de résoudre les problèmes de la chasse au gros gibier.

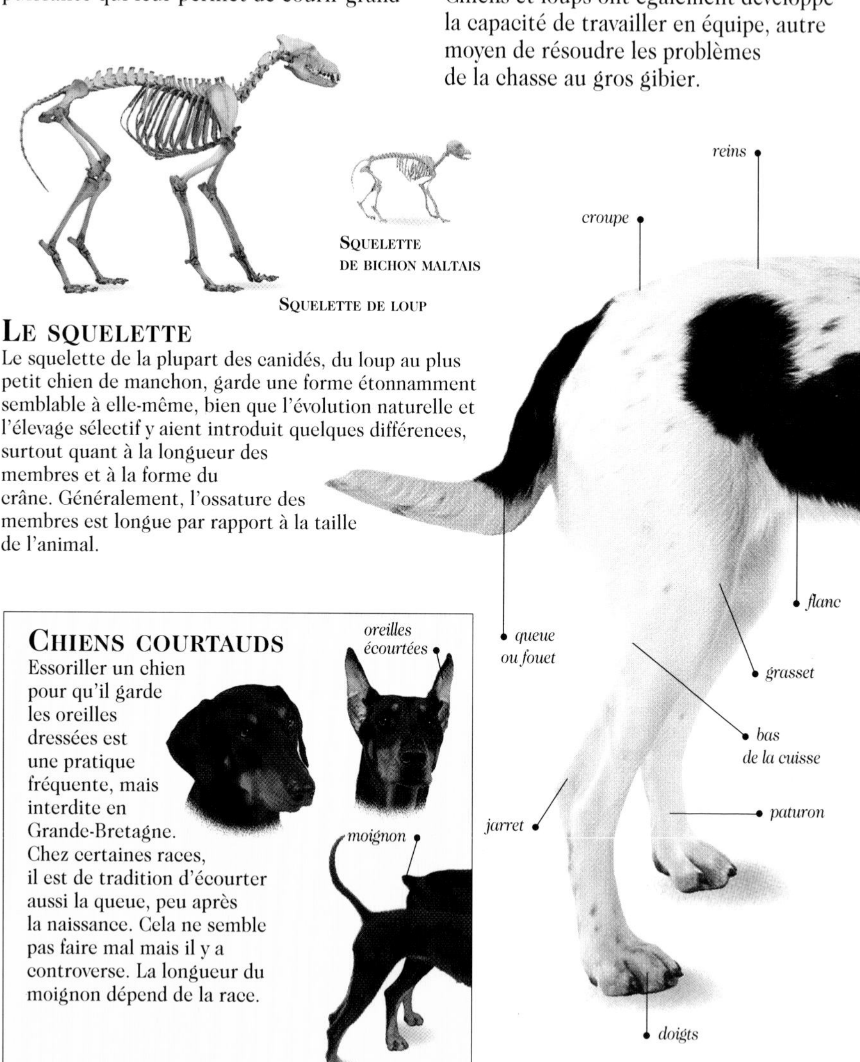

Squelette de bichon maltais

Squelette de loup

Le squelette

Le squelette de la plupart des canidés, du loup au plus petit chien de manchon, garde une forme étonnamment semblable à elle-même, bien que l'évolution naturelle et l'élevage sélectif y aient introduit quelques différences, surtout quant à la longueur des membres et à la forme du crâne. Généralement, l'ossature des membres est longue par rapport à la taille de l'animal.

Chiens courtauds

Essoriller un chien pour qu'il garde les oreilles dressées est une pratique fréquente, mais interdite en Grande-Bretagne. Chez certaines races, il est de tradition d'écourter aussi la queue, peu après la naissance. Cela ne semble pas faire mal mais il y a controverse. La longueur du moignon dépend de la race.

LA FORME DU CRÂNE

La différence entre le crâne minuscule et arrondi (brachycéphale) de l'épagneul japonais, produit de l'élevage sélectif, et le crâne allongé (dolichocéphale) de son ancêtre, le loup, montre à quel point l'homme a influencé l'évolution du chien domestique.

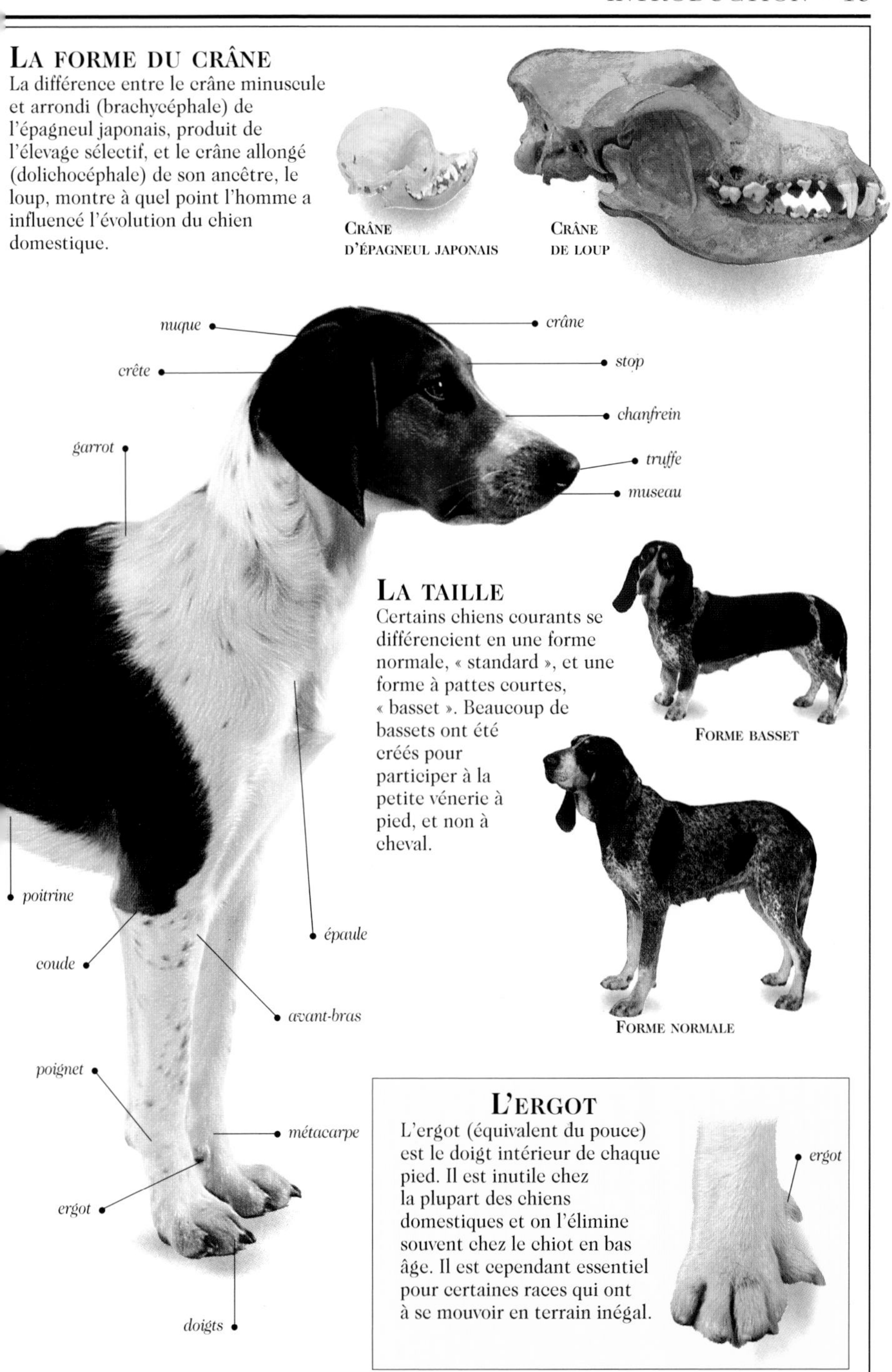

CRÂNE D'ÉPAGNEUL JAPONAIS

CRÂNE DE LOUP

LA TAILLE

Certains chiens courants se différencient en une forme normale, « standard », et une forme à pattes courtes, « basset ». Beaucoup de bassets ont été créés pour participer à la petite vénerie à pied, et non à cheval.

FORME BASSET

FORME NORMALE

L'ERGOT

L'ergot (équivalent du pouce) est le doigt intérieur de chaque pied. Il est inutile chez la plupart des chiens domestiques et on l'élimine souvent chez le chiot en bas âge. Il est cependant essentiel pour certaines races qui ont à se mouvoir en terrain inégal.

LES ROBES

LA ROBE d'un chien comprend essentiellement deux types de poils : les poils de jarre, à l'extérieur, sont longs, protecteurs, de texture grossière ; en dessous, la bourre est faite de sous-poils plus doux, que les poils de jarre traversent. C'est là toutefois un schéma de base, susceptible de variations, et toutes les races n'ont pas ce pelage double. Le pelage du chien est un élément important de son évolution : les races provenant des climats froids l'ont généralement dense ; les chiens de chasse tendent à l'avoir court et lisse ; chez les terriers, la sélection recherche les poils raides, qui protègent mieux contre la rudesse de l'environnement.

À PROPOS DES SOINS

Le type de pelage est à prendre en considération lorsqu'on choisit un chien. En principe, les chiens à poil ras et lisse, comme les dalmatiens, sont d'un entretien aisé : ils se contentent d'un brossage et, à l'occasion, d'un bain. Au contraire, les chiens à poil dur, comme les schnauzers, doivent être peignés régulièrement. En vue des expositions, il faut les toiletter par épilation et éclaircissement tous les trois mois. Les chiens de compagnie peuvent être tondus tous les deux mois ; on égalisera les poils autour des yeux et des oreilles. Les races à poil long, comme les collies, exigent des soins quotidiens pour que le pelage ne s'emmêle pas. Beaucoup de races ont besoin d'un bain environ tous les trois mois, pour réduire leur odeur. Il ne faut toutefois pas les baigner trop souvent.

UN HÔTE DU DÉSERT

Son poil ras permet à ce jeune dingo de supporter le soleil du désert australien.

POIL LONG

POIL DUR

POIL LISSE

Les couleurs

Tandis que certaines races n'ont qu'une seule coloration, il existe chez d'autres tout un éventail de combinaisons. Dans ce livre, des vignettes accompagnent parfois une notice pour fournir une indication générale sur les variantes particulières à la race décrite. Ces vignettes ne représentent pas exactement un type donné mais reflètent plutôt les principales colorations, suivant les modèles ci-dessous. Dans le cas des variétés marquées, la distribution exacte des couleurs peut être précisée par le standard. Aux fins d'exposition, toute couleur n'est donc pas nécessairement admise chez une race donnée.

Crème

Composé de blanc et de reflets ivoire, isabelle et citron.

Rouan

Composé de roux, fauve, ocre rouge, marron, orange et châtain.

Bleu

Composé de bleu merle (bleu-gris) moucheté de noir.

Sable

Composé d'acajou et de brun-noir.

Noir et feu

Couleurs clairement définies et contrastées.

Doré

Composé de jaune or et feuille morte, fauve, abricot, paille et ocre.

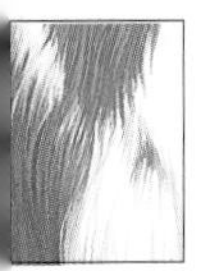

Rouge pie ou aubère

Combinaisons de blanc et d'orange, fauve, roux, marron.

Bleu et feu

Composé de bleu bringé, de noir bleuâtre et de feu.

Noir et blanc

Blanc marqué de noir ou de bringé.

Noir, feu et blanc

Autrement dit : tricolore.

Gris

Toutes les nuances de l'argenté au gris-noir bleuté, bringées de gris ou de noir.

Foie et feu

Combinaison de deux nuances rougeâtres.

Pie foie et blanc

Coloration souvent présente chez les chiens d'arrêt.

Foie

Composé de brun-rouge, de sable et de nuances cannelle.

Noir bringé

Comprend le poivre et sel, une combinaison de gris et de noir.

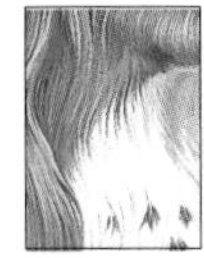

Feu et blanc

Combinaison de couleurs souvent présente chez les chiens courants.

Noir

D'un noir pur. Le museau peut grisonner avec l'âge.

Doré et blanc

Blanc moucheté de citron, doré ou orange.

Caille

Comprend du bringé orange ou acajou.

Diversité de couleurs

Un labrador noir et un jaune. Il y a aussi une variété foie.

Sens et comportement

Depuis que le processus de domestication a commencé, l'élevage sélectif de plus de quatre mille générations a incroyablement modifié l'aspect physique de certains chiens. Pourtant, même le petit chihuahua (voir p. 41) manifeste toujours les traits comportementaux de son ancêtre, le loup. Comme celui-ci, le chien domestique communique vocalement et gestuellement, les oreilles et la queue étant particulièrement expressives ; et il a conservé son puissant instinct social.

Oreilles fines

Ouïe

Les chiens ont généralement le sens de l'ouïe très aiguisé et sont capables d'entendre des ultrasons, trop hauts pour l'oreille humaine. Cette capacité auditive étendue les aide à traquer une proie et à communiquer entre eux. Depuis peu, on utilise des chiens comme auxiliaires des mal entendants, en les entraînant à signaler des sons tels que, par exemple, la sonnerie du téléphone.

Communication

Les loups s'envoient des signaux en hurlant. Ce moyen de communication reste bien développé chez les chiens nordiques, qui travaillent en groupe. Les chiens de meute sur la voie peuvent aboyer, ce qui est utile au chasseur quand le chien n'est pas visible.

Sur la voie

Envoi d'un message

Vue perçante

Vue

La position des yeux, de part et d'autre de la tête, procure aux chiens un champ visuel plus large que celui de l'homme, et les avertit donc mieux de leur environnement. Les chiens ont aussi une meilleure vision nocturne parce que, chez eux, les cellules de la rétine, où l'image se met au point, réagissent bien à un éclairement faible. Cependant leur vision des couleurs est limitée.

Odorat

La finesse de l'odorat, commune à tous les chiens, est particulièrement développée dans des races telles que le saint-hubert, qui en usent pour suivre le gibier. Pour capter les odeurs, les chiens se fient à leur nez mais aussi à l'organe de Jacobson, situé dans la bouche.

Marquage olfactif

L'urine des chiens est très individualisée par des marqueurs chimiques, les phéromones. Elle est utilisée par le mâle pour signifier aux autres chiens les limites de son territoire. Après la puberté, les mâles urinent en levant la jambe, et non plus en s'accroupissant comme les chiennes, afin d'atteindre des cibles telles qu'un tronc ou un poteau. Ils peuvent aussi gratter le sol, en laissant une trace olfactive des glandes sudoripares qu'ils ont entre les doigts. Il y a une nette différence de comportement entre les sexes, et les mâles urinent peut-être trois fois plus que les femelles.

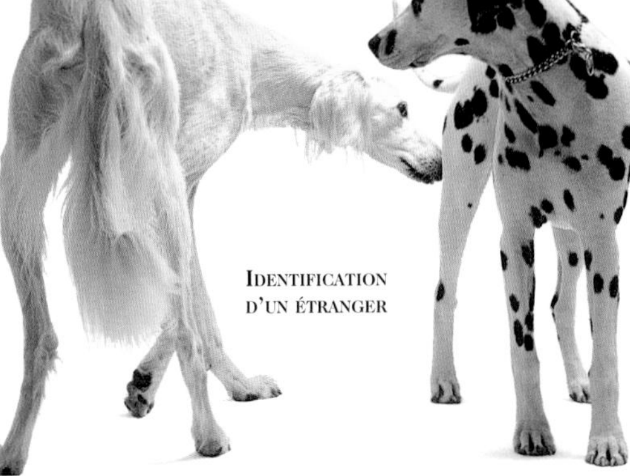

Identification d'un étranger

Agression

Les chiens mâles qui se rencontrent dans des situations d'antagonisme potentiel adoptent des attitudes bien définies, indiquant la soumission (ci-dessous) ou une menace d'agression non suivie d'attaque réelle. Dans ce cas, le chien se redresse, la queue levée, l'échine hérissée ; l'encolure s'avance et la gueule s'ouvre en rictus.

Prêt au combat

Soumission

Si un chien accepte de se soumettre, il va probablement se tapir, la queue entre les jambes et les oreilles basses. Dans certains cas, il prendra la fuite, poursuivi par le chien dominant. Ou bien il se roulera sur le dos, comme un chiot ; peut-être urinera-t-il un peu si la retraite lui est coupée. Un chien soumis ne risque pas d'être attaqué.

Sans défense

Compagnie

Malgré leur besoin de hiérarchie, les chiens sont de nature sociable et s'entendent généralement bien entre eux. Ceux que l'on destine à la compagnie de l'homme sont moins bruyants que les chiens de chasse, les aboiements n'étant pas souhaitables chez des animaux qui vivent auprès des gens. Quand un membre de la famille revient à la maison, le chien de compagnie le salue en agitant la queue et en ouvrant légèrement la gueule.

Un ami fidèle

Les chiots

La plupart des amateurs préfèrent acheter un chiot afin de dresser l'animal eux-mêmes. Un chien très jeune s'habituera plus vite à un nouveau milieu qu'un individu plus âgé, et point n'est besoin d'insister sur les problèmes de comportement que l'on peut rencontrer chez les adultes. Malgré tout, il faut bien comprendre que son acquisition entraînera des inconvénients et des dégâts chez soi. Les tapis, par exemple, peuvent être souillés ou mordillés, et les chiots risquent d'aboyer ou de japper longuement si on les laisse seuls. Leurs propriétaires doivent donc faire preuve de tolérance. Une éducation empreinte de sensibilité et une attention suffisante aux besoins des chiots réduiront ces ennuis au minimum. Les chiens sont routiniers et ils apprennent vite à faire ce qu'on leur demande.

Golden retriever et ses chiots

La reproduction

Les chiennes domestiques connaissent en général deux périodes de « chaleurs » par an, alors que les femelles des canidés sauvages n'en ont qu'une. Tant les sauvages que les domestiques ont une gestation d'environ deux mois. À la naissance, les chiots sont entièrement dépendants et sans défense ; leur mère les allaite et les lèche jusqu'à ce qu'ils commencent à accepter une nourriture solide. Ils sont sevrés entre quatre et six semaines.

La santé des chiots

Les jeunes chiens ont tendance à jouer avec entrain puis à dormir longuement. Ce sommeil n'est pas signe de mauvaise santé. De même, dans un nouveau logis, un chiot sera moins actif qu'un chien adulte. Ce qu'il faut prendre en considération pour juger de leur santé, ce sont un bon appétit et des selles fermes, sans traces de sang. La peau est normalement relâchée, mais attention au ventre ballonné qui peut indiquer la présence de vers. Le vermifuge devient alors indispensable. Votre vétérinaire vous conseillera utilement sur les principales vaccinations.

Jeunes patterdale terriers

LE CHIOT GRANDIT

Le pelage d'un chiot est souvent moins touffu que celui de sa mère (voyez, ci-contre, l'exemple du bobtail), mais la distribution des marques a peu de chances de changer lorsqu'il grandit.

Quand il atteindra l'âge de six mois, le chiot recevra un premier dressage à l'intérieur. Il se promènera volontiers en laisse et l'on pourra bientôt lui permettre de prendre de l'exercice en liberté. Choisissez un endroit tranquille, loin des routes et des sujets de distraction tels que les autres chiens ou les animaux de la ferme. S'il s'échappe, ne le pourchassez pas car il prendrait cela pour un jeu. Restez en place, au contraire, et appelez-le. Il vous rejoindra dès que lui sera passée la joie de se sentir libre.

BOBTAIL ET SON CHIOT

JEUNE SHAR PEI

JEUNE COCKER

LA TAILLE

Quelle que soit leur race, tous les chiots nouveau-nés ont à peu près la même taille. Ce n'est que plus tard que les grandes races, comme le shar pei (à gauche), se mettront à grandir plus vite que les petites, comme le cocker (ci-contre). Évitez de trop exercer les jeunes chiens, surtout ceux des grandes races, parce que cela soumet leur ossature à trop de contraintes. Il vaut mieux les promener une fois par jour en leur permettant de courir librement s'ils le désirent.

VERS L'ÂGE ADULTE

L'âge avançant, des changements apparaissent. Chez certaines races, comme le berger allemand, les oreilles commencent à se redresser. En de rares cas, cela ne se produit pas mais, en général, elles entament leur modification quand le chiot approche les six mois. Dans les races où les nouveau-nés sont notablement plus pâles que les adultes (comme dans le cas du bouvier australien, ci-contre), la coloration se met également à foncer avant six mois. D'autres caractères encore, comme la couleur des yeux, peuvent prendre un aspect adulte à cet âge.

BOUVIER AUSTRALIEN ET SON CHIOT

Choisir un chien

Quand il s'apprête à choisir un chien, le propriétaire potentiel est influencé par un certain nombre de facteurs tels que la santé, l'aspect et le caractère, mais, généralement, le souci majeur est celui de la taille à l'âge adulte. Toutefois, la taille est souvent trompeuse car certains grands chiens, comme par exemple le lévrier, peuvent être beaucoup moins actifs à l'intérieur que des races plus petites. Malheureusement, plus les chiens servent d'animaux familiers, plus leurs origines sont négligées, bien que les instincts qu'ils en héritent restent relativement intacts. Trop de gens prennent un chien sur sa seule apparence, sans tenir assez compte de son ascendance, laquelle affecte pourtant son caractère et son comportement.

Papillon

Beagle

Springer spaniel anglais

Petit, joli

Les chiens nains, comme le papillon, présentent un avantage sur les races plus grandes : l'appétit est moindre, ils sont moins coûteux à nourrir. Leur dressage est aisé, la plupart cherchant à plaire à leur maître. Ils apprécient son affection et sont généralement gentils avec les enfants. Cela ne veut pas dire que les petits chiens n'ont besoin que de peu d'espace ; beaucoup d'entre eux, surtout les terriers, sont très actifs et n'aiment rien tant que battre la campagne.

Les chiens courants

Certains petits chiens courants, comme le beagle, sont des compagnons très recommandables : leur pelage ras est aisé à entretenir, leur nature est enjouée et active. Les limiers peuvent cependant se montrer difficiles à dresser et, s'ils se mettent sur une piste, ils ne rejoindront pas volontiers leur maître. Ce sont souvent de grands mangeurs.

Les épagneuls

Les chiens d'arrêt ont été sélectionnés pour entretenir un rapport étroit avec leur maître, et des races telles que le springer spaniel anglais font d'admirables compagnons pourvu que le chien ait toutes les occasions de s'exercer et qu'on ait tout le temps de s'occuper de lui. Le toilettage est impératif, en prenant un soin particulier des lourdes oreilles pendantes, sous peine d'ennuis ultérieurs. L'infection des oreilles est commune chez les épagneuls. Une précaution simple consiste à faire l'achat d'une écuelle très haute et assez étroite pour que les oreilles restent à l'extérieur, sans risquer d'êtres souillées par la nourriture.

À VÉRIFIER

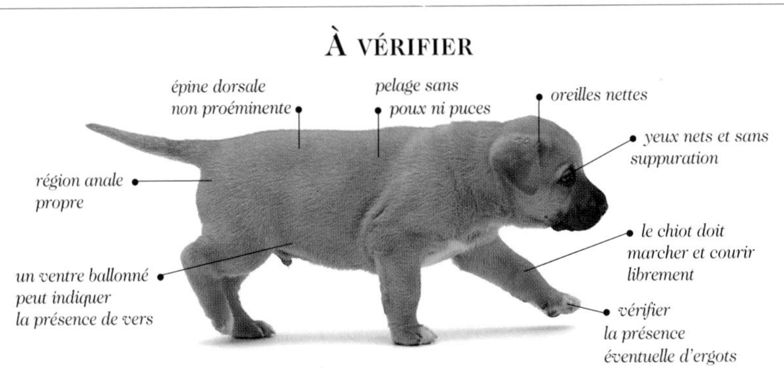

CHOISIR UN CHIOT

Après avoir décidé de la race, vous trouverez peut-être un chiot près de chez vous. Les revues et les sociétés canines vous renseigneront sur les éleveurs. Le coût d'un jeune chien dépend de son pedigree et de la rareté relative de la race. En général, les jeunes sont tout à fait sevrés, et prêts à changer de domicile, vers neuf semaines.

Prenez le plus rapidement possible rendez-vous avec un vétérinaire pour vous assurer que le chiot est en bonne santé. Cela dit, tout le monde ne désire pas, ou ne peut se permettre, d'acheter un chien de race et, en tant que compagnons, les bâtards peuvent être adorables. Rappelez-vous toutefois qu'il n'est pas simple de prévoir la taille adulte d'un bâtard.

DOBERMAN

LES CHIENS DE GARDE

Les chiens utilisables comme gardiens, par exemple le doberman, ont connu récemment un regain de popularité. Cependant beaucoup de chiens de garde conservent un puissant instinct de berger ou de bouvier, et ils sont d'une nature dominatrice. Il leur faut donc un dressage sérieux, dès leur plus jeune âge, si l'on ne veut pas qu'ils deviennent dangereux.

GRAND, BRAVE

La taille d'un chien comme le danois peut être dissuasive. Pourtant, ce n'est pas un indicateur valable du tempérament car cette race est douce et même plutôt placide. Il y a néanmoins des inconvénients à garder chez soi un si grand animal : le nourrir coûte cher et il a besoin de beaucoup d'espace vital.

DANOIS

SOINS ET TOILETTAGE

IL FAUT tout un équipement pour toiletter, nourrir et exercer un chien. En outre, il importe que vous choisissiez les ustensiles qui conviennent à la race du vôtre, car les exigences varient quelque peu. Enfin, vous procurer l'équipement propre à son âge vous évitera des complications et des dépenses inutiles. Par exemple, il vaut mieux différer l'achat d'un panier de repos jusqu'à ce que le chiot ait fait ses dents, soit vers l'âge de neuf mois. En attendant, une caisse en carton fera l'affaire. Autrement, votre coûteuse acquisition risquerait de subir des dommages irréparables.

L'ENTRETIEN DU PELAGE

Des soins réguliers sont essentiels dès le jeune âge, non seulement pour la santé du poil, mais aussi pour habituer l'animal à cette pratique, qu'il acceptera dès lors toute sa vie. Certaines races réclament un entretien plus poussé que d'autres, en fonction de la nature du poil, de sa longueur et du mode de vie du chien. Les séances de toilettage seront pour vous la meilleure occasion de constater certains ennuis de santé que votre chien pourrait éprouver, telles les éruptions, les pelades, les écorchures ou les blessures, voire les grosseurs ou les enflures qui nécessiteraient le recours au vétérinaire. Si vous comptez faire concourir votre chien, ces séances l'habitueront aussi à être manipulé.

LE BROSSAGE

Un brossage régulier, pour débarrasser le pelage de ses nœuds et de ses peluches, c'est le premier moyen de le maintenir en bon état. Vous accéderez plus aisément à ses différentes parties si vous parvenez à convaincre votre chien de rester debout pendant toute la séance

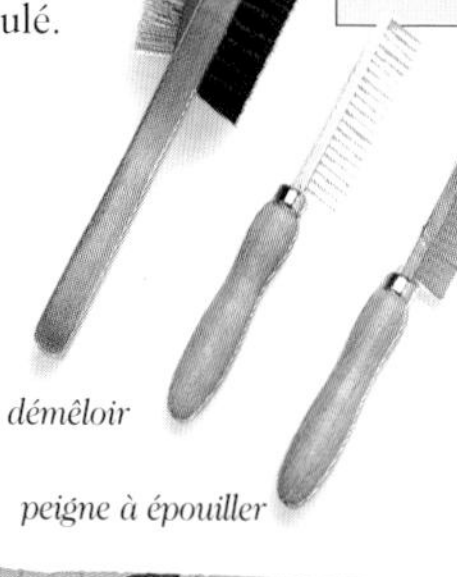

PEIGNES ET BROSSES

brosse double pour la finition

démêloir

peigne à épouiller

LA CHAMBRE À COUCHER

Encourager un chien, dès son plus jeune âge, à dormir dans son « coin », c'est le dissuader de dormir dans votre lit ou de se vautrer sur le canapé et les fauteuils.

LA COUCHE

Si vous décidez que l'achat d'un panier de repos est à l'ordre du jour, assurez-vous qu'il soit lavable en toutes ses parties, car c'est l'endroit par excellence où les puces vont pondre. En le nettoyant régulièrement, vous vous épargnerez un pullulement soudain de ces parasites. Si vous l'achetez pour un jeune chien, prenez-le assez vaste pour que l'animal une fois adulte y soit toujours à l'aise.

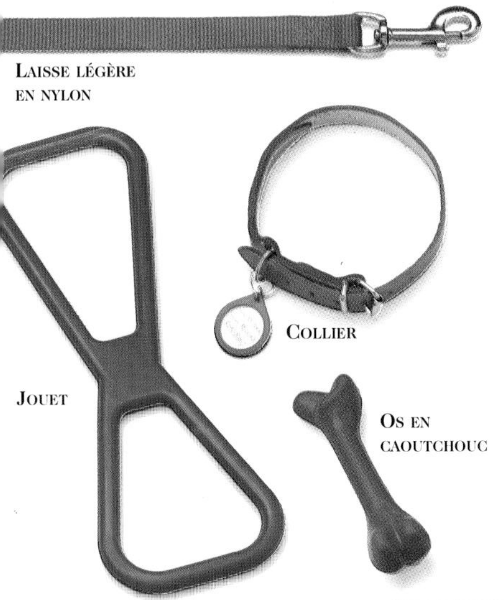

Laisse légère en nylon

Collier

Jouet

Os en caoutchouc

Colliers, laisses, jouets

Les chiots de six à sept semaines devront apprendre à porter un collier. Tout dressage correct doit enseigner au chien à marcher calmement en portant un collier et tenu en laisse par son maître. Un collier de cuir peut se déboucler et se régler à mesure que votre chien grandit. Si ce dernier erre librement, n'oubliez pas de lui attacher un moyen d'identification, avec son nom, le vôtre, votre adresse et votre numéro de téléphone.

Même adultes, les chiens aiment jouer, et vous aurez besoin d'une collection de jouets appropriés. Le jeu n'est pas seulement un amusement, c'est aussi un bon exercice. Les hochets et les os de caoutchouc aident à garder les crocs du chien en bon état. Évitez toutefois les objets trop petits, que le chiot pourrait avaler.

Écuelle en céramique

Écuelle en acier inoxydable

La nutrition

Écuelles et bols seront d'une matière aisée à laver. Remplacez les récipients de céramique dès qu'ils sont écaillés ou fêlés, car les éclats et les fissures abritent les bactéries.

Tâchez, au début, de ne pas varier le régime du chiot, même si vous comptez, plus tard, passer par exemple de la pâtée en boîte aux aliments secs. Cette précaution vous aidera à limiter l'éventualité de désordres digestifs. Si vous décidez d'administrer un supplément nutritif, suivez scrupuleusement les instructions du fabricant, parce que tout surdosage peut se révéler nocif.

Soins de santé

Les dents

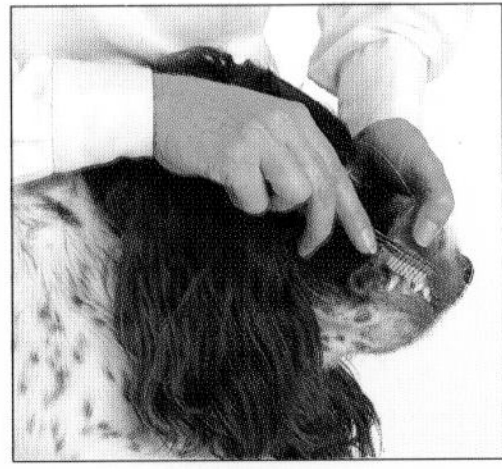

On peut maintenant acheter du dentifrice et des brosses à dents pour chiens. Cela vous aidera à assurer au vôtre une dentition et des gencives saines toute sa vie durant.

Les médicaments

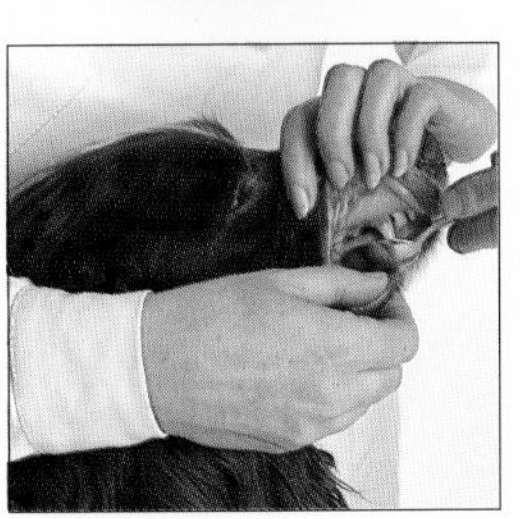

Si votre chien est calme, vous parviendrez à lui donner un médicament oral avec une cuiller. Sinon, employez une seringue. Opérez lentement, pour éviter tout rejet.

Les oreilles

Avec les doigts, ôtez-en les poils morts ; utilisez un compte-gouttes pour verser un nettoyant huileux, massez la base de l'oreille pour étaler le produit puis, avec du coton, épongez l'huile restée en surface. N'enfoncez jamais rien dans le canal auditif.

Les expositions

Beaucoup de propriétaires de chiens de race sont grands amateurs d'expositions canines et parcourent des distances considérables dans l'espoir d'un trophée. Pour l'écrasante majorité des participants toutefois, nul dédommagement financier ne viendra récompenser leurs efforts. C'est là une des dernières arènes où l'amateurisme continue à régner en maître, et l'on s'y avance pour le seul plaisir de montrer ses chiens, de rencontrer des gens qui partagent la même passion et de prendre part à l'enthousiasme général quand on proclame les vainqueurs. Pour vous informer sur ces manifestations, consultez la presse spécialisée.

Le bain

Avant l'exposition, le bain constitue la première étape de la préparation du chien. Disposez la baignoire à l'abri des courants d'air ; usez d'eau chaude et d'un shampoing pour chiens. Maintenez la tête du chien redressée pour que l'eau ne lui coule pas dans les yeux et le nez. Rincez jusqu'à ce qu'il n'y ait plus de shampoing, essuiez bien et, pour les races à poil long, passez au sèche-cheveux avant de brosser.

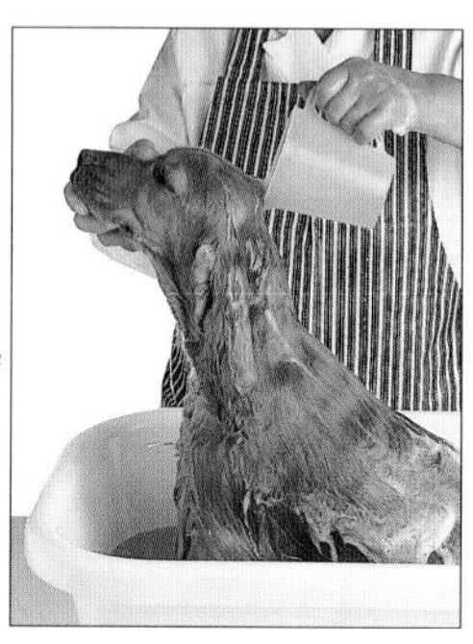

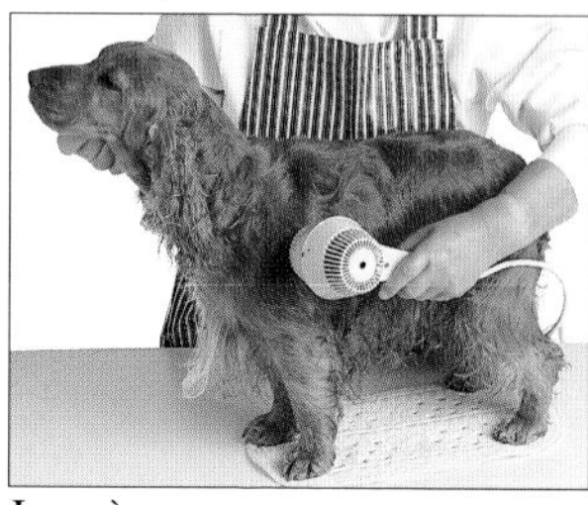

Le sèche-cheveux
Réglez-le sur la température la plus basse.

La tonte

Pour présenter en concours certaines races, comme le caniche (à gauche), il faut tondre le pelage conformément au standard. La tonte traditionnelle du caniche est dite « en lion ». Les chiots de moins d'un an peuvent être présentés en « mini-tonte ». Pour les chiens plus communs, qui ne concourent pas, la tonte moderne est plus appropriée.

Tonte en lion

Tonte en lion à l'anglaise

Le toilettage

Avec un chien à poil long, vous risquez de passer un long moment à le peigner et à le démêler après l'avoir baigné, afin de le rendre présentable aux juges. Ce yorkshire terrier (à droite) s'est vu nouer les poils en flots. Il les gardera ainsi jusqu'à l'heure du concours, pour révéler alors une merveilleuse toison ondulant jusqu'à terre, agrémentée d'un nœud de ruban.

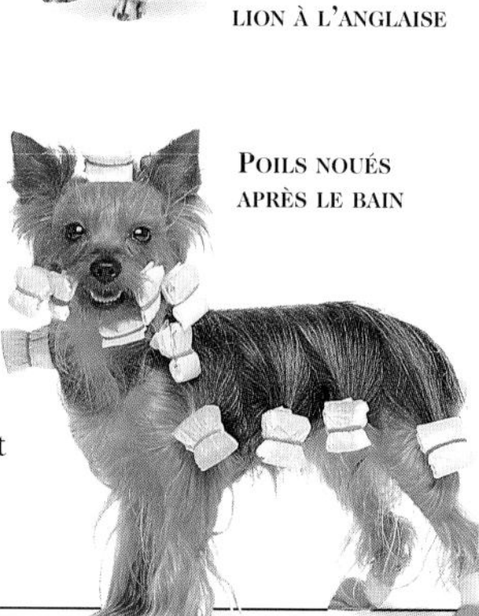

Poils noués après le bain

Peigné et prêt

Le grand jour

L'accès au « ring » couronne le patient travail des propriétaires. Un bon chien de concours est entraîné à se montrer sous son meilleur jour devant le juge. Le calme lui est essentiel, car il doit supporter un examen rapproché et des manipulations par un étranger, tout en ignorant la présence dérangeante des autres chiens. Quant au juge, il doit connaître à fond le standard officiel de la race pour pouvoir évaluer le maintien, les aplombs, la prestance, le mouvement et le tempérament du chien.

À L'EXPOSITION CANINE

Ces lévriers afghans et leurs maîtres attendent anxieusement le verdict du juge.

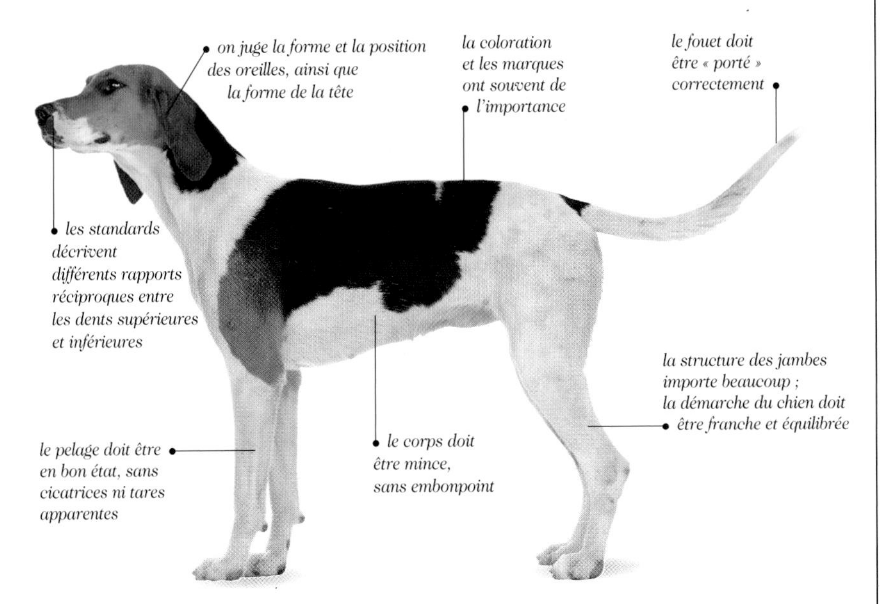

Les standards

Le standard d'une race spécifie usuellement, dans tous les pays où elle est reconnue, des éléments tels que la hauteur au garrot et le poids, les proportions par rapport à certaines parties du corps, la coloration, l'aspect et la texture de la robe, des oreilles, du fouet, des yeux et des pieds. Il énumère enfin les défauts caractéristiques.

Clé d'identification des chiens

Le système d'identification utilisé ici ne requiert aucune connaissance du caractère ni de la fonction des races ; il offre une méthode permettant de reconnaître celles-ci sur la base des caractéristiques physiques décrites ci-dessous et à la page de droite. Aux pages suivantes (pp. 30-37), toutes les races sont regroupées d'abord par ordre de taille (petite, moyenne ou grande), puis selon la forme de la tête (ronde, longue ou carrée), le type d'oreille (longue, dressée ou courte) et enfin la catégorie de poil (ras, long ou dur). Cette clé est illustrée par des silhouettes de chiens typiques (p. ex. petit, à tête ronde, à longues oreilles et à poil ras), accompagnées des numéros des pages où apparaissent les races présentant des traits similaires. Dans de rares cas, une race peut apparaître dans plus d'un groupe.

Taille

Parmi les caractéristiques distinctives des races, c'est la plus apparente. Nous prenons en considération trois catégories (petite, moyenne et grande), par référence à la hauteur au garrot. C'est la mesure utilisée dans les expositions, et c'est ce chiffre qui figure dans les notices de ce livre.

Grand

Moyen

Petit

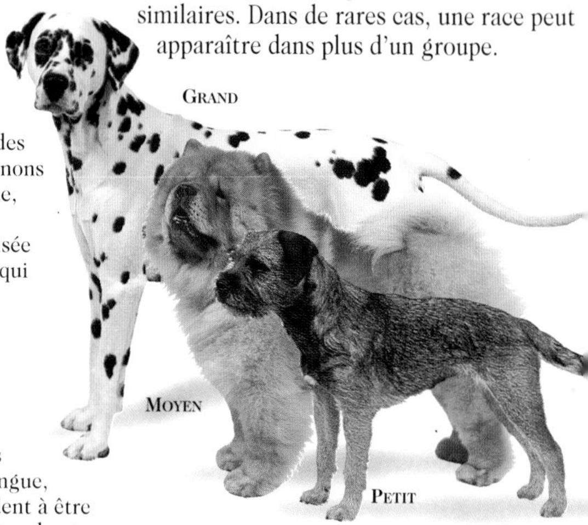

Variétés de tailles

Les tailles montrées ici sont : plus de 61 cm (grande), entre 46 et 61 cm (moyenne), moins de 46 cm (petite).

Forme de la tête

C'est évidemment une caractéristique moins précise que la taille mais, ici aussi, les races ont été classées en trois grandes catégories : tête ronde, tête longue, tête carrée. Les races à tête ronde tendent à être camuses ; celles à tête longue ont aussi un long nez, parfois pointu ; celles à tête carrée ont souvent les mâchoires relativement courtes et musclées.

Tête carrée

Tête longue

Tête ronde

Forme de la tête

Elle peut fournir une indication sur l'ascendance du chien. Les chasseurs à vue, tel le lévrier, ont le museau très allongé. Les races originairement de combat l'ont court et plutôt carré.

Forme et longueur des oreilles

Elles varient considérablement. Les oreilles dressées captent mieux les ondes sonores mais, chez les limiers qui usent de leur nez pour localiser le gibier, elles tendent à retomber. En recouvrant le canal auditif, le pavillon protège l'intérieur sensible de l'oreille quand le chien poursuit sa proie à travers la végétation ; cela réduit aussi le risque de chute de graines ou d'épines dans l'oreille. Les oreilles courtes facilitent l'entrée du chien dans des galeries et elles sont recherchées pour les races de terriers.

Essorillage

L'aspect des oreilles peut être altéré par l'essorillage, souvent pratiqué sauf en Grande-Bretagne. Dans la présente clé d'identification, les chiens sont classés d'après la forme et la disposition naturelles des oreilles.

Poil

Un autre élément significatif pour l'identification d'un chien, c'est le pelage. Sur la base de sa longueur, on peut distinguer les races à poil long ou à poil ras ; la troisième catégorie, le poil dur, se reconnaît à sa texture. Certaines races, comme le teckel, présentent les trois formes, tandis que chez d'autres peuvent coexister des formes à poil ras et à poil long ; aujourd'hui cependant, l'un des types tend à prédominer.

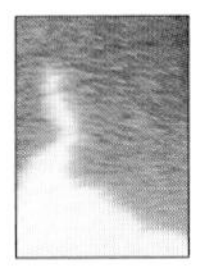

Poil ras

Robe lisse et luisante, poils couchés sur la peau.

Poil long

Généralement doublé d'un sous-poil dense, imperméable.

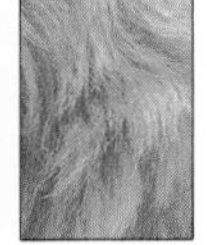

Poil dur

Rêche et dense, fréquent chez les races habituées au sous-bois.

Queue

La queue varie beaucoup en longueur et en forme mais, pour identifier une race, il n'est pas essentiel d'en connaître les différents types. La queue peut d'ailleurs être modifiée artificiellement par amputation.

Queue en trompette

Typique des spitz.

Queue longue

Est un moyen de communiquer : le chien reste visible dans le sous-bois.

Queue frangée

Forme due aux longs poils de la face inférieure. Typique des setters.

Queue écourtée

Souvent pratiquée sur les terriers, l'amputation donne un moignon dressé.

Races groupées selon leurs caractéristiques dominantes

Petits chiens

Ce groupe comprend toutes les races mesurant moins de 46 cm au garrot. Une fois établi qu'un chien appartient à cette catégorie, vous devrez examiner la forme de la tête (voir p. 28), puis l'oreille et la robe. Vous serez alors en mesure de situer une race du type physique considéré dans l'un des cadres figurant ci-dessous ou aux pages

Tête ronde

Longues oreilles

Poil ras

Beagle *146 (bas)*

Poil long

Terrier tibétain *55 (bas)*

AUTRES *38, 40 (b), 43 (b), 46 (b), 49, 51 (h), 52, 53 (b), 55 (h), 56 (h&b), 57 (b), 58, 59 (b), 60, 63*

Poil dur

Dandie-dinmont terrier *213 (haut)*

Tête longue

Longues oreilles

Poil ras

Basset *146 (haut)*

Levrette d'Italie *50*

AUTRES *40 (h), 43 (h), 47 (b), 48, 50, 59 (h), 146 (b), 155 (h), 158-159, 173 (h&b), 175, 186 (b), 187, 209 (b)*

Poil long

Terrier tchèque *230 (bas)*

Oreilles dressées

Poil ras

Bull-terrier nain *212 (haut)*

Petit terrier anglais *210 (haut)*

AUTRES *42, 54, 107 (b), 111 (h), 111 (b), 132 (h), 197, 206, 210 (b), 246 (h), 249 (b), 291 (h), 295 (b)*

Poil long

Spitz moyen *44 (bas)*

AUTRES *39 (h), 44 (h), 45 (h&b), 51 (b), 57 (h), 132 (b), 221 (h), 225*

32 et 33 ; vous y trouverez aussi des renvois aux pages concernant les races similaires.

Les « petits chiens » comprennent les races dites toy et beaucoup de terriers. Leur taille en fait désormais des compagnons recherchés, alors que d'aucuns étaient tout à fait locaux naguère. Certains terriers partagent un ancêtre commun et peuvent donc se ressembler, tandis que les vrais chiens de compagnie varient beaucoup plus.

ORELLES DRESSÉES

POIL LONG

Papillon *47 (haut)*

POIL DUR

Griffon-singe *223 (haut)*

PETITES OREILLES

POIL LONG

Chihuahua *41 (bas)*

POIL LONG

Kooiker *82 (bas)*

Sussex spaniel *72 (bas)*

AUTRE *158-159*

POIL DUR

Teckel *158-159*

AUTRES *169, 211 (h)*

POIL LONG

Berger des Shetland *109 (bas)*

POIL DUR

Terrier australien *220 (bas)*

Petit podengo portugais *197*

AUTRES *211 (b), 217 (h), 225*

Petits chiens à tête longue *suite*

Oreilles courtes

Poil ras

Parson Jack Russell terrier *215 (haut)*

Terrier japonais *292 (haut)*
AUTRES *218 (h), 221 (b), 222, 223 (b), 228 (b)*

Fox-terrier *216 (haut)*

Tête carrée

Oreilles dressées

Poil ras

Boston terrier *208 (bas)*
AUTRE *263 (h)*

Poil long

Skye terrier *217 (bas)*
AUTRE *219*

Poil dur

Cairn terrier *213 (bas)*
AUTRE *218 (b)*

Chiens de taille moyenne

Ce groupe comprend toutes les races mesurant entre 41 et 61 cm au garrot. Une fois établi qu'un chien appartient à cette catégorie, vous devrez examiner la forme de la tête (voir p. 28), puis l'oreille et la robe. Vous serez alors en mesure de situer une race du type physique considéré dans l'un des cadres figurant ci-dessous ou aux

Tête ronde

Longues oreilles

Poil ras

Labrador *69*
AUTRE *136*

Poil long

Berger polonais *123 (haut)*
AUTRES *66 (b), 67 (h), 95, 106 123 (b), 136, 266*

POIL DUR

Fox à poil dur
215 (bas)

Lakeland terrier
214 (haut)
AUTRES *214 (b), 215 (h), 221 (b), 224, 228 (h)*

Welsh terrier
216 (bas)

OREILLES COURTES

POIL RAS

Carlin *53*
AUTRES *39 (b), 212 (b)*

POIL DUR

Sealyham terrier *220 (haut)*
AUTRE *229*

pages 34 à 37 ; vous y trouverez aussi des renvois aux pages concernant les races similaires.

Beaucoup de races communes sont de taille moyenne : ainsi de divers chiens de chasse et de berger. Il y en a cependant de très localisées, même à l'intérieur de leur pays d'origine. Néanmoins, les expositions de chiens rares font progressivement connaître nombre de celles-ci.

OREILLES DRESSÉES

POIL LONG

Chow-chow *288*

OREILLES COURTES

POIL LONG

Briard *116-117*

Chiens de taille moyenne à tête longue

Longues oreilles

Poil ras

Braque de Weimar *76-77*

AUTRES *61, 62, 67 (b), 70-71, 72 (h), 74, 79, 82 (h), 87, 88-89, 90, 91, 92 (h), 93, 98, 101, 102, 103, 104, 120-121, 138, 139 (h&b), 140, 141, 142-143, 144, 145, 147, 151 (b), 152, 153, 154 (h&b), 155 (b), 156, 157, 160 (h&b), 161, 164, 165, 166-167, 168, 170-171, 174, 178, 180, 182, 183, 184-185, 188, 189 (h), 190, 191, 195, 199, 201, 205, 230 (h&b), 272, 274, 279, 280 (h), 284 (h)*

Poil long

Lévrier afghan *2*

AUTRES *64, 65, (h), 68, 73, 75, 7 80-81, 83 (h&b), 86, 94*

Oreilles dressées

Poil ras

Chien des pharaons *193*

Saarloos *125*

AUTRES *109 (h), 112, 113, 115, 119, 129, 192 (b), 194, 198, 204, 233 (b), 234-235, 239 (h), 245 (h&b), 246 (b), 247 (h&b), 248, 249 (h), 281, 284 (b), 285 (h&b), 286, 287, 290, 292 (b)*

Poil long

Spitz-loup *46 (hau*

AUTRES *108, 114 (h&b), 124, 126, 128*

Oreilles courtes

Poil ras

Sloughi *203*

Chinook *233 (haut)*

AUTRES *107 (h), 150, 151 (h), 186 (h), 196*

Setter irlandais bicolore *85*

AUTRES *96, 103, 105, 110, 134 (h&b), 135, 137, 149, 267, 270-271, 275, 280 (h), 295*

POIL DUR

Spinone *100*

Briquet griffon vendéen *177 (haut)*

AUTRES *78, 97 (h&b), 99, 122, 165, 176, 177 (b), 179, 180, 181, 189 (b), 192 (h)*

Berger Picard *118*

AUTRES *239 (b), 243, 262, 268*

POIL DUR

Laekenois ***127***

Podengo portugais moyen *198*

AUTRES *194, 226*

POIL LONG

Soft-coated wheaten terrier *227*

Collie des borders *107 (haut)*

POIL DUR

Airedale *209 (haut)*

CHIENS DE TAILLE MOYENNE À TÊTE CARRÉE

LONGUES OREILLES

POIL RAS

Dogue de Bordeaux *263 (bas)*
AUTRES *238, 242, 260, 273, 280 (b), 293*

POIL LONG

Bouvier des Flandres *130-131*
AUTRES *133 (b), 273*

GRANDS CHIENS

Ce groupe comprend toutes les races mesurant plus de 61 cm au garrot. Une fois établi qu'un chien appartient à cette catégorie, vous devrez examiner la forme de la tête (voir p. 28), puis l'oreille et la robe. Vous serez alors en mesure de situer une

TÊTE LONGUE

LONGUES OREILLES

POIL RAS

Danois *252-253*
AUTRES *243, 283, 291 (b)*

POIL LONG

Mâtin des Pyrénées *278*
AUTRES *200, 258-259, 261, 264-265, 282*

TÊTE CARRÉE

LONGUES OREILLES

POIL RAS

Mâtin napolitain *276-277*

Mastiff *236-237*

Pumi *133 (bas)*

Boxer *255 (haut)*
AUTRES *207, 208 (h), 231, 232, 289, 294*

race du type physique considéré dans l'un des cadres figurant ci-dessous ; vous y trouverez aussi des renvois aux pages concernant les races similaires.

Comme on pouvait s'y attendre, ces races sont relativement peu nombreuses, bien que certaines soient issues de lignées très anciennes de chiens domestiques.

Lévrier d'Irlande *162-163*

Lévrier d'Écosse *148*

Landseer *256-257*

Terre-neuve *240-241*

LES CHIENS DE COMPAGNIE

ÉLEVÉS essentiellement pour l'agrément et non pour le travail, ces chiens présentent une grande variété de formes et de tailles. Souvent, ce ne sont que des versions réduites de chiens plus grands mais certains, comme le chihuahua (voir p. 41), créés spécialement pour servir d'animaux familiers, n'ont pas d'ancêtre utilitaire. D'autres, comme le bouledogue anglais (voir p. 39) ou le basenji (voir p. 59), proviennent d'une lignée spécialisée. Typiquement, les chiens de compagnie sont d'une nature fidèle et affectueuse ; en revanche, des réserves ont été faites quant à la constitution de certains représentants de ce groupe. Une faiblesse de l'arrière-train, venant du genou (la rotule étant sujette à luxation), se rencontre chez certaines races. Toutefois, par une bonne sélection des reproducteurs, les éleveurs cherchent à éliminer pareils défauts.

Pays d'origine États-Unis	Premier usage Compagnie	Ancienneté 1972

KYI LEO

L'une des races les plus récentes du monde canin. Petit animal solidement bâti, abondamment couvert de longs poils et à la face vive et sympathique. La robe est habituellement noir et blanc mais on voit communément d'autres couleurs.

• **HISTORIQUE** L'ascendance de ce nouveau venu ne fait aucun doute : il est le résultat de croisements entre le lhassa apso et le bichon maltais. Originaire de Californie, le kyi leo est spécifiquement un chien de salon : l'absence de jardin ou de pelouse ne le gêne en rien.

• **REMARQUE** Le kyi leo est aisé à entretenir. Son long pelage exige d'être brossé fréquemment pour rester sain mais l'on n'a pas besoin de le tondre.

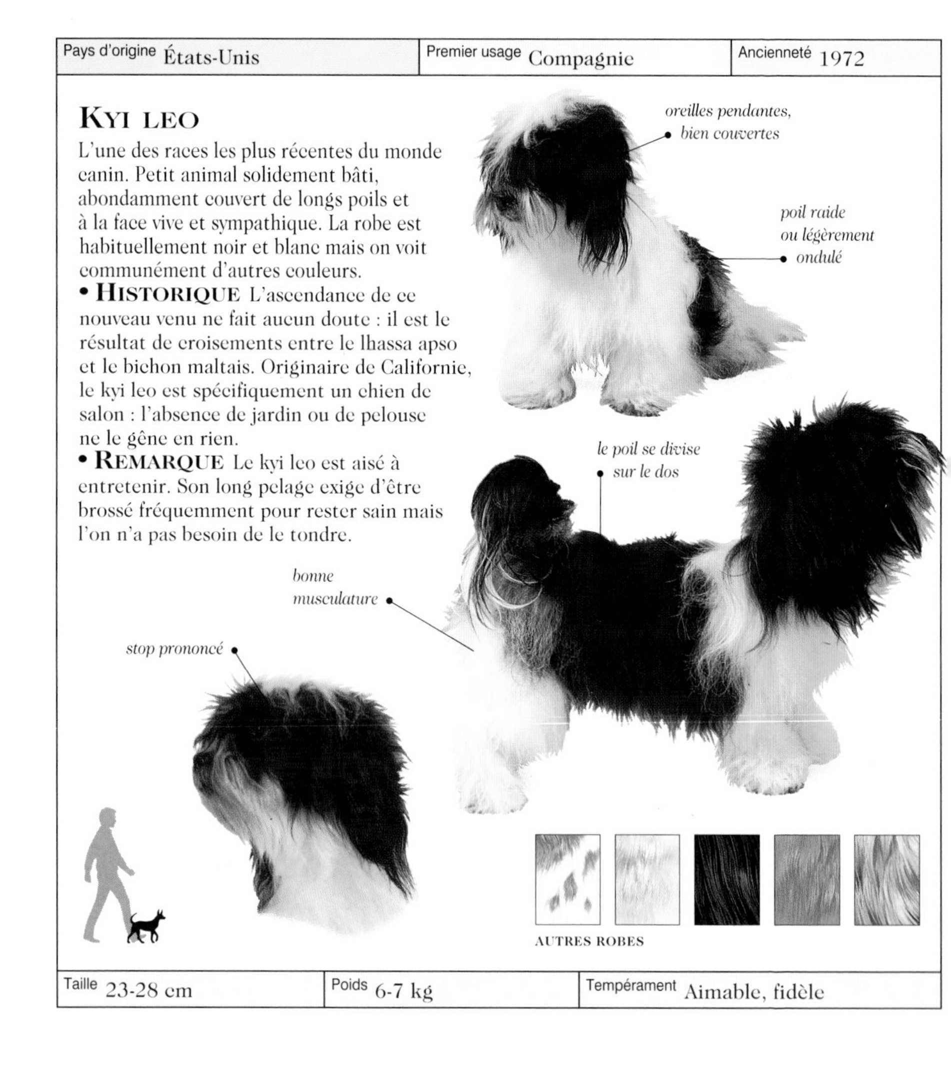

Taille 23-28 cm	Poids 6-7 kg	Tempérament Aimable, fidèle

Pays d'origine États-Unis	Premier usage Compagnie	Ancienneté XXe s.

ESQUIMAU NAIN D'AMÉRIQUE

Sa face, sa robe et sa forte queue le rattachent au type spitz. Le museau pointu et les oreilles dressées rappellent le renard, le pelage est long et épais, la queue en beau plumet recourbé sur le dos. Malgré sa petitesse, c'est un chien vigoureux, musclé, au dos large. Le blanc pur est la couleur préférée mais on trouve parfois des marques crème ou biscuit.

• **HISTORIQUE** Descend du spitz. Les éleveurs américains ont sélectionné la forme blanc pur.

• **REMARQUE** À part la taille, les trois esquimaux d'Amérique répondent au même standard.

• **AUTRE NOM** Toy American eskimo.

Taille 28-31 cm	Poids 3-5 kg	Tempérament Affectueux, obéissant

Pays d'origine Grande-Bretagne	Premier usage Tauromachie	Ancienneté XIXe s.

BOULEDOGUE ANGLAIS

Sa musculature hors de proportion avec sa taille fait de ce bouledogue un modèle réduit mais puissant du mâtin. Tête énorme, d'une circonférence égale à la hauteur de l'animal. Yeux placés bas. Le blanc prédomine mais il y a beaucoup d'individus pie, bringés et fauves.

• **HISTORIQUE** Race très prisée jusqu'à l'interdiction en Angleterre, en 1835, des combats de dogues et de taureaux. Depuis, la sélection l'a rendue beaucoup plus aimable.

• **REMARQUE** La naissance par césarienne n'est pas rare, la grosse tête du fœtus pouvant se coincer dans le vagin.

• **AUTRE NOM** Bulldog.

Taille 31-36 cm	Poids 23-25 kg	Tempérament Affectueux, docile

Pays d'origine Grande-Bretagne	Premier usage Compagnie	Ancienneté après 1920

CAVALIER KING CHARLES

Recréation moderne de l'ancien épagneul King Charles (ci-dessous), le cavalier s'en distingue par sa truffe plus longue et sa structure plus forte. Les deux races ont la même coloration. La forme blanc et marron de l'une et de l'autre s'appelle Blenheim, d'après la propriété du duc de Marlborough d'où sont originaires les épagneuls de cette robe.

• **HISTORIQUE** Les épagneuls nains étaient courants dans les palais d'Europe au XVIIe siècle, et l'on en voit dans beaucoup de tableaux du temps. Les cavaliers ont été enregistrés pour la première fois par le Kennel Club britannique, comme race distincte, en 1945.

• **REMARQUE** Le terme « cavalier » a été choisi pour distinguer cette race de l'épagneul King Charles.

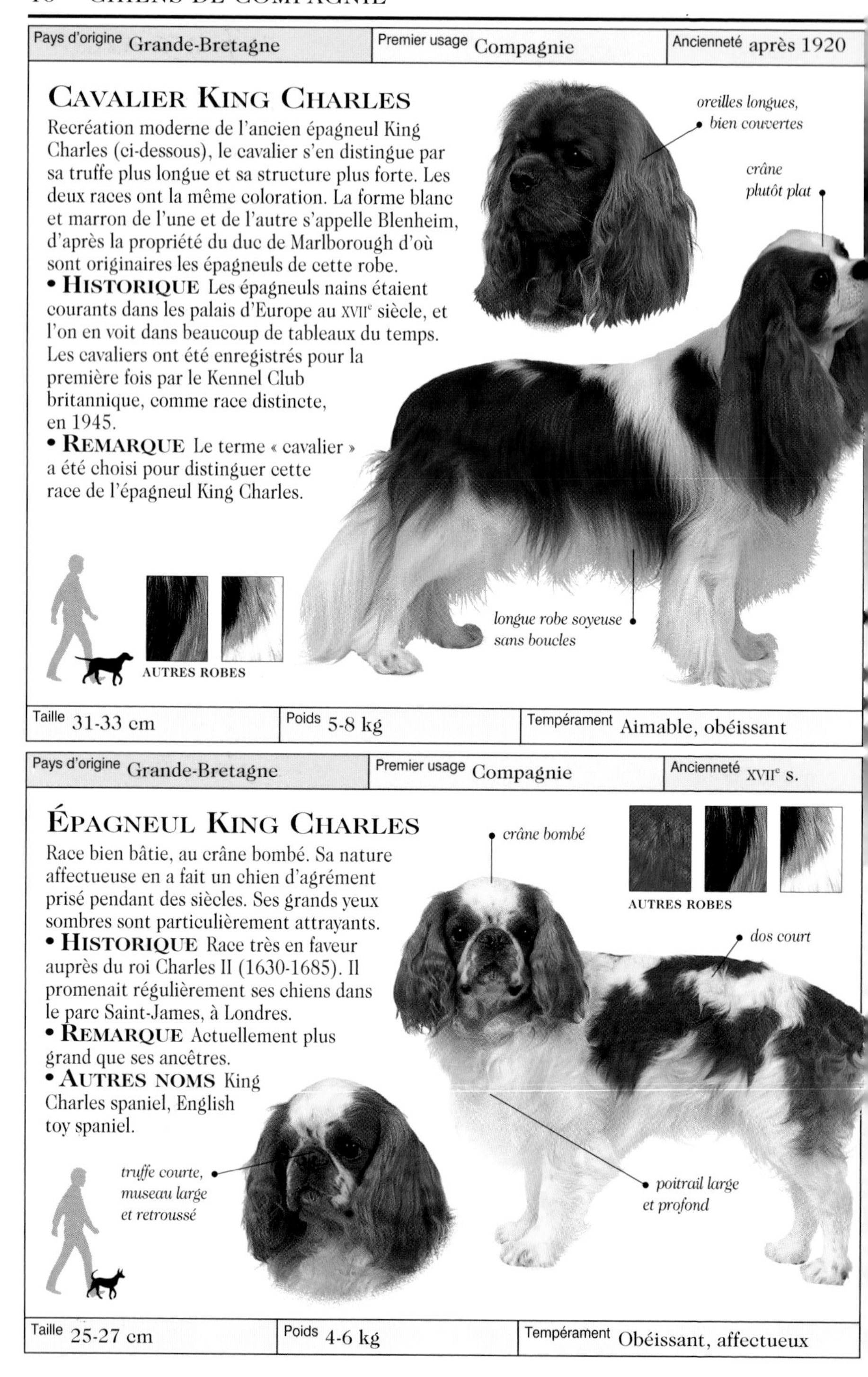

Taille 31-33 cm	Poids 5-8 kg	Tempérament Aimable, obéissant

Pays d'origine Grande-Bretagne	Premier usage Compagnie	Ancienneté XVIIe s.

ÉPAGNEUL KING CHARLES

Race bien bâtie, au crâne bombé. Sa nature affectueuse en a fait un chien d'agrément prisé pendant des siècles. Ses grands yeux sombres sont particulièrement attrayants.

• **HISTORIQUE** Race très en faveur auprès du roi Charles II (1630-1685). Il promenait régulièrement ses chiens dans le parc Saint-James, à Londres.

• **REMARQUE** Actuellement plus grand que ses ancêtres.

• **AUTRES NOMS** King Charles spaniel, English toy spaniel.

Taille 25-27 cm	Poids 4-6 kg	Tempérament Obéissant, affectueux

Pays d'origine Mexique	Premier usage Compagnie	Ancienneté XIXe s.

CHIHUAHUA

Il y a deux variétés de ce chien minuscule et crâneur, qui se différencient par la longueur du poil. La forme à poil ras a une robe lustrée, tandis que la forme à poil long l'a légèrement ondulée. Cette dernière résulte de croisements entre chihuahuas à poil ras, yorkshire terriers (voir p. 219) et papillons (voir p. 47). L'élevage sélectif est ensuite intervenu pour que les deux formes ne se distinguent à aucun autre point de vue. Les couleurs habituelles sont le fauve, le marron, le bleu acier et l'argent, souvent en combinaison.

• **HISTORIQUE** Le nom vient de celui de l'État mexicain de Chihuahua, d'où ce chien est peut-être originaire. On l'a vu pour la première fois aux États-Unis vers la fin du XIXe siècle, avant son introduction en Europe. La plupart des souches actuelles descendent des 50 premiers chiens emmenés aux États-Unis.

• **REMARQUE** Le chihuahua peut être sensible au froid. Il frissonne aussi quand il est excité ou nerveux.

Taille 15-23 cm	Poids 1-3 kg	Tempérament Hardi, joueur

Pays d'origine Mexique	Premier usage Compagnie	Ancienneté XVe s.

Chien nu du Mexique

On reconnaît trois formes de cette race : le chien standard (illustré ici), le nain et le minuscule toy. Chacune possède aussi une version dite *powder puff* (« houppette »), qui a des poils mais qui ne peut concourir. La prestance rappelle celle des lévriers, mais la structure est d'un terrier.

• **Historique** Très courant chez les Aztèques, qui l'utilisaient pour chauffer les lits, comme animal familier et malheureusement aussi pour des sacrifices rituels.

• **Remarque** Un programme d'élevage établi par le Kennel Club mexicain dans les années 50 a sauvé ce chien d'une extinction certaine. Il reste rare, toutefois.

• **Autres noms** Tepeizeuintli, xoloitzcuintli (« xolo »).

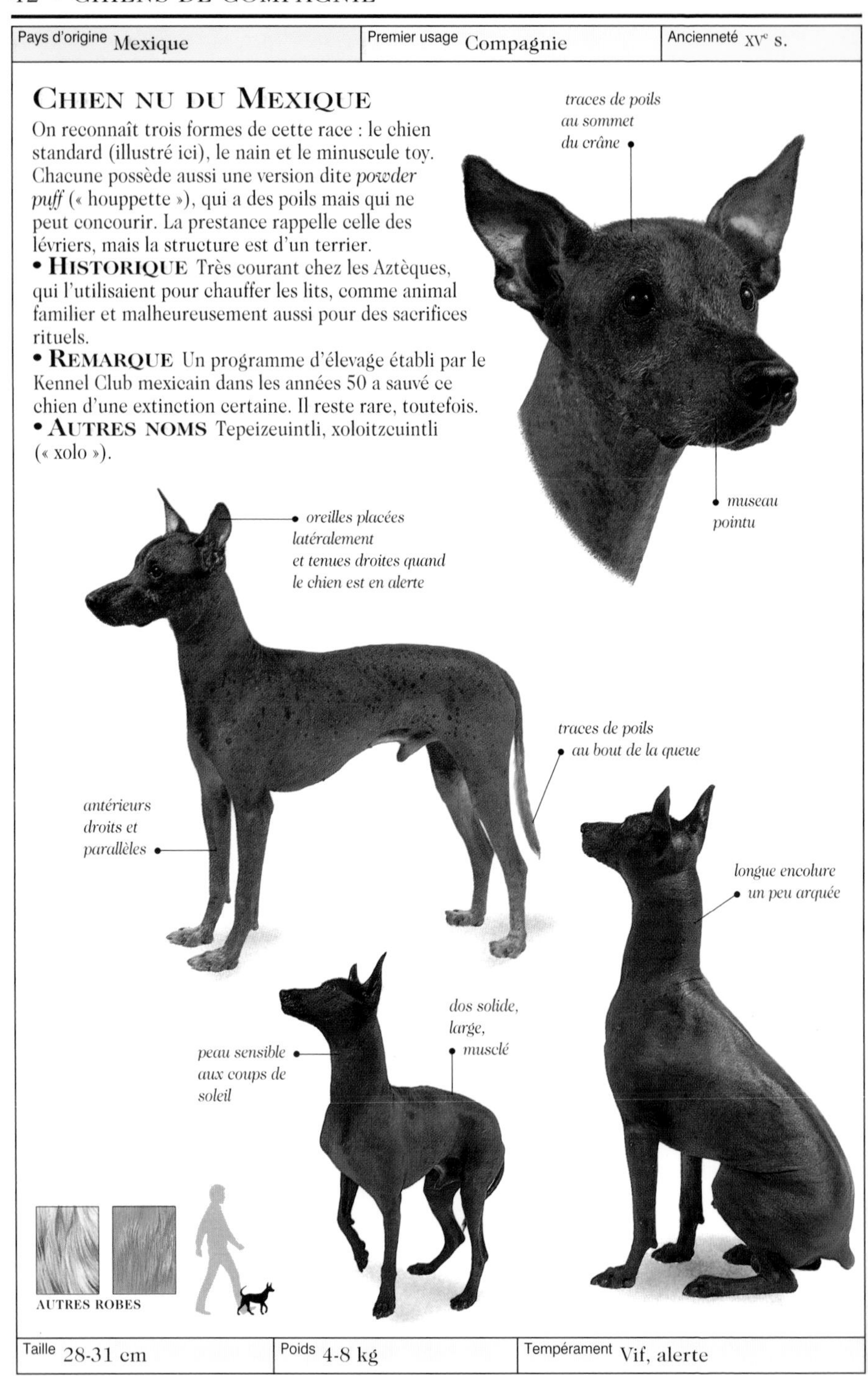

Taille 28-31 cm	Poids 4-8 kg	Tempérament Vif, alerte

Pays d'origine Pérou	Premier usage Chauffage des lits	Ancienneté XIIIe s.

CHIEN NU DU PÉROU

Ce chien existe en trois catégories, suivant la taille. On ne sait trop si tous les chiens nus du Nouveau Monde sont apparentés mais, dans cette race-ci également, les robes unies tendent à prédominer.

• **HISTORIQUE** Bien que rare aujourd'hui dans son pays d'origine, ce chien était le compagnon favori des Incas.

• **REMARQUE** Comme chez le chien nu du Mexique (voir p. 42), il y a des versions *powder puff*.

• **AUTRE NOM** Chien nu inca.

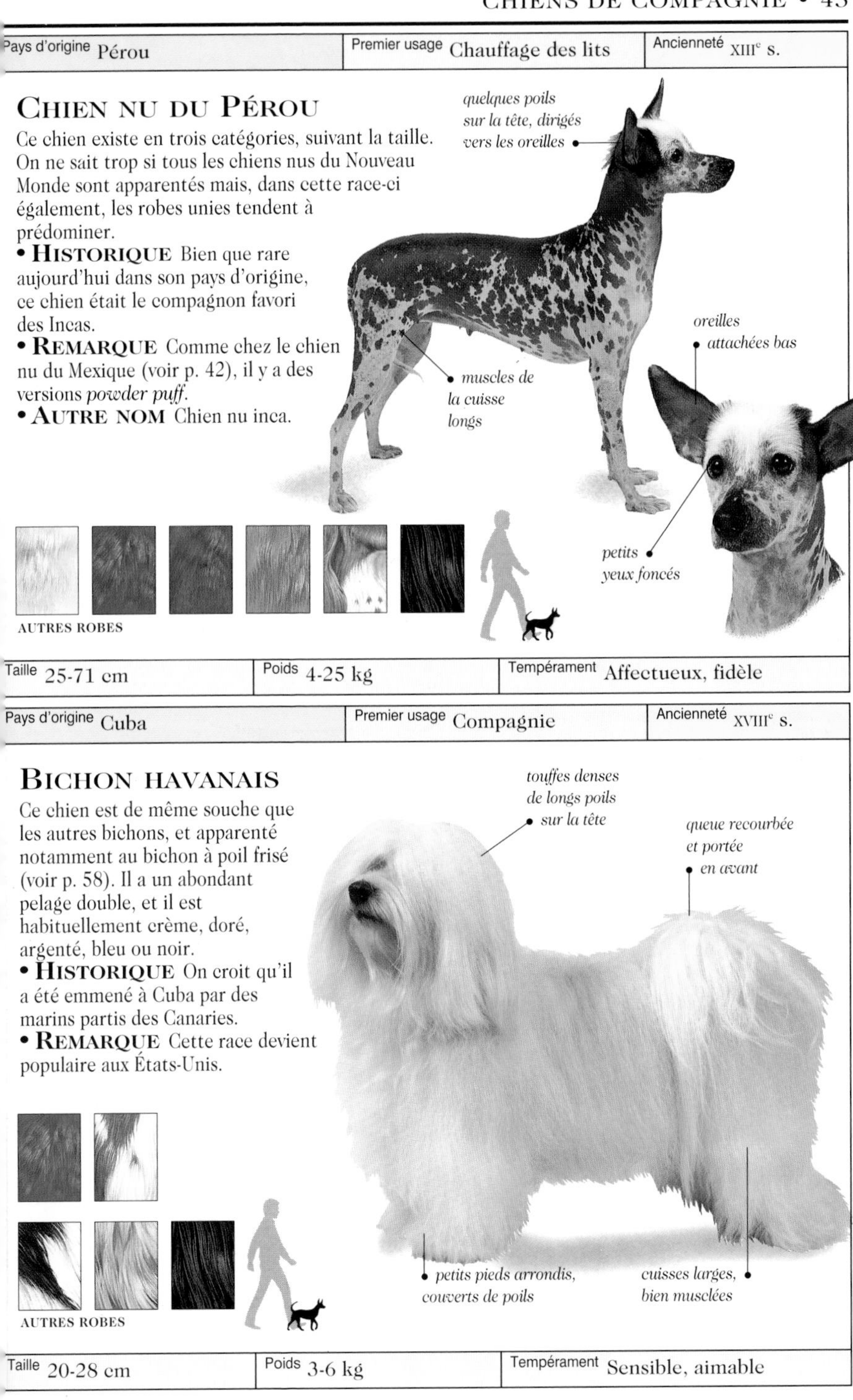

Taille 25-71 cm	Poids 4-25 kg	Tempérament Affectueux, fidèle

Pays d'origine Cuba	Premier usage Compagnie	Ancienneté XVIIIe s.

BICHON HAVANAIS

Ce chien est de même souche que les autres bichons, et apparenté notamment au bichon à poil frisé (voir p. 58). Il a un abondant pelage double, et il est habituellement crème, doré, argenté, bleu ou noir.

• **HISTORIQUE** On croit qu'il a été emmené à Cuba par des marins partis des Canaries.

• **REMARQUE** Cette race devient populaire aux États-Unis.

Taille 20-28 cm	Poids 3-6 kg	Tempérament Sensible, aimable

Pays d'origine Allemagne	Premier usage Compagnie	Ancienneté XIXe s.

GRAND SPITZ

La face de ce chien rappelle un peu celle du renard. Le poil de jarre est long et rêche, tandis que la bourre est touffue et douce. Après le spitz-loup, c'est le second en taille du groupe de ces chiens d'origine allemande. Il n'existe qu'en robes unies.

• **HISTORIQUE** Ses ancêtres ont probablement été introduits aux Pays-Bas, depuis la Germanie du Nord, par les Vikings.

• **REMARQUE** Certaines robes sont régionales, comme la noire au Wurtemberg.

• **AUTRES NOMS** Grand loulou, deutscher gross Spitz.

Taille 41 cm	Poids 18 kg	Tempérament Vif, joueur

Pays d'origine Allemagne	Premier usage Travail de la ferme	Ancienneté XIXe s.

SPITZ MOYEN

Cette forme standard du spitz est la troisième en taille des cinq variétés. Comme chez le grand spitz (ci-dessus), on élève le plus généralement les lignées à robe unie, mais diverses combinaisons de couleurs et de marques sont acceptables.

• **HISTORIQUE** Vigilants, ces chiens sont très estimés des fermiers, mais ils font aussi de bons compagnons.

• **REMARQUE** Comme les autres, ce spitz a le poil de jarre long et rêche, la bourre douce et laineuse.

• **AUTRE NOM** Deutscher mittel Spitz.

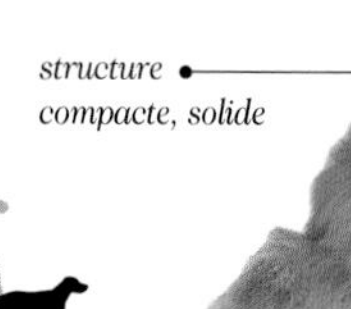

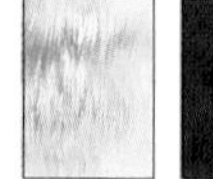

AUTRES ROBES

Taille 29-36 cm	Poids 11 kg	Tempérament Vif, joueur

Pays d'origine Allemagne	Premier usage Chien de salon	Ancienneté XIXe s.

Petit spitz

Les races de spitz sont compactes et râblées ; on les distingue essentiellement d'après la taille. Le spitz est protégé des intempéries par son épaisse fourrure, qui varie fort de couleur et possède un sous-poil touffu.

• **Historique** Descend de races nordiques, beaucoup plus grandes, de chiens de traîneau.

• **Remarque** Depuis 1985, il connaît un regain de faveur hors d'Allemagne.

• **Autres noms** Spitz allemand, deutsche Spitz.

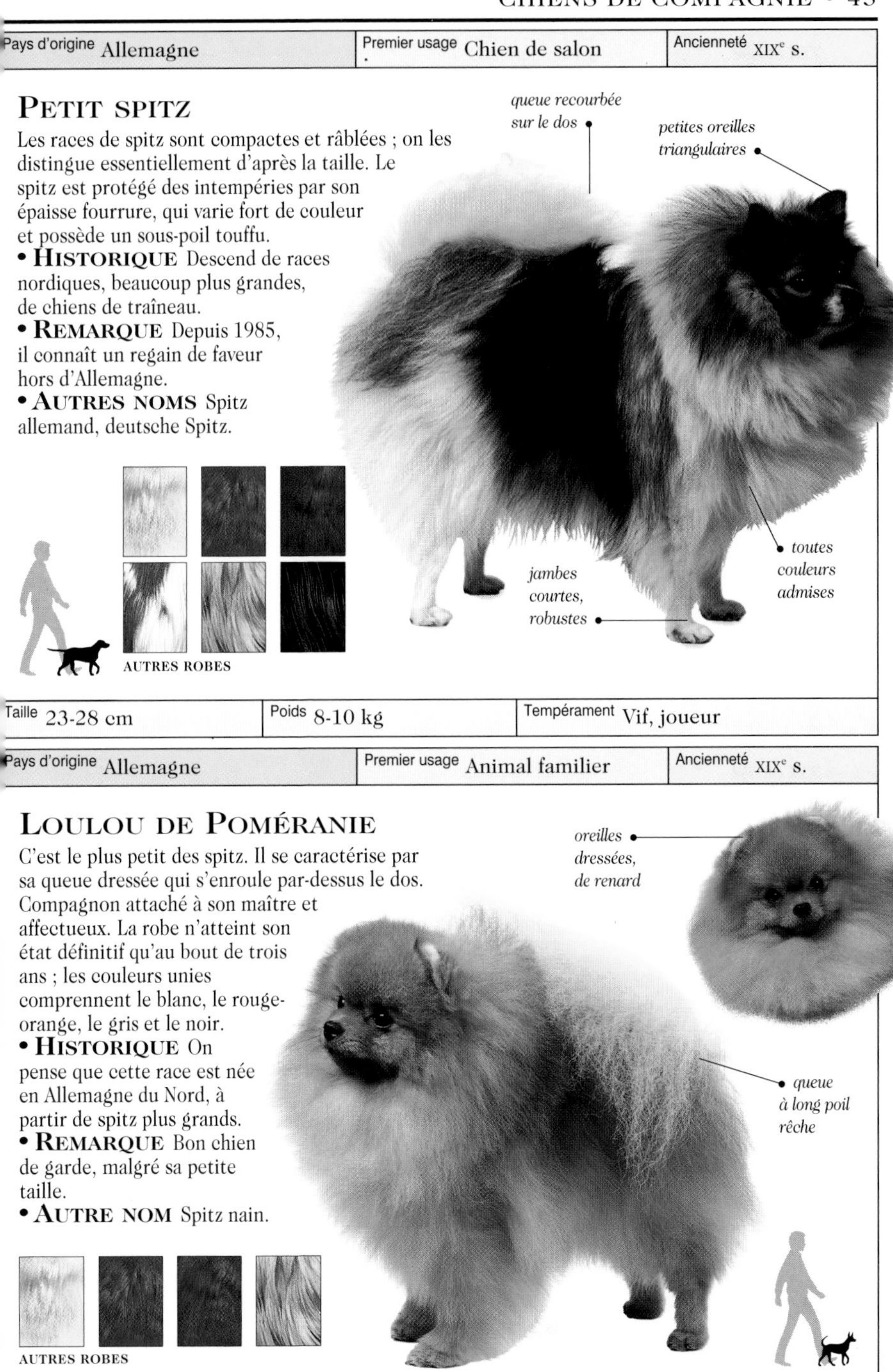

Taille 23-28 cm	Poids 8-10 kg	Tempérament Vif, joueur

Pays d'origine Allemagne	Premier usage Animal familier	Ancienneté XIXe s.

Loulou de Poméranie

C'est le plus petit des spitz. Il se caractérise par sa queue dressée qui s'enroule par-dessus le dos. Compagnon attaché à son maître et affectueux. La robe n'atteint son état définitif qu'au bout de trois ans ; les couleurs unies comprennent le blanc, le rouge-orange, le gris et le noir.

• **Historique** On pense que cette race est née en Allemagne du Nord, à partir de spitz plus grands.

• **Remarque** Bon chien de garde, malgré sa petite taille.

• **Autre nom** Spitz nain.

Taille 28 cm	Poids 2-3 kg	Tempérament Aimable, actif

Pays d'origine Pays-Bas	Premier usage Gardien de bateau	Ancienneté XVIe s.

SPITZ-LOUP

Cette race très éveillée se distingue par sa robe de type louvet. La couleur tend à s'éclaircir vers la tête, en donnant l'impression de « lunettes » foncées autour des yeux.

• **HISTORIQUE** La race devrait sa célébrité au révolté hollandais du XVIIe siècle Willem de Gijselaer, dit Kees.

• **REMARQUE** Bon chien de garde, compagnon sécurisant.

• **AUTRES NOMS** Keeshond, chien-loup.

Taille 43-48 cm	Poids 25-30 kg	Tempérament Indépendant, affectueux

Pays d'origine Belgique	Premier usage Compagnie	Ancienneté XVIIe s.

PHALÈNE

Très proche du papillon (voir p. 47), le phalène s'en distingue par les oreilles pendantes.

• **HISTORIQUE** Descendant d'un épagneul nain connu dès le Moyen Âge, populaire en Italie à la Renaissance et qui a connu la faveur des cours royales européennes.

• **REMARQUE** Aux États-Unis, ne se distingue pas du papillon, les deux formes d'oreilles étant acceptées indifféremment.

• **AUTRE NOM** Épagneul nain.

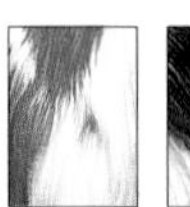
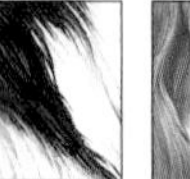
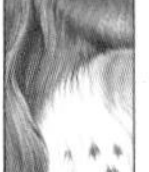

AUTRES ROBES

Taille 20-28 cm	Poids 4,1-4,5 kg	Tempérament Aimable, alerte

Pays d'origine France	Premier usage Compagnie	Ancienneté XVIIe s.

PAPILLON

Ce mignon petit chien est très proche du phalène (voir p. 46), mais il s'en distingue aisément par ses oreilles dressées. Son nom en suggère d'ailleurs la forme.

• **HISTORIQUE** Race souvent représentée dans les tableaux du peintre flamand Van Dyck.

• **REMARQUE** Des soins quotidiens sont indispensables.

• **AUTRE NOM** Épagneul nain.

Taille 20-28 cm	Poids 4-4,5 kg	Tempérament Aimable, alerte

Pays d'origine France	Premier usage Compagnie	Ancienneté XVe s.

CANICHE TOY

Identique sous tous les rapports, sauf la taille, à ses parents plus grands, c'est le plus petit des trois caniches. Il est représenté ici avec la tonte en lion, préférée pour les expositions.

• **HISTORIQUE** Chien issu d'une miniaturisation du grand caniche. Déjà représenté par le peintre allemand Dürer en 1500.

• **REMARQUE** La robe des caniches ne mue pas ; elle nécessite donc une tonte à peu près toutes les six à huit semaines.

Taille 25-28 cm	Poids 7 kg	Tempérament Fidèle, sociable

Pays d'origine France	Premier usage Chien d'eau	Ancienneté XVIIe s.

CANICHE NAIN

Bien proportionné et solidement bâti, le caniche nain tient le milieu entre le grand caniche (voir p. 254) et le minuscule toy (voir p. 47). Cette race intelligente a des dispositions pour les exercices de cirque, et elle est aisée à dresser.

• **HISTORIQUE** Descend probablement du pudel, un ancien chien d'eau allemand.

• **REMARQUE** Entre la fin des années 40 et 1960, le caniche nain a été le chien le plus élevé au monde.

Taille 28-38 cm	Poids 12-14 kg	Tempérament Intelligent, éveillé

Pays d'origine France	Premier usage Compagnie	Ancienneté XVIe s.

Petit chien-lion

Avec sa longue robe soyeuse, traditionnellement toilettée « en lion », ce chien se distingue aisément au sein du groupe des bichons. La queue tondue sur une partie de sa longueur, pour ne laisser qu'un plumet à l'extrémité, complète cette charmante et amusante parodie du « roi des animaux ».

• **Historique** Cette race a plu très tôt à l'aristocratie européenne. On en voit un spécimen dans un portrait de la duchesse d'Albe par Goya, à la fin du XVIIIe siècle. La popularité en a cependant décliné au point que, vers 1960, ce chien était considéré comme le plus rare au monde.

• **Remarque** Intelligent, d'une bonne nature, il a, par bonheur, connu récemment un regain de succès, particulièrement aux États-Unis.

• **Autre nom** Löwchen.

AUTRES ROBES

Taille 25-33 cm	Poids 4-8 kg	Tempérament Actif, affectueux

Pays d'origine Italie	Premier usage Compagnie	Ancienneté 500 av. J.-C.

LEVRETTE D'ITALIE

Lévrier en miniature, cette race est beaucoup moins fragile qu'elle ne paraît. Elle court à peu près au même train que les chiens plus grands et elle a les mêmes accélérations. Son encolure longue et gracieuse accentue son air de raffinement.

• **HISTORIQUE** Date des temps pharaoniques. Plus récemment toutefois, la race a souffert de l'introduction du toy terrier (voir p. 210).

• **REMARQUE** On a trouvé des momies de chiens similaires dans des tombes égyptiennes.

• **AUTRES NOMS** Petit lévrier italien, piccolo levriere italiano.

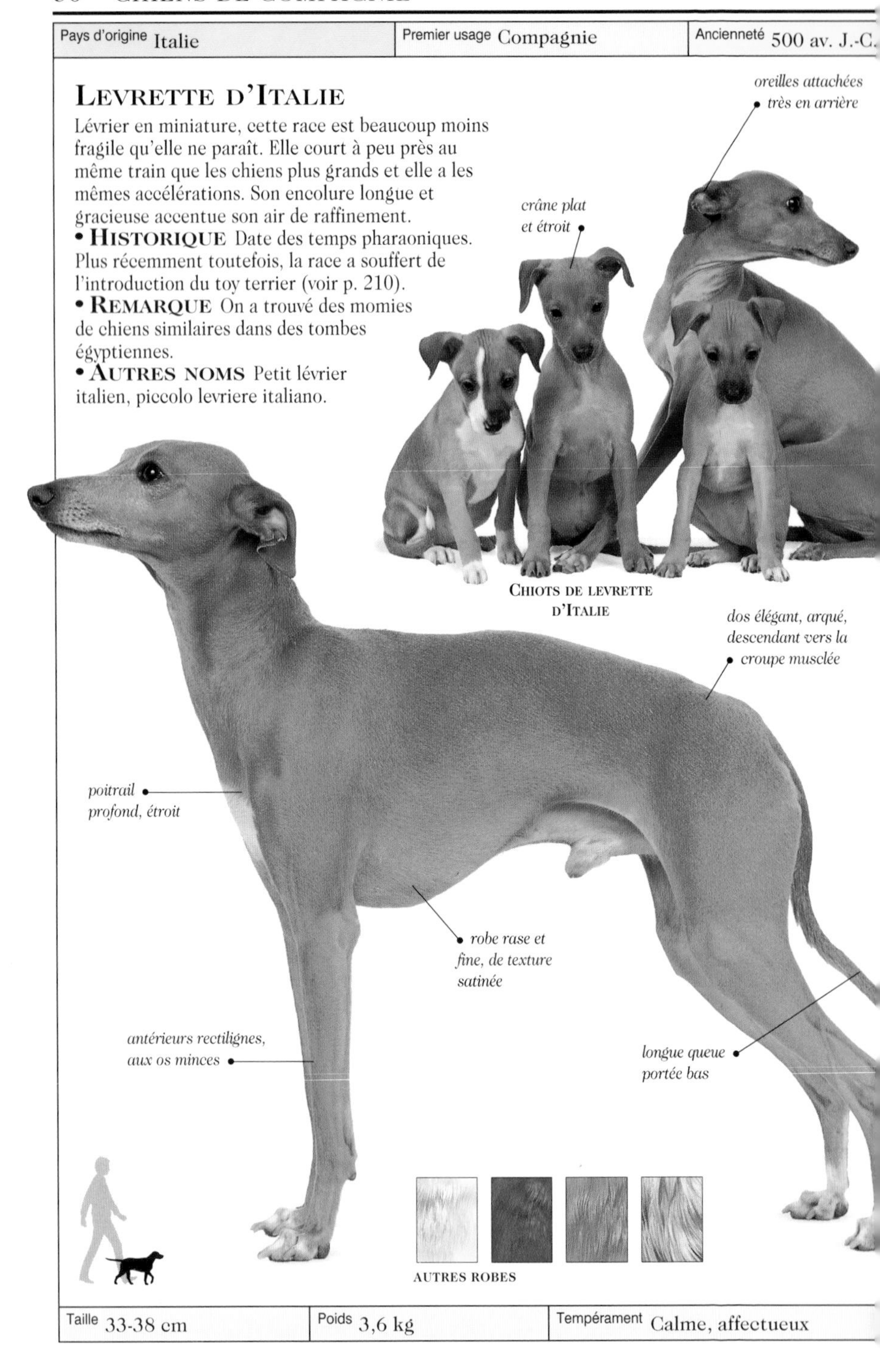

CHIOTS DE LEVRETTE D'ITALIE

AUTRES ROBES

Taille 33-38 cm	Poids 3,6 kg	Tempérament Calme, affectueux

Pays d'origine Italie	Premier usage Animal familier	Ancienneté XIIIe s.

BICHON DE BOLOGNE

Descendant d'une souche de bichons, et possédant donc la robe blanche et cotonneuse caractéristique de ce groupe, ce chien peut toutefois présenter des marques blondes, bien que ce ne soit pas considéré comme désirable. Race bien bâtie et solide pour sa taille.

• **HISTORIQUE** Remonte aux bichons apparus dans le sud de l'Italie au XIIIe siècle. Devenu chien de cour très en faveur mais, aujourd'hui, plutôt rare.

• **REMARQUE** Ayant toujours été un chien d'agrément, il est très confiant en l'homme.

• **AUTRES NOMS** Bichon bolonais, bolognese.

Taille 25-31 cm	Poids 3-4 kg	Tempérament Aimable, fidèle

Pays d'origine Italie	Premier usage Animal familier	Ancienneté XVIIe s.

VOLPINO ITALIANO

Cette petite race italienne est sans conteste du type spitz. Face de renard à museau droit et pointu, mais court. Robe usuellement d'un blanc pur, rarement sable. Il existait autrefois une forme fauve, mais elle s'est éteinte.

• **HISTORIQUE** Les ancêtres du volpino italiano sont venus d'Europe du Nord au XVIIe siècle, mais la race s'est entièrement développée en Italie. Aujourd'hui très rare dans sa patrie.

• **REMARQUE** Le nom de *volpino*, diminutif du mot italien *volpe*, signifie « petit renard ».

• **AUTRE NOM** Cane del Quirinale.

Taille 28 cm	Poids 5 kg	Tempérament Affectueux

Pays d'origine Chine	Premier usage Compagnie	Ancienneté IIe s.

PÉKINOIS

Race de chiens bassets à la démarche caractéristique, « roulée ». Face relativement compacte et plate, donnant l'impression que le chien a une crinière. C'est, dans une maison, un chien de garde solide et alerte.

• **HISTORIQUE** A été vu pour la première fois en Occident après la prise de Pékin par les Anglais en 1860. Avant cela, le pékinois, jalousement gardé, était la propriété exclusive de l'empereur de Chine.

• **REMARQUE** Chien de manchon typique, que les courtisans chinois avaient coutume de porter dans leurs longues manches flottantes.

• **AUTRE NOM** Épagneul de Pékin.

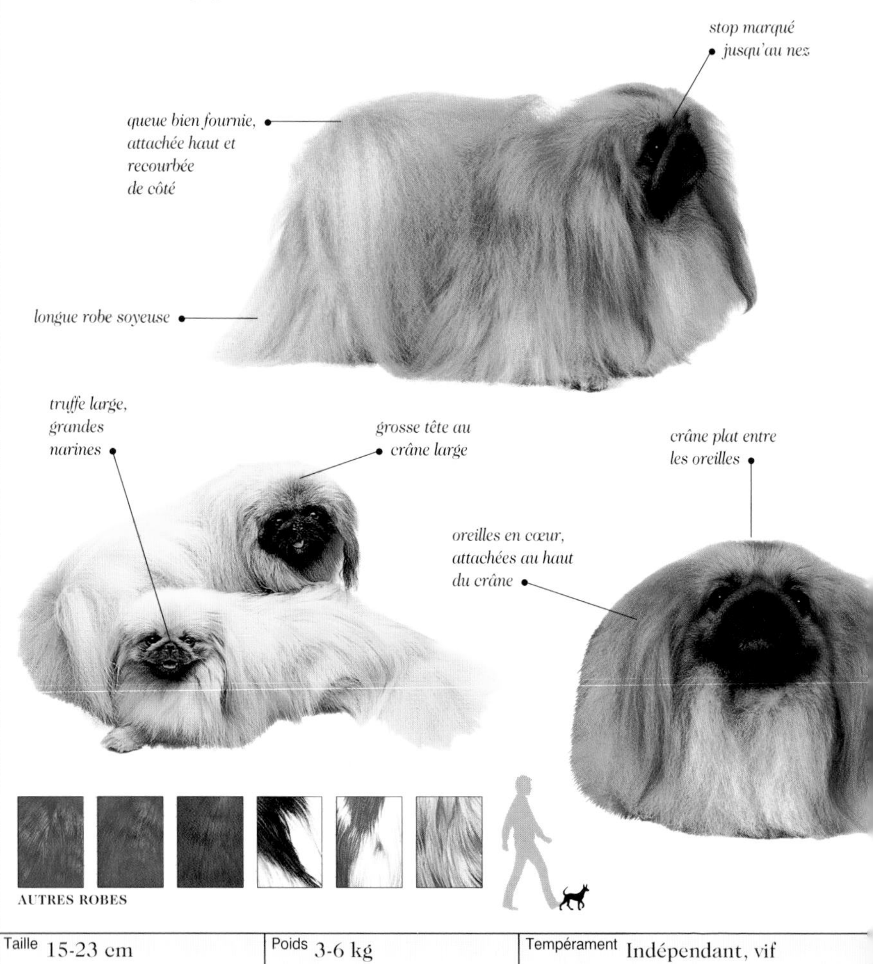

Taille 15-23 cm	Poids 3-6 kg	Tempérament Indépendant, vif

Pays d'origine Chine	Premier usage Compagnie	Ancienneté XVIe s.

CARLIN

Massif et solide, le carlin est petit, tassé sur lui-même, mais bien proportionné. Sa face camuse et fripée le rend unique en son genre, de même que son expression attendrissante.

• **HISTORIQUE** Créée en Extrême-Orient il y a environ quatre siècles, cette race est arrivée en Europe par la Hollande, où elle a connu un immense succès. Elle a ensuite été perfectionnée en Grande-Bretagne.

• **REMARQUE** Chien intelligent, d'une grande longévité, qui était peut-être plus grand à l'origine.

• **AUTRES NOMS** Mopse, pug.

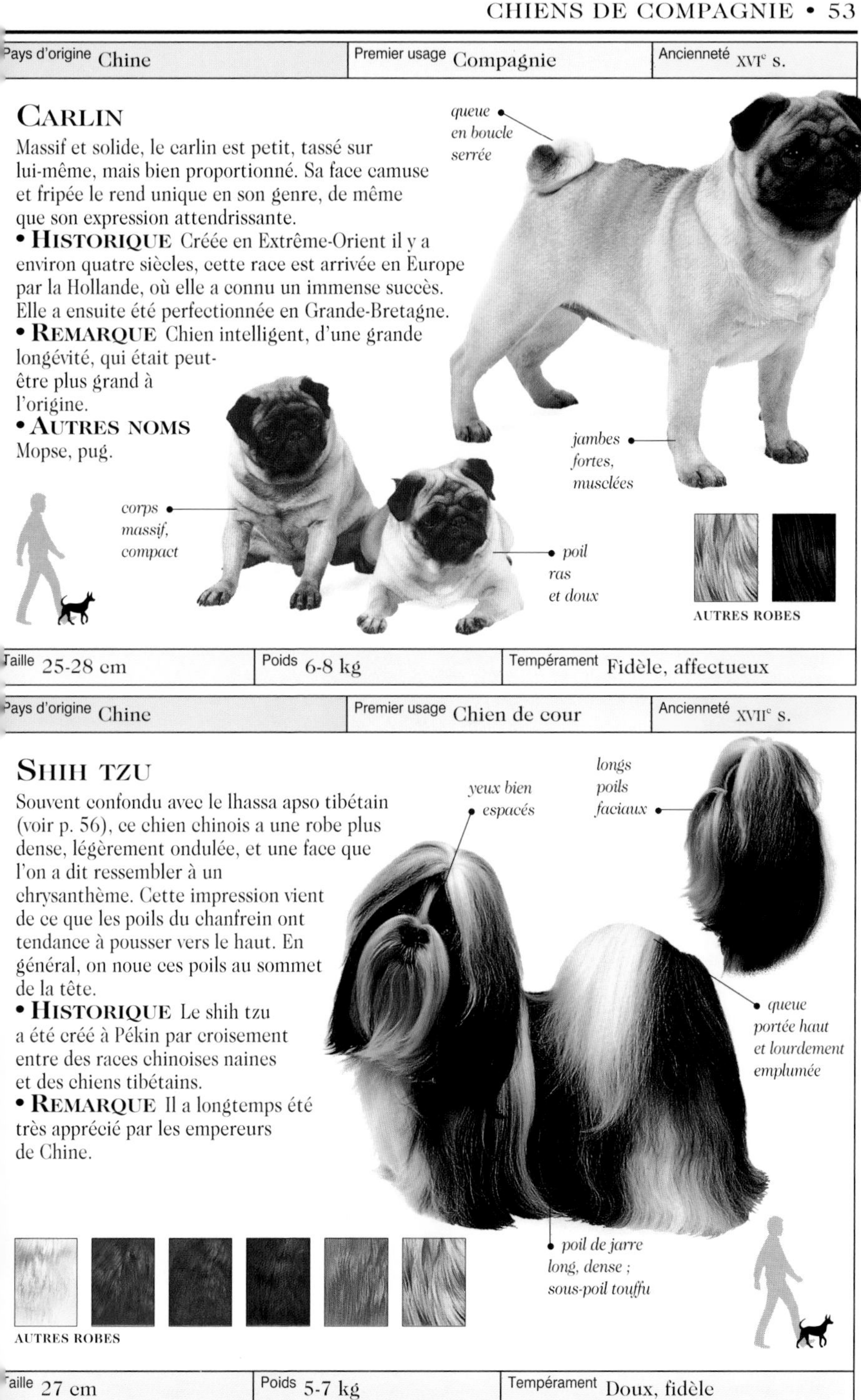

Taille 25-28 cm	Poids 6-8 kg	Tempérament Fidèle, affectueux

Pays d'origine Chine	Premier usage Chien de cour	Ancienneté XVIIe s.

SHIH TZU

Souvent confondu avec le lhassa apso tibétain (voir p. 56), ce chien chinois a une robe plus dense, légèrement ondulée, et une face que l'on a dit ressembler à un chrysanthème. Cette impression vient de ce que les poils du chanfrein ont tendance à pousser vers le haut. En général, on noue ces poils au sommet de la tête.

• **HISTORIQUE** Le shih tzu a été créé à Pékin par croisement entre des races chinoises naines et des chiens tibétains.

• **REMARQUE** Il a longtemps été très apprécié par les empereurs de Chine.

Taille 27 cm	Poids 5-7 kg	Tempérament Doux, fidèle

Pays d'origine Chine	Premier usage Compagnie	Ancienneté 100 av. J.-C.

Chien chinois à crête

Cet agile petit chien existe en deux variétés. L'une, le *hairless*, ou chien nu, n'a qu'une crête de poils sur la tête et les joues, ainsi qu'un plumet à la queue. L'autre, le *powder puff* (« houppette »), est couvert d'un pelage long et doux. Tous deux ont diverses couleurs.

• **Historique** Connu depuis des siècles en Chine, ce chien a acquis une grande notoriété sous la dynastie Han, mais il n'a pas été exposé en Occident avant 1885, au Westminster Show de New York. En 1975, un club d'éleveurs spécialisés a été fondé aux États-Unis.

• **Remarque** La peau doit être douce, à grain fin. Ce chien est sensible à l'insolation.

Taille 23-33 cm	Poids 2-5,5 kg	Tempérament Affectueux, vif

Pays d'origine Tibet	Premier usage Chien de monastère	Ancienneté XVIIe s.

ÉPAGNEUL TIBÉTAIN

Ce nom d'épagneul est assez trompeur. La race est, en fait, très apparentée au pékinois (voir p. 52), bien qu'elle soit d'un type moins excessif. La face de l'épagneul tibétain est moins aplatie et sa robe moins profuse.

• **HISTORIQUE** Ce chien très intelligent a partie liée avec les monastères du Tibet, où l'on dit qu'il faisait tourner les moulins à prières.

• **REMARQUE** Chien fidèle, affectueux, d'une nature énergique.

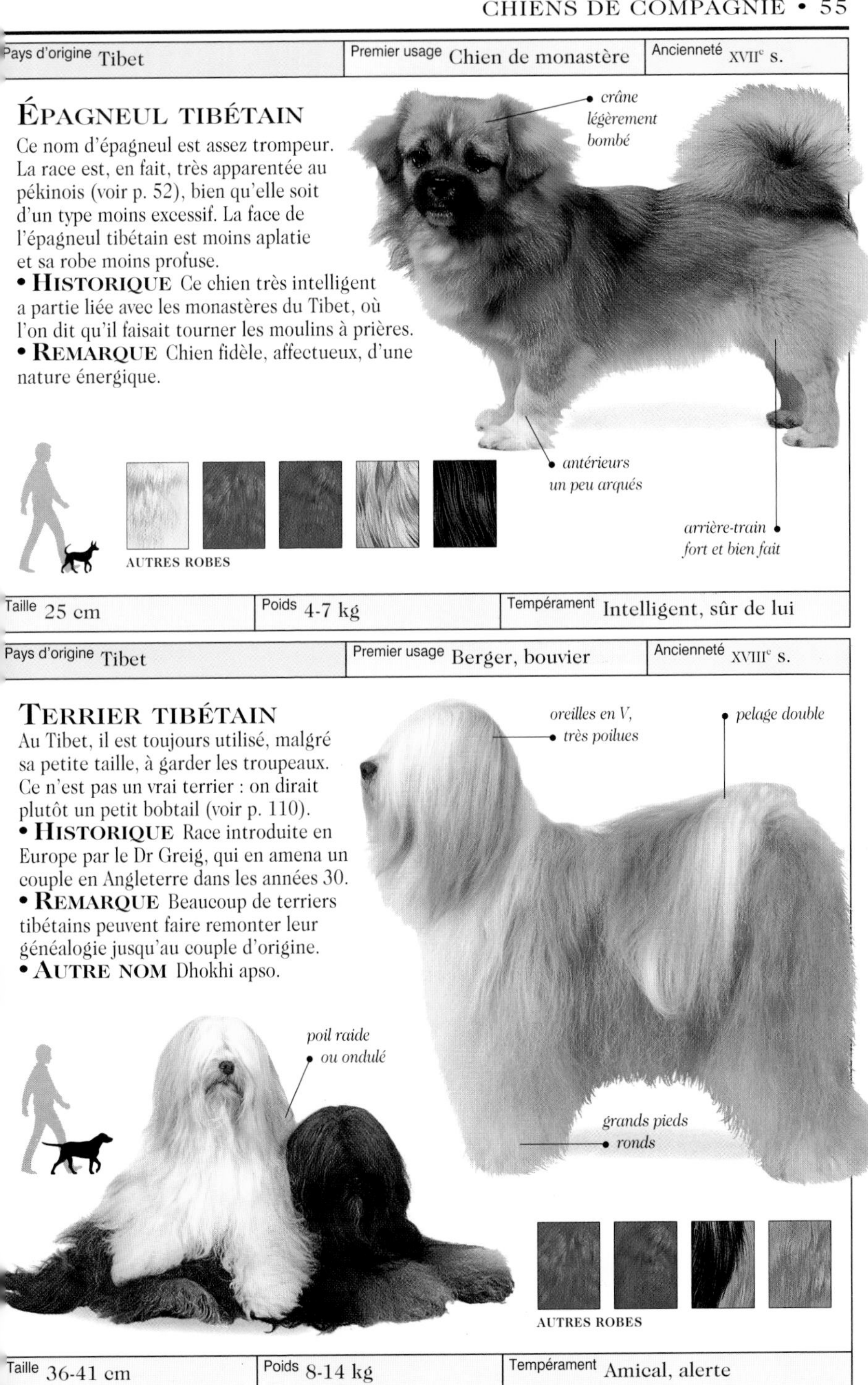

Taille 25 cm	Poids 4-7 kg	Tempérament Intelligent, sûr de lui

Pays d'origine Tibet	Premier usage Berger, bouvier	Ancienneté XVIIIe s.

TERRIER TIBÉTAIN

Au Tibet, il est toujours utilisé, malgré sa petite taille, à garder les troupeaux. Ce n'est pas un vrai terrier : on dirait plutôt un petit bobtail (voir p. 110).

• **HISTORIQUE** Race introduite en Europe par le Dr Greig, qui en amena un couple en Angleterre dans les années 30.

• **REMARQUE** Beaucoup de terriers tibétains peuvent faire remonter leur généalogie jusqu'au couple d'origine.

• **AUTRE NOM** Dhokhi apso.

Taille 36-41 cm	Poids 8-14 kg	Tempérament Amical, alerte

Pays d'origine Tibet	Premier usage Chien de monastère	Ancienneté VIIe s.

LHASSA APSO

Bien que petit, ce chien hardi, à l'ouïe fine, est capable de faire un excellent chien de garde. Le nom de lhassa se réfère probablement à la capitale du Tibet et *apso* pourrait vouloir dire « semblable à une chèvre » : allusion à sa robe longue et rêche. Son poil surabondant est l'un de ses traits les plus caractéristiques. Les yeux en sont recouverts et le chien porte barbe et moustaches.

• **HISTORIQUE** C'est la dernière en date des races tibétaines à avoir atteint l'Europe. Le don d'un lhassa apso était un cadeau traditionnel au dalaï lama.

• **REMARQUE** Son pelage long et tombant exige des soins constants.

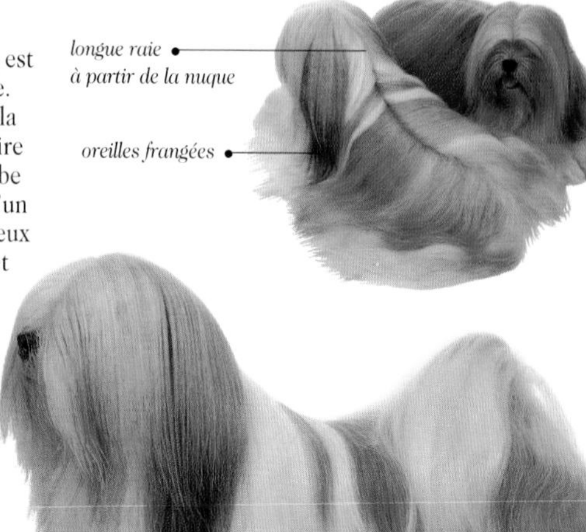

antérieurs très droits

AUTRES ROBES

Taille 25-28 cm	Poids 6-7 kg	Tempérament Gentil, fidèle

Pays d'origine Japon	Premier usage Chien de cour	Ancienneté VIIIe s.

ÉPAGNEUL JAPONAIS

Il y a une similitude évidente entre cette race et le pékinois (voir p. 52), mais l'épagneul japonais est à la fois plus grand et de structure plus légère. La robe du chiot est relativement courte par rapport à celle de l'adulte.

• **HISTORIQUE** La reine Victoria avait deux épagneuls japonais.

• **REMARQUE** La race semble avoir été jadis plus délicate et moins grande qu'aujourd'hui.

• **AUTRE NOM** Tchin.

Taille 23 cm	Poids 2-3 kg	Tempérament Intelligent, alerte

Pays d'origine Japon	Premier usage Compagnie	Ancienneté XIXe s.

Spitz japonais

Cette très jolie race de spitz a une robe remarquable, au poil long et qui doit toujours être d'un blanc pur, caractéristique qui la distingue de l'esquimau nain d'Amérique (voir p. 39), auquel elle ressemble beaucoup.

• **Historique** On ne pense pas que le spitz japonais soit directement apparenté à l'esquimau nain d'Amérique ; il proviendrait plutôt du samoyède (voir p. 287).

• **Remarque** Succès croissant en Europe.

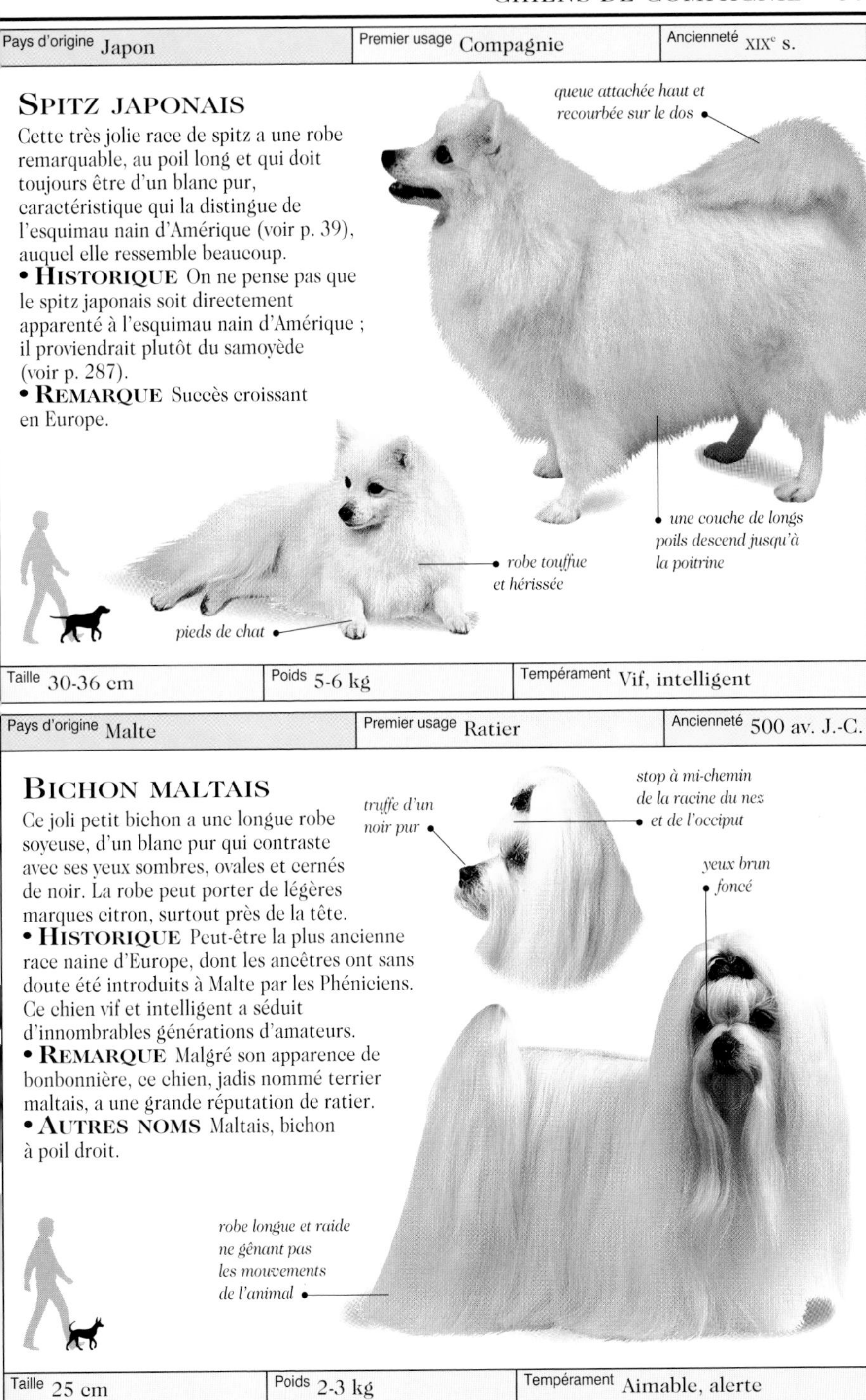

Taille 30-36 cm	Poids 5-6 kg	Tempérament Vif, intelligent

Pays d'origine Malte	Premier usage Ratier	Ancienneté 500 av. J.-C.

Bichon maltais

Ce joli petit bichon a une longue robe soyeuse, d'un blanc pur qui contraste avec ses yeux sombres, ovales et cernés de noir. La robe peut porter de légères marques citron, surtout près de la tête.

• **Historique** Peut-être la plus ancienne race naine d'Europe, dont les ancêtres ont sans doute été introduits à Malte par les Phéniciens. Ce chien vif et intelligent a séduit d'innombrables générations d'amateurs.

• **Remarque** Malgré son apparence de bonbonnière, ce chien, jadis nommé terrier maltais, a une grande réputation de ratier.

• **Autres noms** Maltais, bichon à poil droit.

Taille 25 cm	Poids 2-3 kg	Tempérament Aimable, alerte

Pays d'origine Ténériffe	Premier usage Chien de cour	Ancienneté XVe s.

BICHON À POIL FRISÉ

Ce bichon se distingue par son pelage double qui lui donne un aspect duveteux. Le poil est fin et soyeux ; il forme des bouclettes en tire-bouchon. Celles-ci sont toilettées au-dessus des yeux pour augmenter la rondeur de la face.
• **HISTORIQUE** À l'origine, le bichon à poil frisé était en faveur dans les cours royales d'Europe. Au XIXe siècle toutefois, la race perdit de son prestige et on la vit plutôt dans les cirques ou en compagnie des joueurs d'orgue de Barbarie.
• **REMARQUE** Sa longue association avec l'homme a fait de ce bichon un compagnon sensible.
• **AUTRE NOM** Chien de Ténériffe.

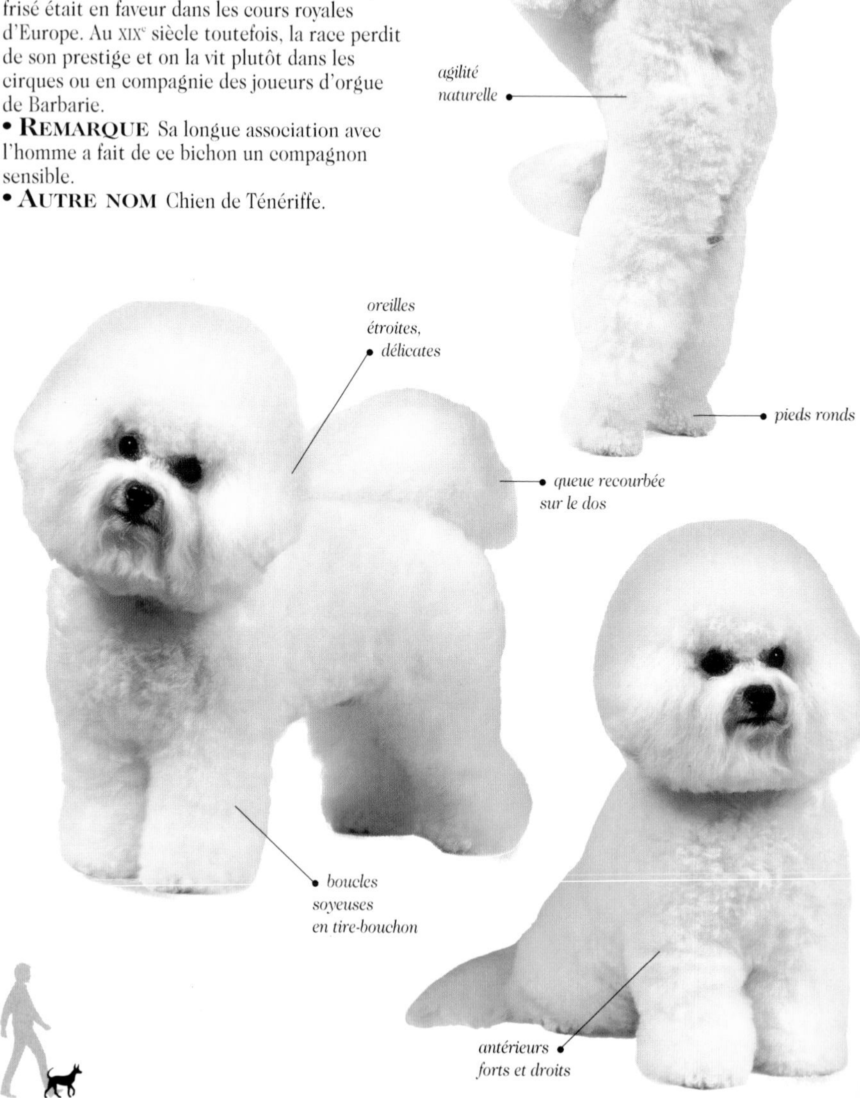

Taille 23-31 cm	Poids 3-6 kg	Tempérament Aimable, actif

Pays d'origine Zaïre	Premier usage Chien de chasse	Ancienneté XVIe s.

BASENJI

Le trait le plus caractéristique de ce chien alerte, élégamment bâti, n'apparaît que quand on le dérange : au lieu d'aboyer, il émet des sons qui ressemblent à du chant tyrolien et à des gloussements.

• **HISTORIQUE** Il a été utilisé comme chien de chasse au Congo et il ressemble à certains chiens qu'ont représentés les anciens Égyptiens. Cette race a fait sensation quand elle a paru pour la première fois au Cruft's Show, en Angleterre, en 1937. Le nom de *basenji* que lui donnait son maître est un mot bantou signifiant « broussard ».

• **REMARQUE** Ce chien aime les légumes verts, qui doivent entrer dans son alimentation. Les chiennes n'entrent en chaleur qu'une fois par an au lieu de deux.

• **AUTRE NOM** Terrier du Congo.

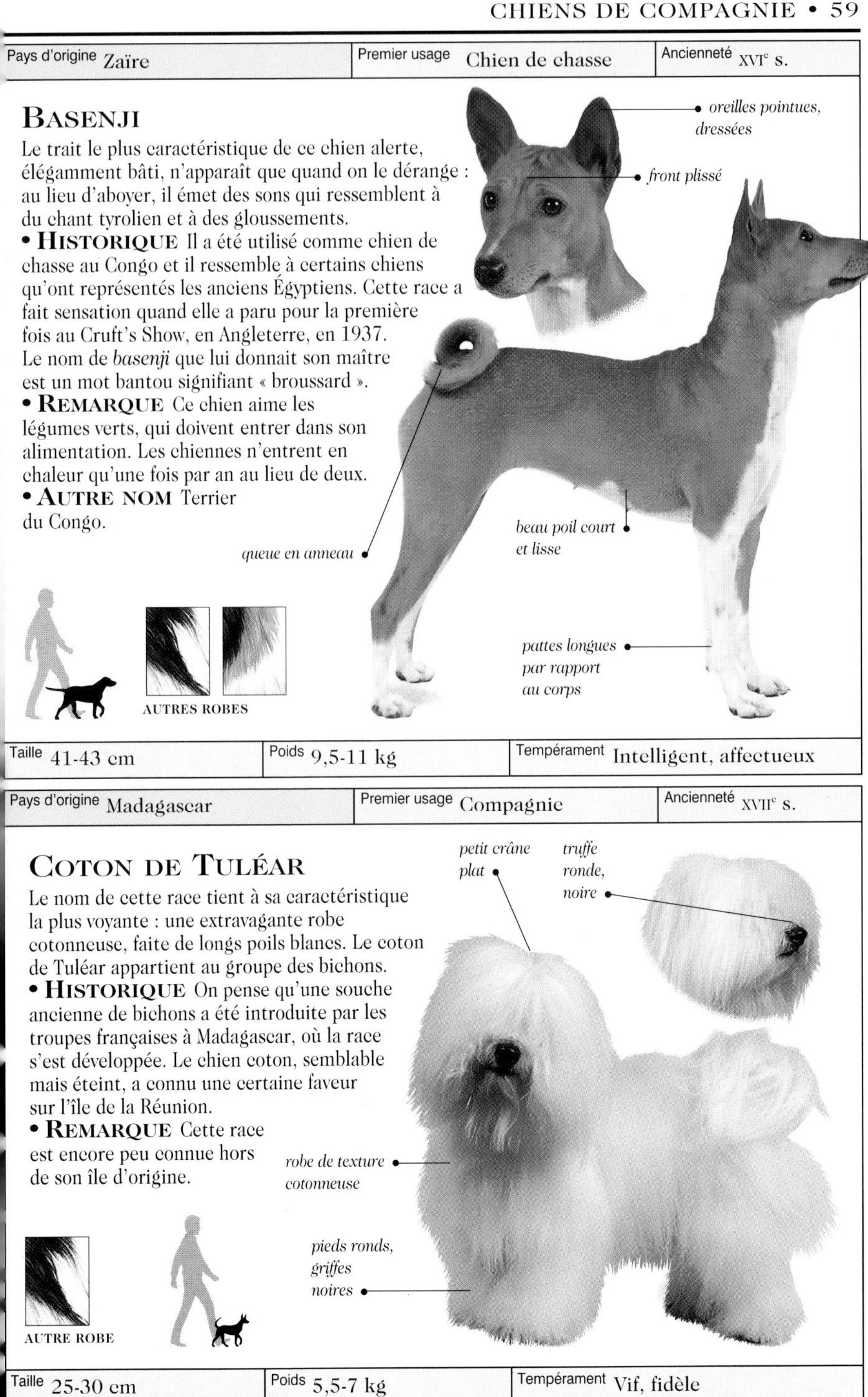

Taille 41-43 cm	Poids 9,5-11 kg	Tempérament Intelligent, affectueux

Pays d'origine Madagascar	Premier usage Compagnie	Ancienneté XVIIe s.

COTON DE TULÉAR

Le nom de cette race tient à sa caractéristique la plus voyante : une extravagante robe cotonneuse, faite de longs poils blancs. Le coton de Tuléar appartient au groupe des bichons.

• **HISTORIQUE** On pense qu'une souche ancienne de bichons a été introduite par les troupes françaises à Madagascar, où la race s'est développée. Le chien coton, semblable mais éteint, a connu une certaine faveur sur l'île de la Réunion.

• **REMARQUE** Cette race est encore peu connue hors de son île d'origine.

Taille 25-30 cm	Poids 5,5-7 kg	Tempérament Vif, fidèle

LES CHIENS D'ARRÊT

NOUS RANGEONS aussi dans cette catégorie les rapporteurs et les leveurs de gibier. Ces compagnons de sport se sont, par leur fidélité, gagné une place au foyer familial. Setters, épagneuls, pointers et retrievers se caractérisent par leur sensibilité et par leurs bonnes dispositions. Ils ont toutefois besoin de beaucoup d'exercice. Leur robe souvent assez longue et imperméable les protège des intempéries. De nombreuses races ont une distribution localisée tandis que d'autres, comme le spinone (voir p. 100), se voient à présent dans les expositions du monde entier. Des concours ont lieu régulièrement pour vérifier et maintenir leurs qualités de chiens de chasse.

Pays d'origine États-Unis	Premier usage Chasse au petit gibier	Ancienneté XIXe s.

COCKER AMÉRICAIN

Plus petit que le cocker spaniel (voir p. 63) et au poil plus long, ce cocker a été créé aux États-Unis au siècle dernier. Un individu noir doit être noir de jais, sans trace de brun ni reflets foie. Pour être classé noir et feu, sa robe doit comporter au moins 10 pour cent de marques feu. La couleur dite « feu » varie de reflets crème à un rouge foncé.

- **HISTORIQUE** Ce chien est dérivé de cockers anglais emmenés aux États-Unis. Première reconnaissance comme race distincte en 1946.
- **REMARQUE** Race active et zélée spécialisée dans le rapport des cailles.
- **AUTRES NOMS** Épagneul cocker américain, American cocker spaniel.

Taille 36-38 cm	Poids 11-13 kg	Tempérament Actif, aimable

Pays d'origine États-Unis	Premier usage Rapporteur de gibier d'eau	Ancienneté XIXᵉ s.

CHESAPEAKE BAY RETRIEVER

Son crâne large, son front en forme de coin et ses mâchoires puissantes en font le retriever idéal. Sa robe très dense le protégeait des eaux froides de la région entourant la baie de Chesapeake, où la race s'est développée. Son poil huileux lui donne une odeur assez caractéristique.

• **HISTORIQUE** Race née de deux chiots sauvés d'un naufrage sur la côte du Maryland en 1807. Tous deux furent dressés à rapporter le canard, spécialisation qui fut perfectionnée ensuite par croisement avec des flat-coated retrievers, des curly-coated retrievers et des otterhounds.

• **REMARQUE** Les doigts palmés de cette race l'aident à nager.

Taille 53-66 cm	Poids 25-34 kg	Tempérament Sensible, actif

Pays d'origine Grande-Bretagne	Premier usage Dépisteur, retriever	Ancienneté XIXe s.

CLUMBER SPANIEL

Ce grand épagneul massif n'est pas aussi rapide sur le terrain que certains de ses cousins plus élancés mais il est vigoureux et il travaille bien, surtout sous couvert dense. Il a la tête grande et large, un stop prononcé, des yeux enfoncés. Sa belle robe soyeuse, d'un blanc pur, est très frangée au cou et à la poitrine. Les marques citron ou orange sont admises.

• **HISTORIQUE** Le duc de Newcastle a joué un grand rôle dans le développement de cette race, à partir de souches élevées sur ses terres de Clumber Park. Peut-être a-t-il reçu de France les spécimens d'origine. Plus tard, le prince Albert et son fils, le futur Édouard VII, s'intéressèrent à cet épagneul, tout comme Georges V.

• **REMARQUE** Malgré ces patronages royaux, le clumber n'a jamais été très en vogue.

crâne massif, carré, aux arcades sourcilières lourdes et au stop prononcé

marques citron souhaitées aux oreilles

longues oreilles en feuille de vigne

corps blanc uni de préférence

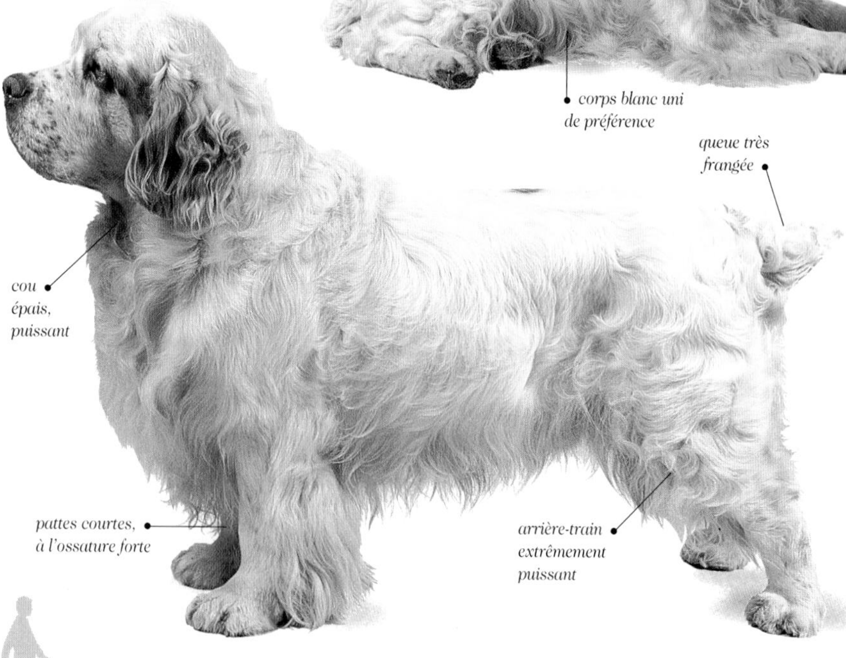

queue très frangée

cou épais, puissant

pattes courtes, à l'ossature forte

arrière-train extrêmement puissant

Taille 48-51 cm	Poids 29-36 kg	Tempérament Dévoué, sensible

Pays d'origine Grande-Bretagne	Premier usage Retriever	Ancienneté XIXe s.

COCKER SPANIEL

Cette race a une truffe large qui lui procure un bon odorat, le museau fort et carré, un stop prononcé et une dentition en ciseaux, agencée avec une précision idéale pour rapporter le gibier. Chez les individus unicolores, des marques blanches ne sont admises que sur le poitrail.

• **HISTORIQUE** Élevé à l'origine dans les Galles et le sud-ouest de l'Angleterre pour lever la bécasse.

• **REMARQUE** Ses longues oreilles, qui pendent presque jusqu'à terre, abritent souvent des tiques et des débris végétaux, qui peuvent causer des maladies et des blessures.

• **AUTRES NOMS** Épagneul cocker anglais, english cocker spaniel.

oreilles attachées bas, au niveau des yeux

longs poils soyeux sur les oreilles

corps puissant, compact

robe soyeuse, à franges

queue attachée bas, que l'on peut modérément écourter

encolure moyenne, musclée, prolongée par les épaules obliques

grasset bien arqué

jambes droites à l'ossature forte

pieds aux soles épaisses

AUTRES ROBES

Taille 38-41 cm	Poids 13-15 kg	Tempérament Sensible, affectueux

Pays d'origine Grande-Bretagne	Premier usage Rapporteur de gibier d'eau	Ancienneté XIXe s.

CURLY-COATED RETRIEVER

Ce retriever robuste et agile a généralement belle apparence. Le corps est couvert d'un poil noir ou foie, très frisé, qui n'a pas besoin d'être toiletté. Par contraste, le poil de la face est ras et lisse.

• **HISTORIQUE** L'origine précise du curly-coated retriever n'est pas claire, mais des épagneuls d'eau sont probablement responsables de sa robe particulière. Des labradors primitifs et des caniches peuvent aussi avoir contribué à son développement.

• **REMARQUE** C'est l'une des plus anciennes races de retrievers. En Australie et en Nouvelle-Zélande, elle reste très appréciée pour la chasse à la caille et au gibier d'eau. Le curly-coated retriever entre dans l'eau sans hésiter et sa robe imperméable sèche rapidement.

tête longue

oreilles petites, collées à la tête

robe dense, très frisée

oreilles frisées

pattes modérément longues

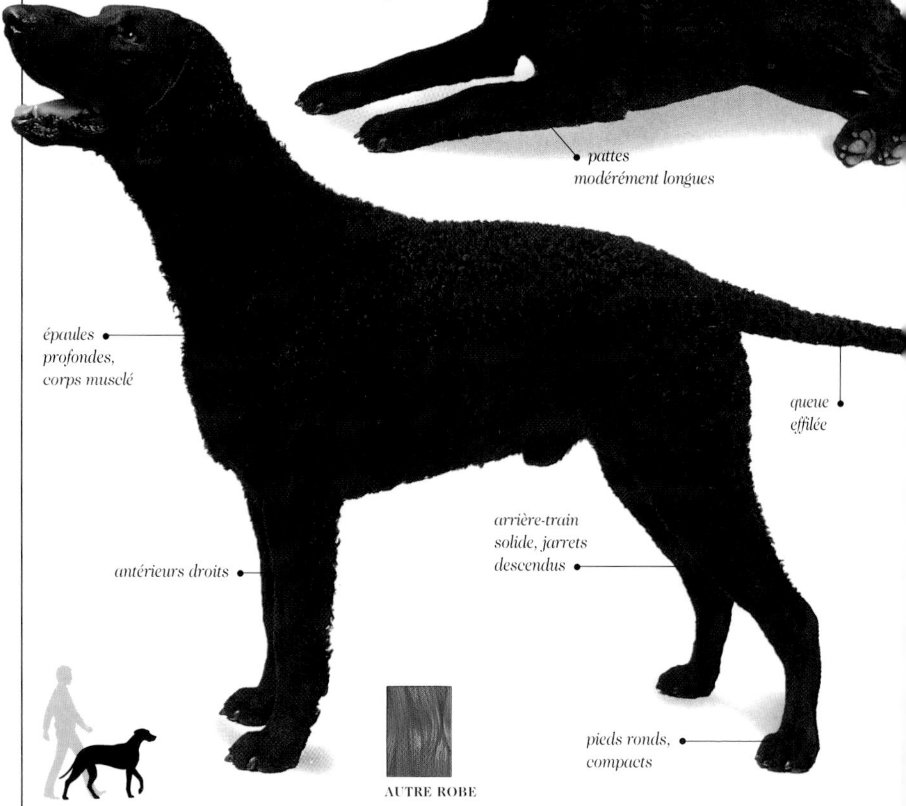

épaules profondes, corps musclé

queue effilée

arrière-train solide, jarrets descendus

antérieurs droits

pieds ronds, compacts

AUTRE ROBE

Taille 64-69 cm	Poids 32-36 kg	Tempérament Sensible, amical

Pays d'origine Grande-Bretagne	Premier usage Rapporteur d'oiseaux	Ancienneté XIXᵉ s.

SETTER ANGLAIS

Ses mouchetures le distinguent des autres races de setters. C'est un animal très actif, dont on peut faire un chien de chasse extrêmement subtil. Il a d'ailleurs besoin de beaucoup d'exercice pour rester en bonne santé. On le voit souvent dans les expositions, où sa nature aimable lui vaut un franc succès. Des soins attentifs lui sont nécessaires pour qu'il paraisse à son avantage.

• **HISTORIQUE** L'ancien setting spaniel est l'ancêtre probable de cette race, créée par Edward Laverack, qui entama un programme d'élevage en 1825. Pendant un certain temps, ces chiens s'appelèrent d'ailleurs setters Laverack.

• **REMARQUE** Le terme de setter vient de la façon dont ces chiens s'assoient (*set* ou *sit*) après avoir levé le gibier.

Taille 61-69 cm	Poids 25-30 kg	Tempérament Sensible, amical

Pays d'origine Grande-Bretagne	Premier usage Rapporteur d'oiseaux	Ancienneté XVIIe s.

SETTER GORDON

Sa coloration noir et feu le distingue parmi les setters. C'est un chien de chasse consciencieux, habile à localiser le gibier. Il fait aussi grand effet dans les expositions. Les chiots sont toutefois lents à se développer ; la coordination des mouvements est plutôt tardive.

• **HISTORIQUE** Créé par le quatrième duc de Richmond et Gordon, sur ses terres ancestrales du Banffshire, en Écosse, à partir de diverses races dont des saint-huberts et des collies.

• **REMARQUE** C'est le seul setter d'origine écossaise.

Taille 62-66 cm	Poids 25-30 kg	Tempérament Obéissant, fidèle

Pays d'origine Grande-Bretagne	Premier usage Leveur de gibier	Ancienneté XIXe s.

ENGLISH SPRINGER

Ancêtre de beaucoup d'épagneuls contemporains, il est aussi l'un des plus grands. Une distinction s'est établie entre souches de travail et d'exposition, les premières étant plus courtes et plus trapues.

• **HISTORIQUE** Originairement employé à lever *(to spring)* le gibier au sol.

• **REMARQUE** Bon animal familier si on lui donne assez d'exercice.

• **AUTRE NOM** Springer spaniel anglais.

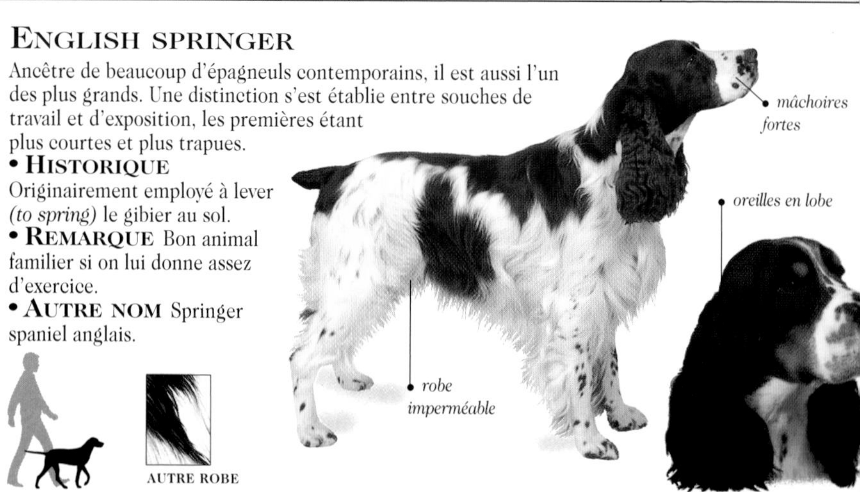

Taille 48-51 cm	Poids 22-24 kg	Tempérament Volontaire, actif

Pays d'origine Grande-Bretagne	Premier usage Rapporteur d'oiseaux	Ancienneté XIXe s.

FIELD SPANIEL

Il a le corps long par rapport à sa taille, et une robe plate, soyeuse. La race était anciennement divisée en deux catégories, dont la plus légère est devenue le cocker (voir p. 63).

• **HISTORIQUE** Après la séparation du field spaniel et du cocker en 1892, des croisements avec des Sussex spaniels (voir p. 72) ont conduit à une détérioration temporaire du type et de la robustesse, qui a menacé l'existence de la race.

• **REMARQUE** Populaire comme chien de chasse, il n'est pas prisé dans les expositions.

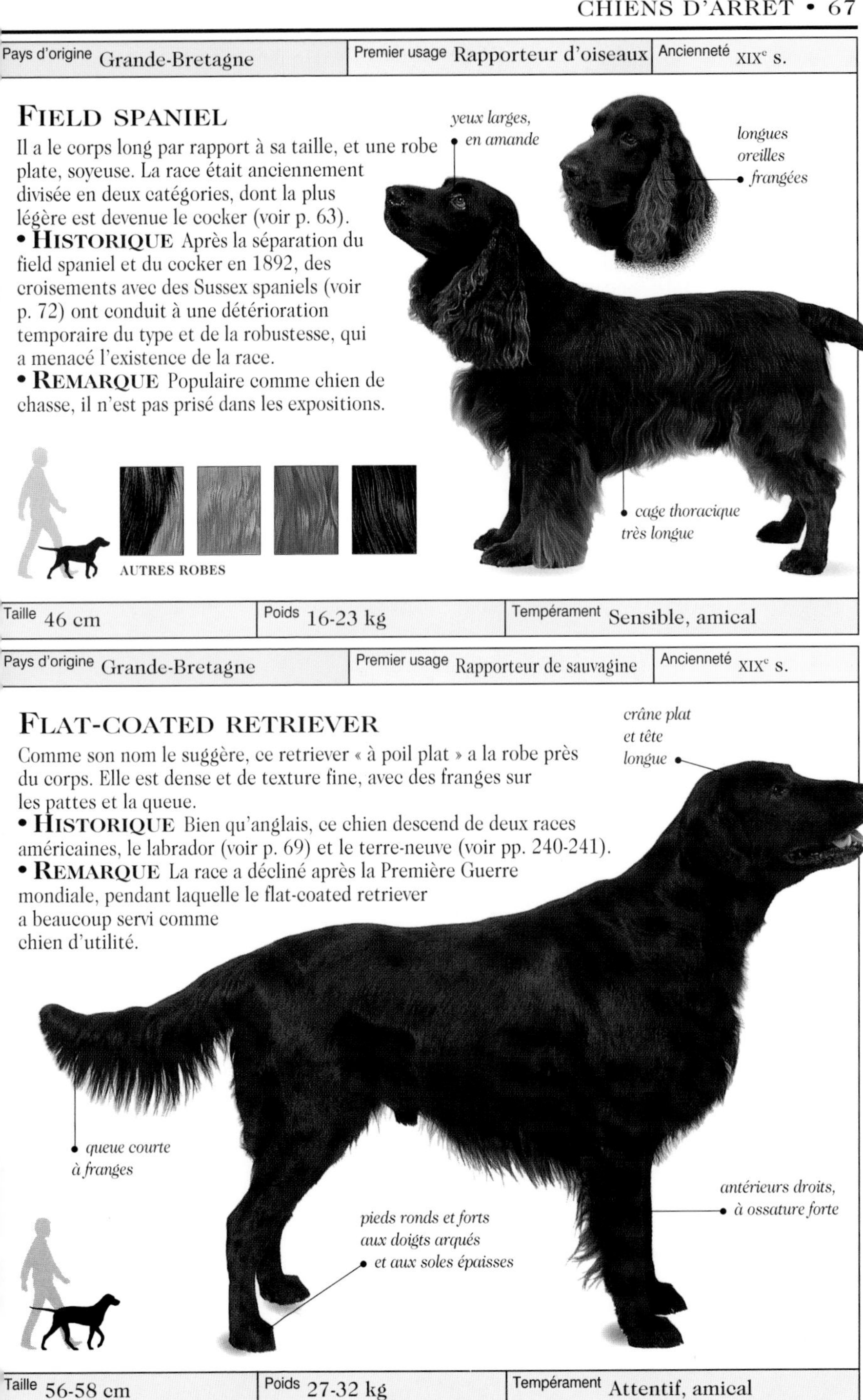

Taille 46 cm	Poids 16-23 kg	Tempérament Sensible, amical

Pays d'origine Grande-Bretagne	Premier usage Rapporteur de sauvagine	Ancienneté XIXe s.

FLAT-COATED RETRIEVER

Comme son nom le suggère, ce retriever « à poil plat » a la robe près du corps. Elle est dense et de texture fine, avec des franges sur les pattes et la queue.

• **HISTORIQUE** Bien qu'anglais, ce chien descend de deux races américaines, le labrador (voir p. 69) et le terre-neuve (voir pp. 240-241).

• **REMARQUE** La race a décliné après la Première Guerre mondiale, pendant laquelle le flat-coated retriever a beaucoup servi comme chien d'utilité.

Taille 56-58 cm	Poids 27-32 kg	Tempérament Attentif, amical

Pays d'origine Grande-Bretagne	Premier usage Rapporteur d'oiseaux	Ancienneté XIXᵉ s.

GOLDEN RETRIEVER

La coloration de ce retriever a contribué à en faire l'un des chiens les plus populaires. La robe peut varier du crème au doré, mais elle ne peut être rouge. Le golden retriever répond bien au dressage et, s'il peut prendre suffisamment d'exercice, il devient un excellent chien de compagnie.

• **HISTORIQUE** On a prétendu qu'il descendait de chiens de cirque russes mais, plus vraisemblablement, il aurait été créé par croisement entre un flat-coated retriever (voir p. 67) et un épagneul d'eau, avec introduction ultérieure de setter irlandais, de labrador et de saint-hubert.

• **REMARQUE** Jusqu'en 1920, il s'est appelé golden flat-coat.

• **AUTRES NOMS** Retriever doré, retriever jaune, retriever russe.

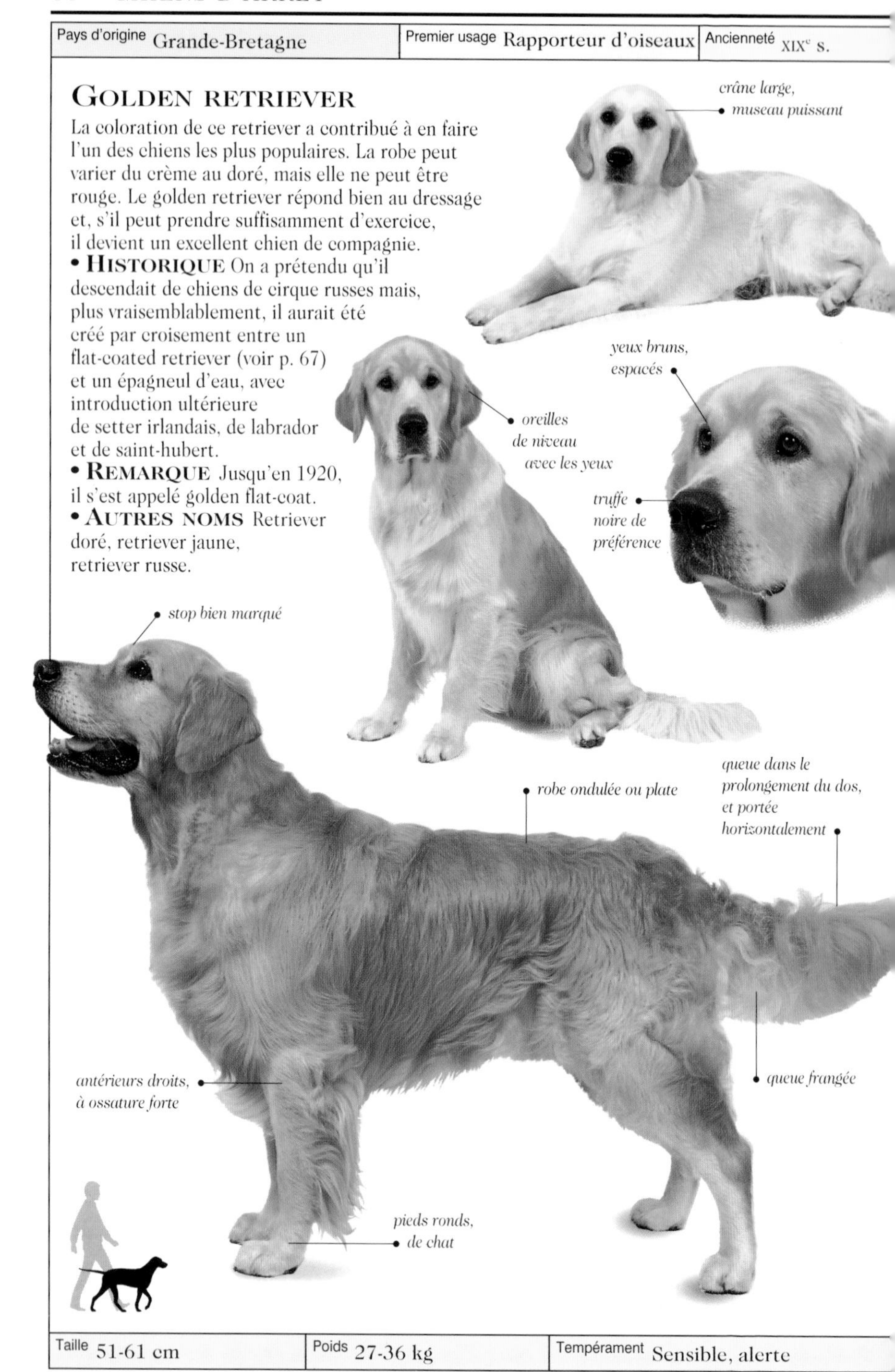

Taille 51-61 cm	Poids 27-36 kg	Tempérament Sensible, alerte

Pays d'origine Canada	Premier usage Aide aux pêcheurs	Ancienneté XIXe s.

LABRADOR

Le fouet est le trait le plus caractéristique de cet intelligent retriever à poil ras. Épais à l'attache, il s'effile, sans trace de franges. Chien court et solide, au crâne et à la truffe larges, à l'encolure puissante.

• **HISTORIQUE** Originaire de Terre-Neuve, où il aidait les pêcheurs à haler les filets sur la plage. Aujourd'hui, les labradors ne sont pas seulement des chiens de chasse mais aussi des chiens-guides. On en a entraîné à détecter de la drogue ou des explosifs. Ce sont des compagnons appréciés.

• **REMÀRQUE** Sauf exercice régulier, ils tendent à l'obésité.

• **AUTRE NOM** Labrador retriever.

Taille 54-57 cm	Poids 24-34 kg	Tempérament Sensible, amical

Pays d'origine Grande-Bretagne	Premier usage Quête du lièvre	Ancienneté XVIIe s.

POINTER

Cette race est bâtie en force et en agilité. Le museau a le profil typiquement concave et se relève souvent quand le chien flaire. Le pointer est prisé pour son nez exceptionnel et, sur le terrain, il mène un train soutenu en couvrant des distances considérables. Ce chien élégant garde un puissant instinct de chasse. Il lui faut donc beaucoup d'exercice si on se contente d'en faire un animal familier.

• **HISTORIQUE** Chien de chasse depuis le XVIIe siècle. À l'origine, dressé à pister le lièvre, afin de le donner à courre aux lévriers.

• **REMARQUE** En présence du gibier, il s'immobilise et « pointe », c'est-à-dire qu'il désigne la proie en adoptant une attitude caractéristique.

• **AUTRE NOM** English pointer.

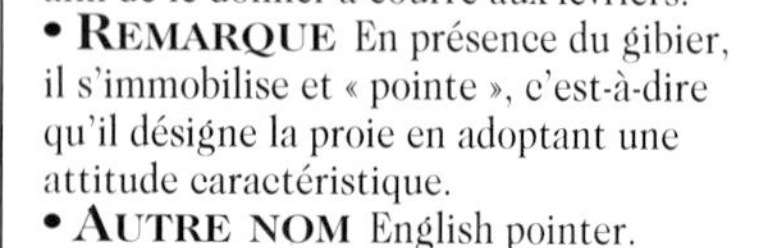

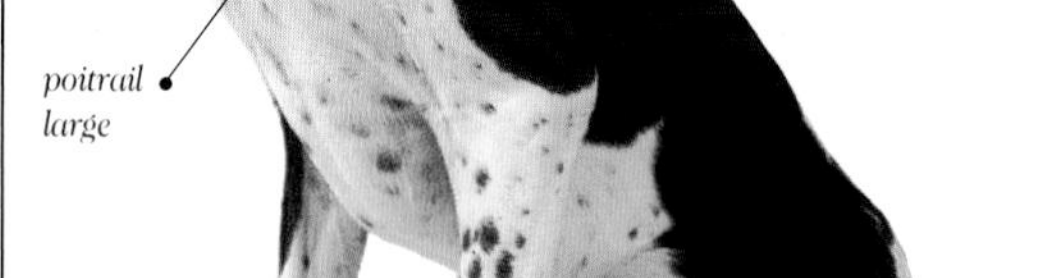

Taille 61-69 cm	Poids 20-30 kg	Tempérament Sensible, vif

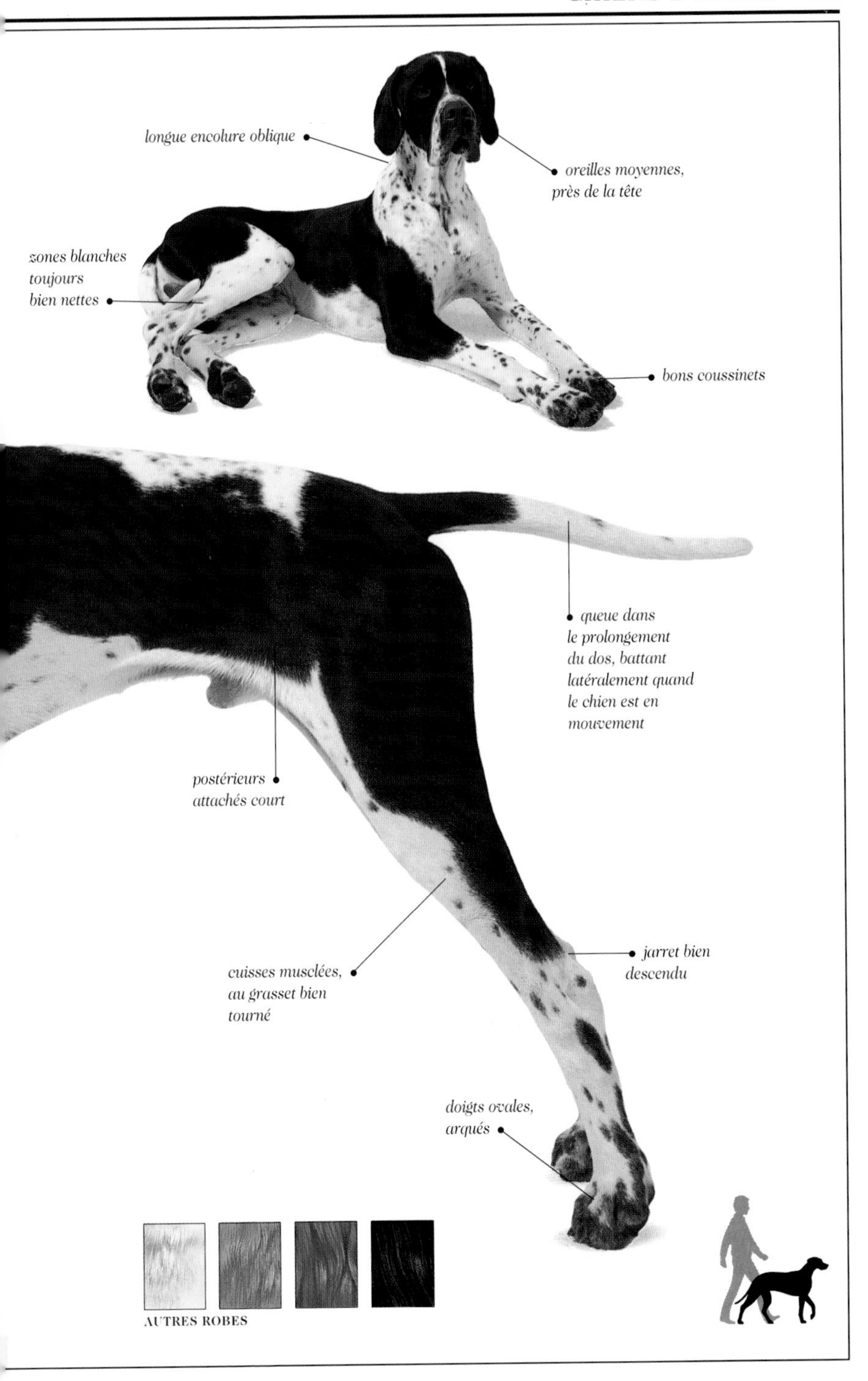
longue encolure oblique
oreilles moyennes, près de la tête
zones blanches toujours bien nettes
bons coussinets
queue dans le prolongement du dos, battant latéralement quand le chien est en mouvement
postérieurs attachés court
cuisses musclées, au grasset bien tourné
jarret bien descendu
doigts ovales, arqués
AUTRES ROBES

Pays d'origine Grande-Bretagne	Premier usage Leveur de gibier caché	Ancienneté XVIe s.

Welsh springer

Bien que partageant peut-être ses origines avec l'english springer (voir p. 66), ce chien-ci est généralement plus petit et il a la tête plus fine ainsi que, toujours, de belles marques rouge sombre sur une robe blanche.

• **Historique** Une indication sur l'ancienneté possible de cette race nous est fournie par un manuscrit du XVIe siècle se rapportant à ce qui pourrait être un ancêtre du welsh springer.

• **Remarque** Pour le sens du mot « springer », voir page 66, *Historique*.

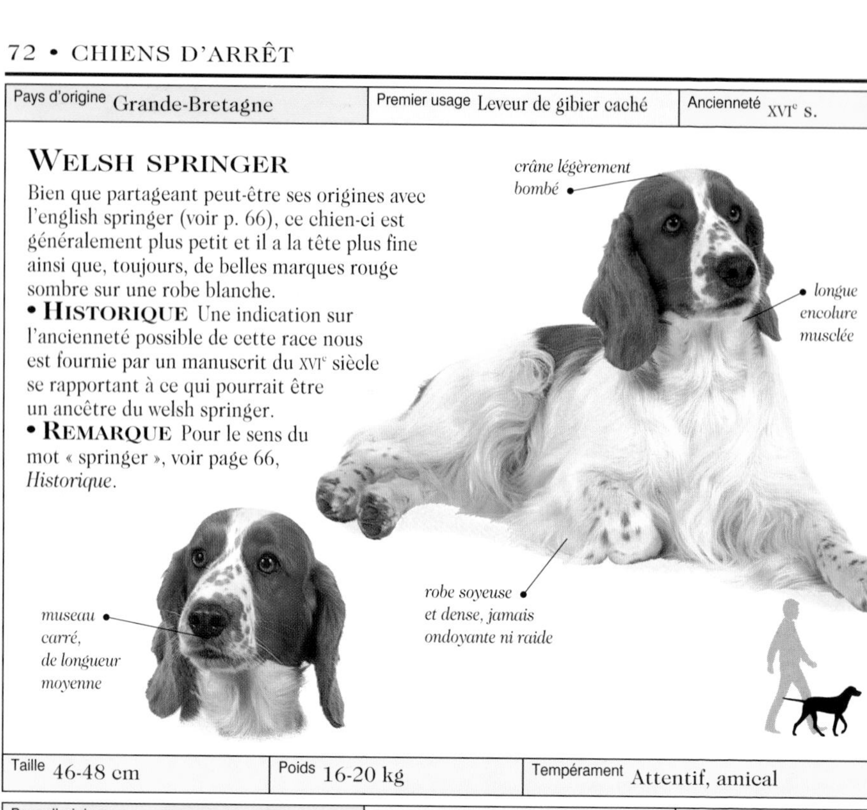

Taille 46-48 cm	Poids 16-20 kg	Tempérament Attentif, amical

Pays d'origine Grande-Bretagne	Premier usage Quête du gibier	Ancienneté XVIIIe s.

Sussex spaniel

Il est plus bas, plus long et plus lent que les autres épagneuls. Sa robe fournie et plate est d'une vive couleur foie doré, les poils se dorant à l'extrémité.

• **Historique** L'une des plus anciennes races d'épagneuls, reconnue en 1855.

• **Remarque** Chose inhabituelle pour un épagneul, le Sussex spaniel donne de la voix en pistant le gibier, à la façon des chiens courants.

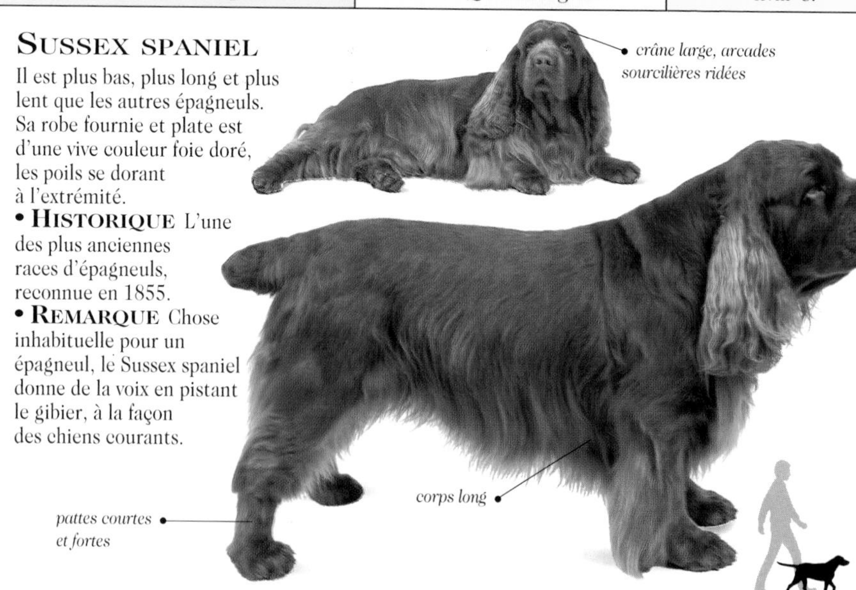

Taille 38-41 cm	Poids 18-23 kg	Tempérament Aimable, déterminé

Pays d'origine Canada	Premier usage Rapporteur de gibier d'eau	Ancienneté XIXe s.

Retriever de Nouvelle-Écosse

Ce retriever musculeux, au squelette moyen à lourd, a une robe dense et imperméable. Les franges sont plus pâles que la couleur de fond, qui peut présenter diverses nuances de rouge, souvent avec des marques blanches.

• **Historique** Sélectionné au Canada, à la fin du XIXe siècle, pour jouer, à la chasse, un rôle unique en son genre : leurrer les canards trop curieux en les distrayant du bord de l'eau pour les diriger vers les fusils des chasseurs à l'affût.

• **Remarque** Les renards trompent parfois leur proie de cette façon.

• **Autre nom** Nova Scotia duck tolling retriever.

Taille 43-53 cm	Poids 17-23 kg	Tempérament Sensible, actif

Pays d'origine Danemark	Premier usage Quête et levée du gibier	Ancienneté XVIIIe s.

POINTER DANOIS

Comme la plupart des pointers, il n'est pas grand ; c'est toutefois un animal robuste, bien équilibré, aux cuisses musclées, à la tête lourde. Son encolure longue et puissante porte un fanon. Poil ras, brun et blanc, quelques mouchetures étant permises.

• **HISTORIQUE** Origines incertaines. Le pointer danois pourrait résulter de croisements entre des braques espagnols, emmenés au Danemark par des gitans, et des races locales de bloodhounds. Race peu connue hors de sa patrie.

• **REMARQUE** Son nez excellent en fait le chien idéal pour pister les animaux blessés.

• **AUTRE NOM** Gammel dansk Honsehund.

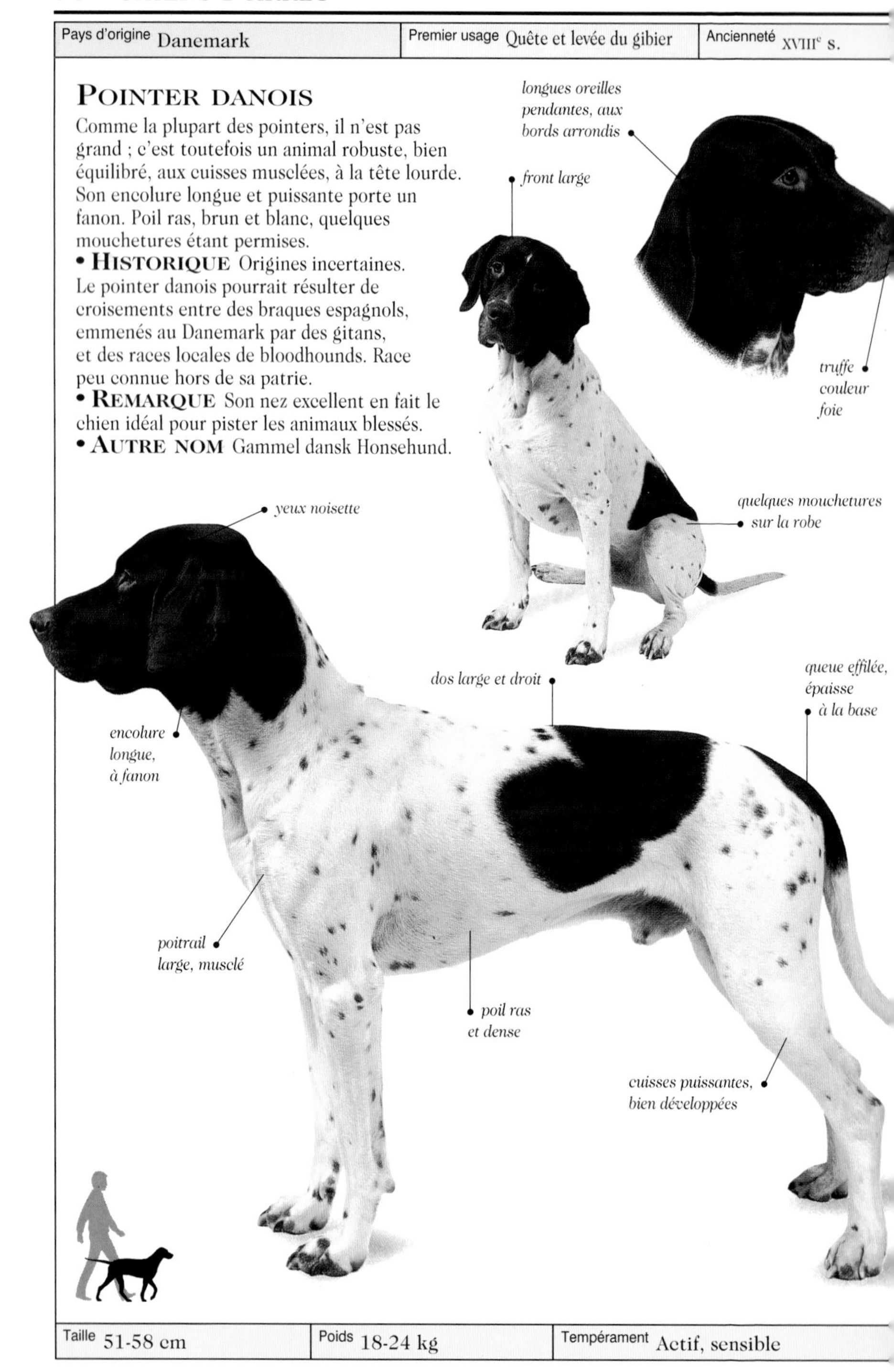

Taille 51-58 cm	Poids 18-24 kg	Tempérament Actif, sensible

ays d'origine Allemagne	Premier usage Chasse à la caille	Ancienneté XXe s.

ÉPAGNEUL ALLEMAND

Bien que d'apparence assez semblable à celle de l'english springer (voir p. 66), l'épagneul allemand est un peu plus bas sur pattes. Ce chien polyvalent est un retriever talentueux, qui travaille souvent dans les marais. Il est hautement apprécié comme pisteur.

• **HISTORIQUE** Plusieurs races ont contribué à son développement, notamment l'ancien stöber allemand.

• **REMARQUE** Essentiellement un chien de chasse, il n'est pratiquement pas adopté comme animal familier, même en Allemagne.

• **AUTRE NOM** Wachtelhund.

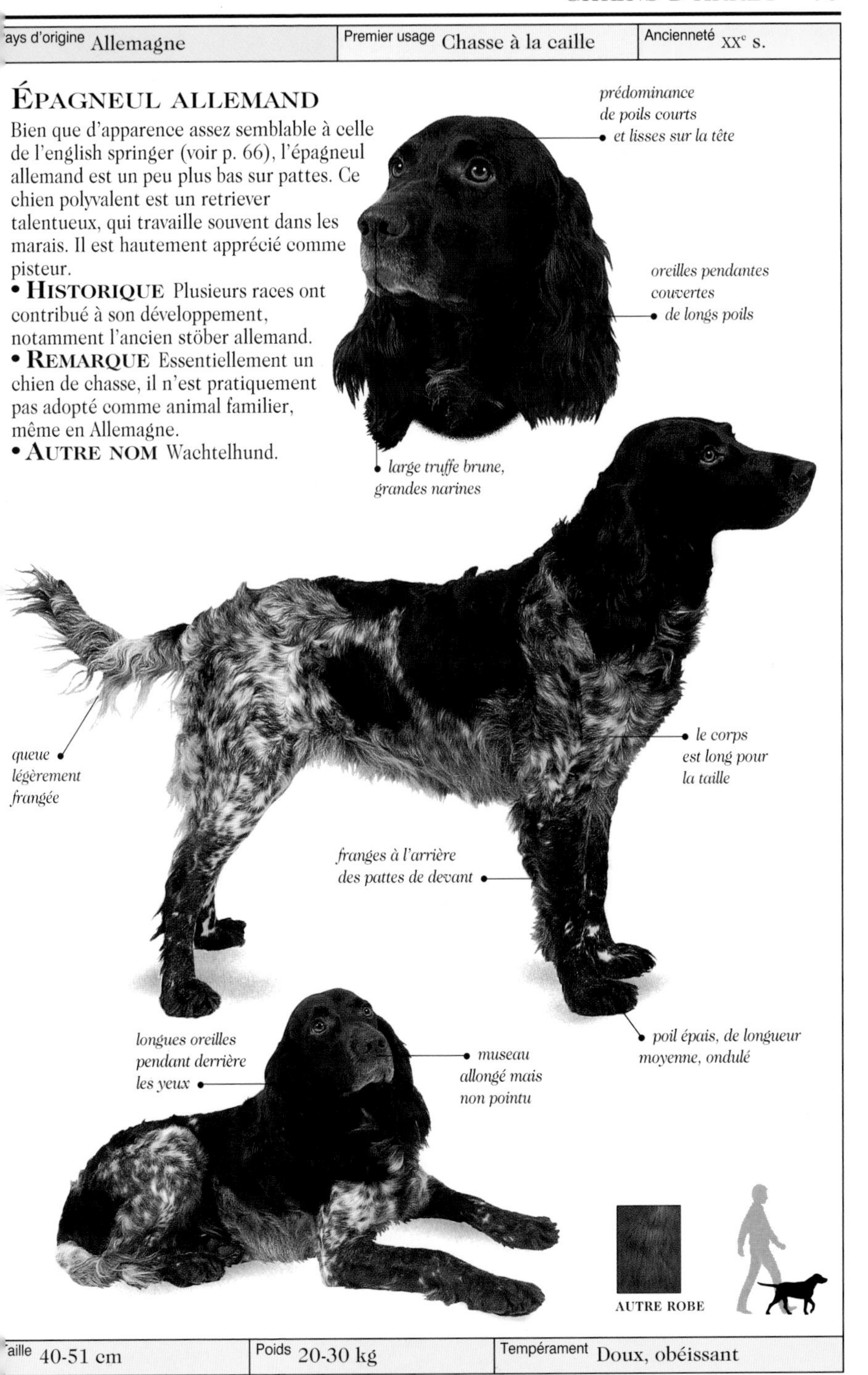

aille 40-51 cm	Poids 20-30 kg	Tempérament Doux, obéissant

Pays d'origine Allemagne	Premier usage Quête du gros gibier	Ancienneté XVIIe s.

Braque de Weimar

Sa robe lisse, d'un gris uni, et son élégance aristocratique caractérisent ce chien de taille moyenne. Le braque de Weimar appartient à la longue tradition cynégétique allemande, laquelle a produit des chiens qui ont connu la faveur dans le monde entier. Infatigable, il a de longs membres musclés, le nez fin, une nature obéissante et aimable : toutes les qualités d'un bon chien de chasse polyvalent. C'est en effet l'une des sept seules races capables à la fois de pister, de lever et de rapporter le gibier. Il existe des braques de Weimar à poil long et ras, mais la forme à poil long n'est pas reconnue officiellement aux États-Unis. La robe est un peu plus claire sur la tête et les oreilles.

• **Historique** Rien n'est sûr quant aux origines de ce chien. Une théorie en fait une mutation d'anciens braques allemands albinos. Cependant il pourrait aussi descendre de chiens courants allemands, ou encore de croisements, opérés par le grand-duc Charles-Auguste de Weimar, entre un pointer et un braque jaune non précisé.

• **Remarque** Si ses origines exactes sont inconnues, on peut toutefois sans crainte les faire remonter au XVIIe siècle, puisqu'il est représenté dans un tableau du peintre flamand Van Dyck.

• **Autre nom** Weimaraner.

Braque de Weimar à poil long

Taille 56-69 cm	Poids 32-39 kg	Tempérament Sensible, alerte

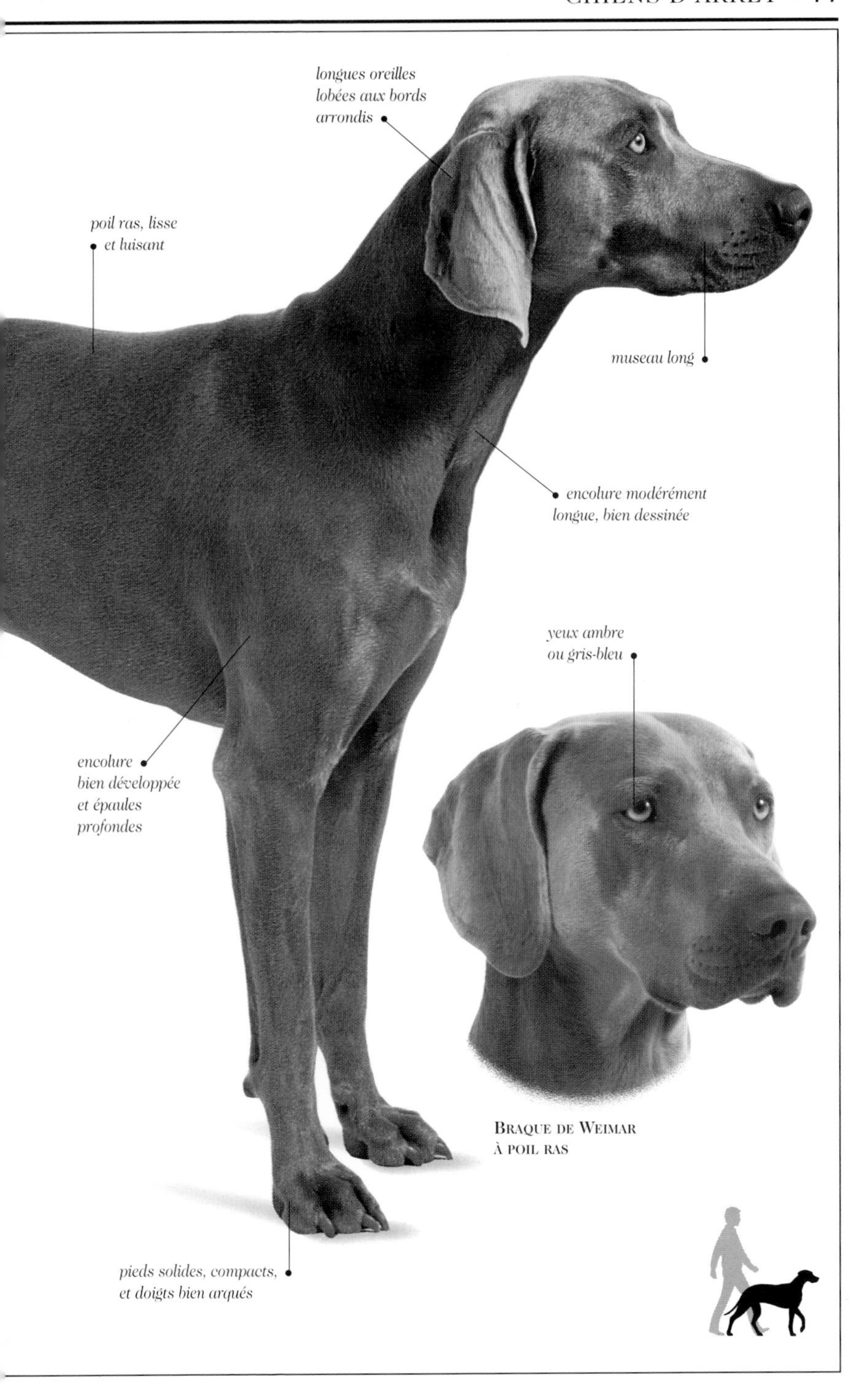

Braque de Weimar
à poil ras

Pays d'origine Allemagne	Premier usage Rapporteur d'oiseaux	Ancienneté XIXe s.

Chien d'arrêt allemand à poil rêche

Sa robe rêche et dure, ainsi que ses longs poils au-dessus des yeux et aux mâchoires, distinguent cette race robuste des autres braques allemands. La texture particulière du pelage contribue à préserver l'animal des brindilles et autres débris végétaux quand il travaille.

• **Historique** Reconnue en Allemagne en 1870, la race a pris son aspect actuel grâce à l'introduction de sang de berger allemand et de griffon.

• **Remarque** Chien de chasse polyvalent très apprécié.

• **Autres noms** Drahthaar, deutscher drahthariger Vorstehhund.

Taille 56-66 cm	Poids 20-34 kg	Tempérament Actif, sensible

Pays d'origine Allemagne	Premier usage Pointer	Ancienneté XIXe s.

PETIT ÉPAGNEUL DE MUNSTER

Cette race robuste se distingue de sa parente plus grande (voir p. 80) non seulement par la taille, mais aussi par la coloration, ici invariablement foie et blanc. À part cela, elle est de même type : puissante, musclée, apte à travailler longtemps sur le terrain.

• **HISTORIQUE** L'origine de la race peut se situer en Westphalie. Elle implique des croisements entre des épagneuls français et des chiens semblables au drentse patrijshond (voir p. 82). On a utilisé ce chien pour la chasse au gibier à plume, où on l'appréciait pour ses qualités de pointer. Il a connu sa plus grande faveur au début de notre siècle.

• **REMARQUE** Ce chien d'un bon naturel devient plus populaire hors d'Allemagne.

• **AUTRES NOMS** Kleiner münsterländer Vorstehhund, Heidewachtel, Spion.

tête à prédominance foie

poil lisse avec ébauches de franges

mouchetures en nombre variable

peau adhérant bien au corps

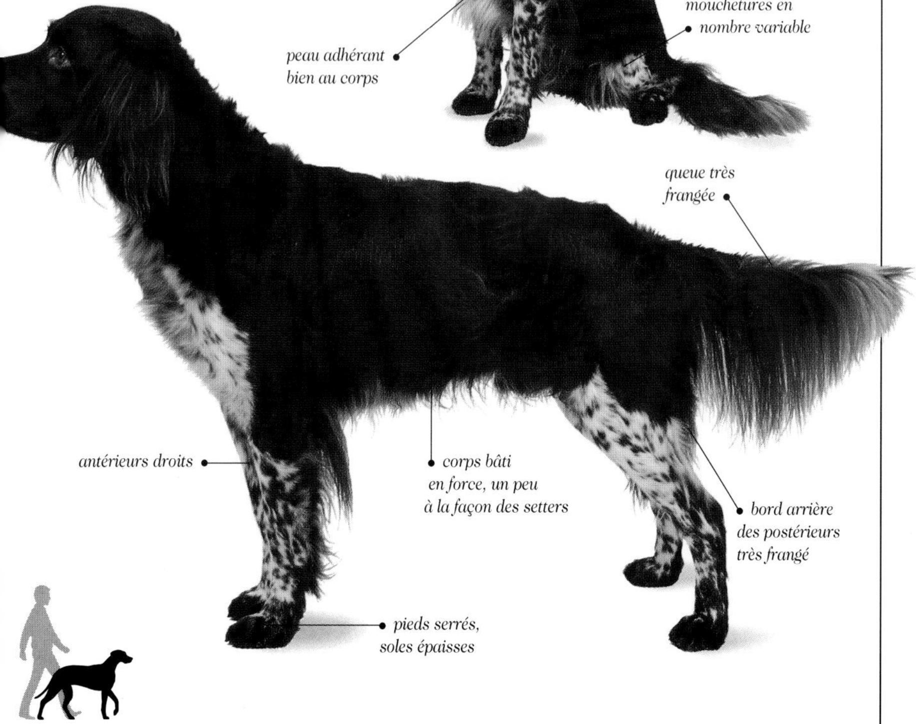

queue très frangée

antérieurs droits

corps bâti en force, un peu à la façon des setters

bord arrière des postérieurs très frangé

pieds serrés, soles épaisses

Taille 48-56 cm	Poids 15 kg	Tempérament Sensible, aimable

Pays d'origine Allemagne	Premier usage Dépisteur, retriever	Ancienneté XIXᵉ s.

GRAND ÉPAGNEUL DE MUNSTER

Se distingue sans hésitation de son parent plus petit (voir p. 79) par sa coloration différente, à savoir une combinaison frappante de noir et de blanc, et non de foie et de blanc. La grande race peut, elle aussi, présenter des mouchetures ou des mélanges de poils dans le blanc.

• **HISTORIQUE** À l'origine, le club des braques allemands à poil long n'inscrivait que les chiens foie et blanc. On se débarrassait donc généralement des chiots noir et blanc. C'est à partir de ceux-ci que le grand épagneul de Munster s'est développé.

• **REMARQUE** Le premier club propre à cette race s'est fondé en 1919.

• **AUTRE NOM** Grosser münsterländer Vorstehhund.

Taille 59-61 cm	Poids 25-29 kg	Tempérament Sensible, aimable

yeux brun foncé,
de taille
moyenne
oreilles larges,
arrondies,
pendantes
dos solide,
légèrement
ensellé
truffe noire,
bien formée
queue dans le
prolongement du
dos et s'effilant
ventre tendu
poil dense
entre les doigts

Pays d'origine Pays-Bas	Premier usage Chasse	Ancienneté XVIIe s.

DRENTSE PATRIJSHOND

Ce chien de taille moyenne, solidement bâti, semble avoir le poil long, à cause des franges présentes surtout aux oreilles mais aussi le long de l'encolure, aux pattes et à la queue. Celle-ci, à l'extrémité légèrement recourbée, s'étend horizontalement en marche mais est portée bas au repos.

• **HISTORIQUE** Cette race est née dans la province néerlandaise de la Drenthe ; elle descend probablement de la même souche que les épagneuls et les setters actuels. Elle chasse souvent le faisan et le lapin, en plus de la perdrix (*patrijshond* signifie « chien à perdrix »).

• **REMARQUE** Ce chien tend à remuer la queue en rond quand il a localisé le gibier.

Taille 56-64 cm	Poids 23 kg	Tempérament Sensible, fidèle

Pays d'origine Pays-Bas	Premier usage Chasse au petit gibier	Ancienneté XVIIe s.

KOOIKER

Ce chien léger, bien proportionné, a le poil moyen et légèrement ondulé, avec des franges prononcées aux oreilles, aux pattes, à la poitrine et à la queue. Dans l'ensemble, il ressemble un peu à un petit setter, avec une longue queue broussailleuse.

• **HISTORIQUE** Un chien de cette race, très connue aux Pays-Bas, a la réputation d'avoir fait échouer une tentative d'assassinat du prince Guillaume II d'Orange (1626-1650) en l'éveillant à temps par ses aboiements.

• **REMARQUE** La queue du kooiker sert de leurre aux canards sauvages que l'on veut baguer et relâcher.

• **AUTRE NOM** Kooikerhondje.

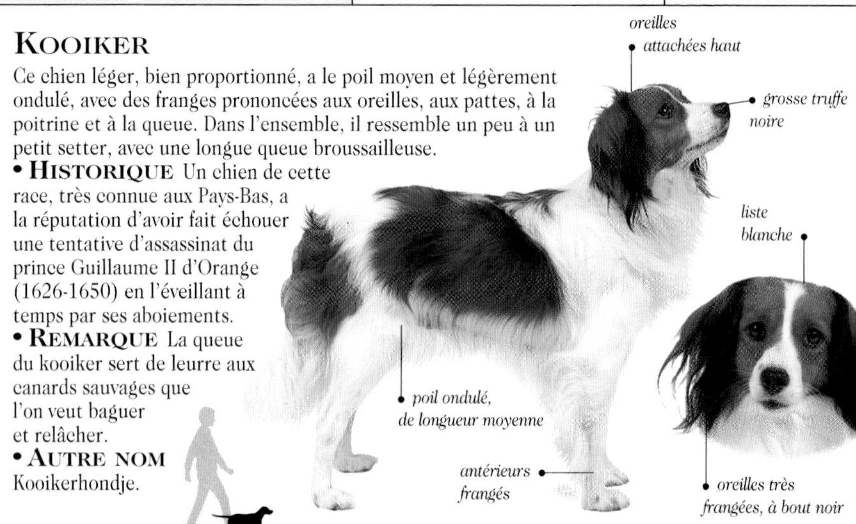

Taille 35-41 cm	Poids 9-11 kg	Tempérament Consciencieux, intelligent

Pays d'origine Pays-Bas	Premier usage Taupier	Ancienneté XVIIe s.

STABYHOUN

Cette race du type épagneul a le corps un peu longiligne mais bien équilibré, la tête large et le museau s'effilant vers la truffe. La robe est longue, lisse et bien frangée, de couleur noire, brune, orange ou bleue, à pommelures.

• **HISTORIQUE** Race originaire de Frise occidentale. Croisements probables entre le drentse patrijshond, un chien d'arrêt hollandais plus grand et des épagneuls.

• **REMARQUE** Chien de chasse apprécié, capable de pister, de lever et de rapporter le gibier. S'adapte bien à la vie de famille.

Taille 50-53 cm	Poids 15-20 kg	Tempérament Sensible, doux

Pays d'origine Pays-bas	Premier usage Loutrier	Ancienneté XVIIe s.

WETTERHOUN

C'est un chien qui peut aller contre le vent. Il est protégé par des boucles serrées et imperméables, sauf à la tête et aux pattes. Solide et rustique, c'est un fin chasseur de loutres.

• **HISTORIQUE** Forme dialecte du néerlandais *waterhond* (chien d'eau), le nom du wetterhoun s'accorde avec l'hypothèse qui le fait descendre d'un chien d'eau éteint.

• **REMARQUE** Ce chien volontaire gagne à être bien dressé quand il est jeune.

• **AUTRE NOM** Épagneul frison.

Taille 53-58 cm	Poids 15-20 kg	Tempérament Indépendant, actif

Pays d'origine Irlande	Premier usage Rapporteur de gibier d'eau	Ancienneté XIXe s.

ÉPAGNEUL D'EAU IRLANDAIS

Plus grand que tout autre épagneul, d'une couleur foie pourpré unique en son genre et désignée sous le terme de puce, ce chien a beaucoup de présence. La robe, composée de boucles en anneau, est naturellement huileuse et imperméable. Les dix premiers centimètres de la queue sont frisés, le reste est nu ou couvert de poils raides.

• **HISTORIQUE** Descend peut-être du chien d'eau portugais ou d'un caniche, croisé avec des épagneuls autochtones. Le créateur de la race, Justin McCarthy, en a gardé l'origine secrète et a refusé de fournir le moindre détail à ce sujet.

• **REMARQUE** Nageur puissant, assez grand pour ramener d'une eau profonde des animaux de la taille d'une oie.

• **AUTRE NOM** Irish water spaniel.

Taille 51-58 cm	Poids 20-29 kg	Tempérament Sensible, joueur

ays d'origine Irlande	Premier usage Retriever	Ancienneté XVIIIe s.

SETTER IRLANDAIS BICOLORE

Bien proportionné et athlétique, c'est un chien puissant mais d'un bon naturel. Semblable au setter irlandais (voir p. 86), il est bâti plus en force, avec une tête plus large et une protubérance occipitale plus accentuée. De texture fine, frangée, la robe est blanche à grandes taches rouges. Il y a couramment quelques mouchetures ou pommelures ; en revanche, les marques rouannées sont mal jugées dans les expositions. Les setters ont le nez très fin et excellent dans toutes les activités de chasse, sur tous les terrains et par tous les temps.

• **HISTORIQUE** Cette race rustique descend de la même souche que le gracieux setter irlandais. Bien que le bicolore soit un excellent chien sur le terrain, il s'est trouvé bien près de l'extinction avant de connaître, récemment, un regain de faveur.

• **REMARQUE** Comme animal familier, il est affectueux mais il réclame beaucoup d'exercice et un dressage rigoureux.

• **AUTRE NOM** Irish red and white setter.

aille 58-69 cm	Poids 27-32 kg	Tempérament Actif, affectueux

Pays d'origine Irlande	Premier usage Retriever	Ancienneté XVIIIe s.

SETTER IRLANDAIS

Ce chien, souvent appelé en Grande-Bretagne « setter rouge », se distingue en effet par sa couleur. Plus élégamment bâti que son cousin bicolore, il est vif, actif, joueur. Très apprécié comme animal familier, il a cependant besoin de beaucoup d'exercice. Pour devenir obéissant, il exige un dressage plus poussé que les autres races semblables mais, en fin de compte, peut devenir un magnifique compagnon de chasse.

• **HISTORIQUE** La race a évolué en Irlande et l'on pense que l'épagneul d'eau irlandais, le setter Gordon et le springer ont joué un rôle dans son développement.

• **REMARQUE** Un peu de blanc sur le poitrail est courant et admis sur le ring d'exposition.

• **AUTRES NOMS** Irish setter, red setter.

oreilles près de la tête

museau carré

robe d'un riche acajou

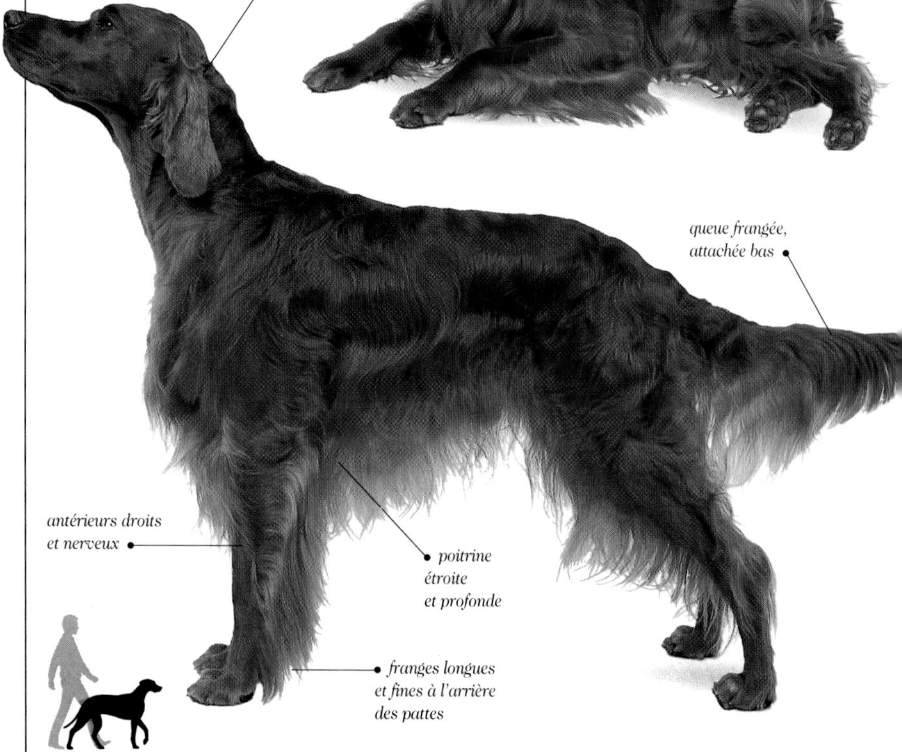

longue encolure musclée

queue frangée, attachée bas

antérieurs droits et nerveux

poitrine étroite et profonde

franges longues et fines à l'arrière des pattes

Taille 64-69 cm	Poids 27-32 kg	Tempérament Actif, affectueux

Pays d'origine France	Premier usage Chasse au petit gibier	Ancienneté XIXe s.

Braque Saint-Germain

Ce pointer possède une robe à prédominance blanche, marquée de taches orange aux dimensions variables. Bien qu'un peu plus fort en membres que le pointer (voir pp. 70-71), il est élégant et bien proportionné.

• **Historique** Son origine remonte à deux pointers donnés au roi de France Charles X. Quand l'un mourut, l'autre fut accouplé à un braque français. Leurs rejetons fondèrent la race.

• **Remarque** Ce chien ne convient pas comme rapporteur de gibier d'eau parce que sa robe n'est pas assez isolante quand elle est mouillée.

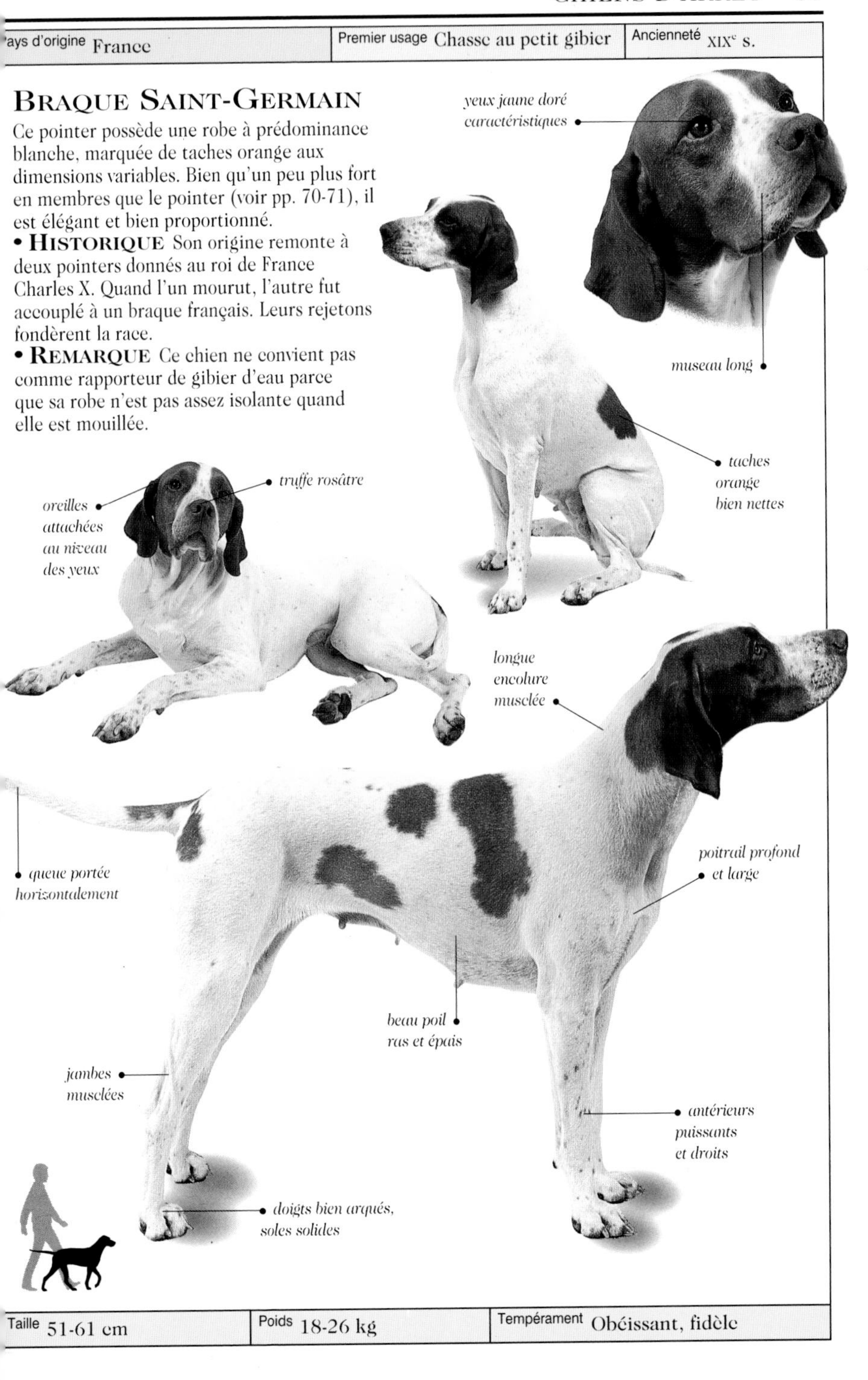

Taille 51-61 cm	Poids 18-26 kg	Tempérament Obéissant, fidèle

Pays d'origine France	Premier usage Quête et arrêt	Ancienneté XVIIe s.

Braque français de grande taille

L'une des plus anciennes races françaises. Chien fort et bien musclé, au physique imposant. Dit aussi braque de Gascogne, ses origines se situant dans le Sud-Ouest ; il est un peu plus grand que le pointer (voir pp. 70-71) mais, dans l'ensemble, ces deux chiens sont très similaires. Une version plus petite de la race, le braque des Pyrénées, a un aspect plus raffiné.

• **Historique** Il est probable que le braque français soit assez étroitement apparenté aux braques italien et espagnol (voir pp. 101 et 102). Une certaine « aura » de chien courant s'attachant à cette race, on peut supposer que d'autres influences ont joué.

• **Remarque** À la fin du XIXe siècle, la popularité de cette race déclina, la mettant en danger d'extinction. Toutefois de récents efforts se sont soldés par un grand bond dans le nombre de ces braques. Bien que toujours peu communs, ils n'ont plus à craindre pour leur avenir car une nouvelle génération de chasseurs apprend à apprécier leurs dons.

• **Autres noms** Braque gascon, braque de Gascogne.

tête souvent portée haut pour flairer en milieu ouvert

spécimen truité

poitrine large et profonde

antérieurs droits, à l'ossature forte

Taille 56-68 cm	Poids 20-32 kg	Tempérament Équilibré, calme

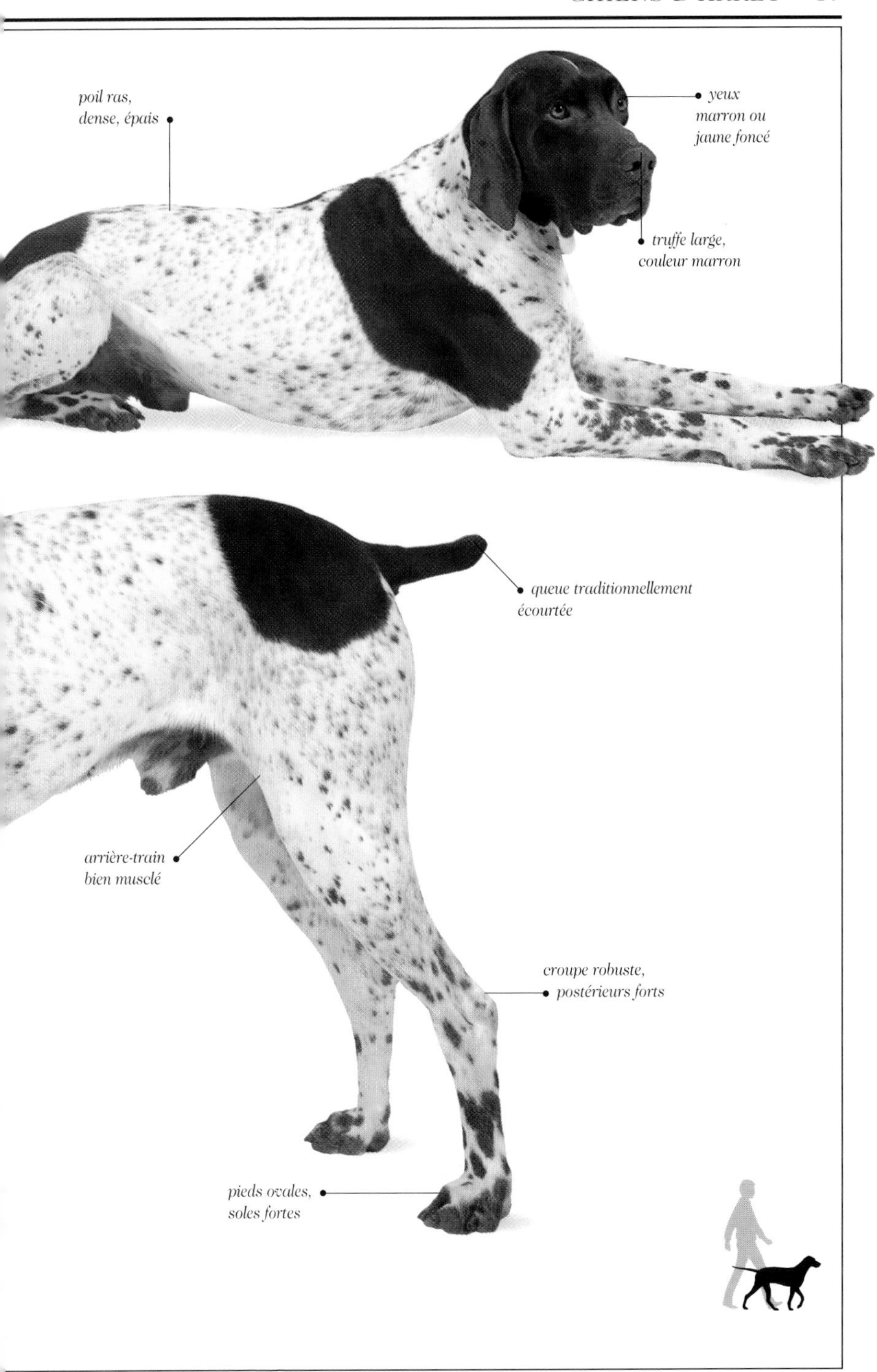
poil ras,
dense, épais
yeux
marron ou
jaune foncé
truffe large,
couleur marron
queue traditionnellement
écourtée
arrière-train
bien musclé
croupe robuste,
postérieurs forts
pieds ovales,
soles fortes

Pays d'origine France	Premier usage Pointer et retriever	Ancienneté XIXe s.

BRAQUE D'AUVERGNE

Grand chien d'arrêt, relativement lourd, possédant une coloration et des marques typiques. Caractéristique importante : les oreilles et le pourtour des yeux sont noirs. Partout sur le corps, il est souhaitable que la robe blanche soit charbonnée, c'est-à-dire qu'un mélange de poils noirs et blancs donne des marques de teinte bleue. Certains individus présentent toutefois des plaques noires bien délimitées sur le fond blanc.

• **HISTORIQUE** On pense que le grand bleu de Gascogne (voir pp. 170-171) a contribué à créer la race ; néanmoins, toute trace résiduelle de marques feu entraîne la disqualification sur le ring d'exposition.

• **REMARQUE** Ce pointer est élevé surtout dans un but sportif.

• **AUTRE NOM** Bleu d'Auvergne.

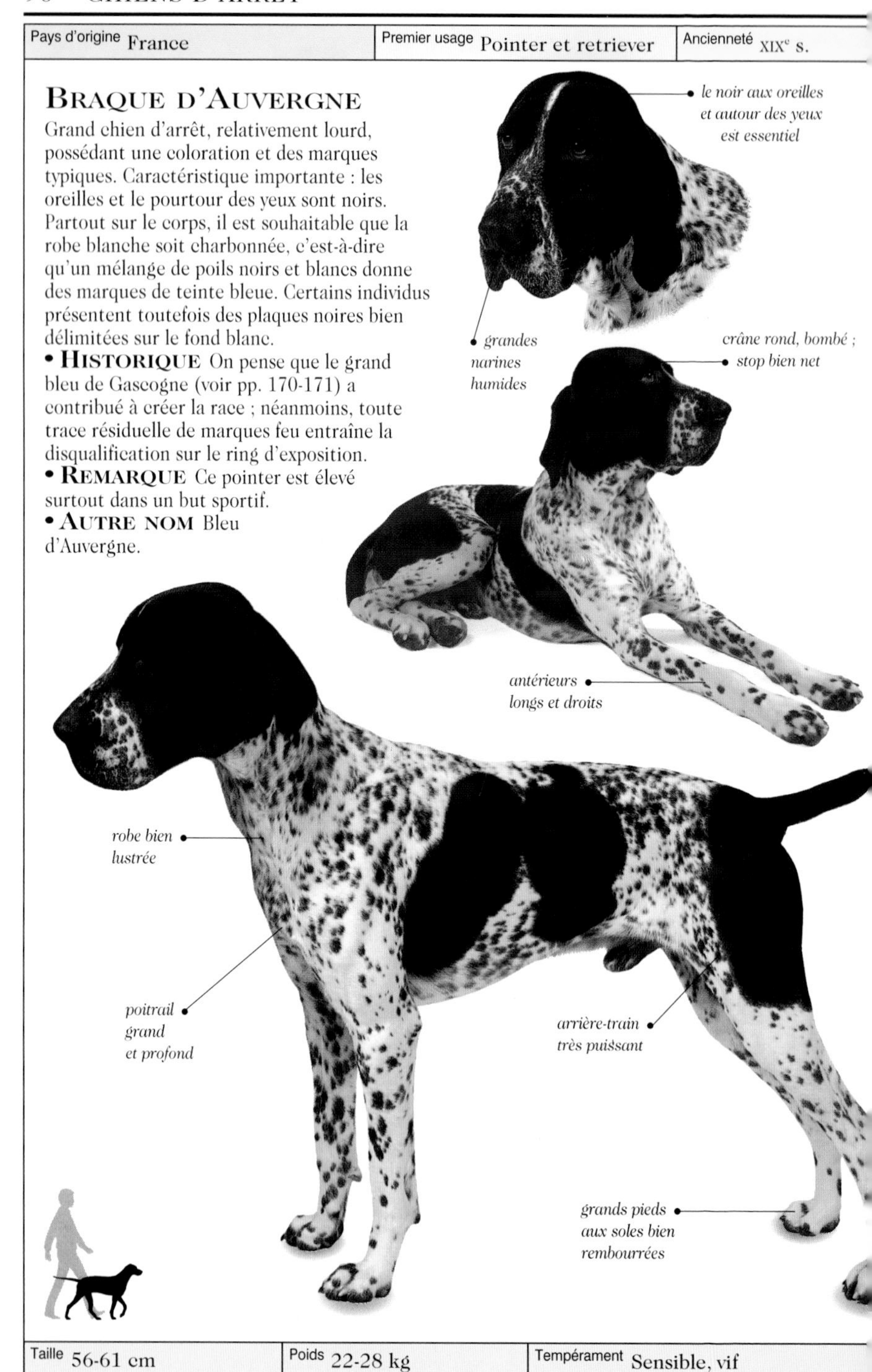

Taille 56-61 cm	Poids 22-28 kg	Tempérament Sensible, vif

ays d'origine France	Premier usage Chasse	Ancienneté XVIe s.

Braque du Bourbonnais

Sa robe est essentiellement blanche mais très rouannée, quelques taches colorées bien nettes étant possibles. Ce pointer de taille moyenne naît sans queue ou doté d'un moignon rudimentaire.

• **Historique** Comme son nom l'indique, ce braque est originaire de l'ancien duché de Bourbon, et l'on peut voir un chien très semblable à la race actuelle dans des peintures remontant au XVIe siècle. Race florissante en France au XIXe, mais qui a décliné à partir de la Première Guerre mondiale. Des amateurs ont toutefois mis leurs souches en commun pour assurer son avenir.

• **Remarque** Cette race polyvalente est aussi à l'aise dans les broussailles que dans les marécages, et elle aime chasser de toutes les manières.

AUTRE ROBE

Taille 56 cm	Poids 18-26 kg	Tempérament Intelligent, affectueux

Pays d'origine France	Premier usage Leveur et rapporteur	Ancienneté XVIIe s.

ÉPAGNEUL FRANÇAIS

Relativement grand et puissamment bâti, cet épagneul, l'un des plus anciens de France, montre une relation évidente avec les setters. La tête est carrée, et l'encolure courte s'attache à un corps musclé, de belles proportions. Poil court et plat, avec quelques franges.

• **HISTORIQUE** On ne connaît pas l'origine de cette race. La concurrence d'autres chiens de chasse l'a menée près de l'extinction, mais elle s'est bien rétablie.

• **REMARQUE** Chien maintenant bien connu hors de France.

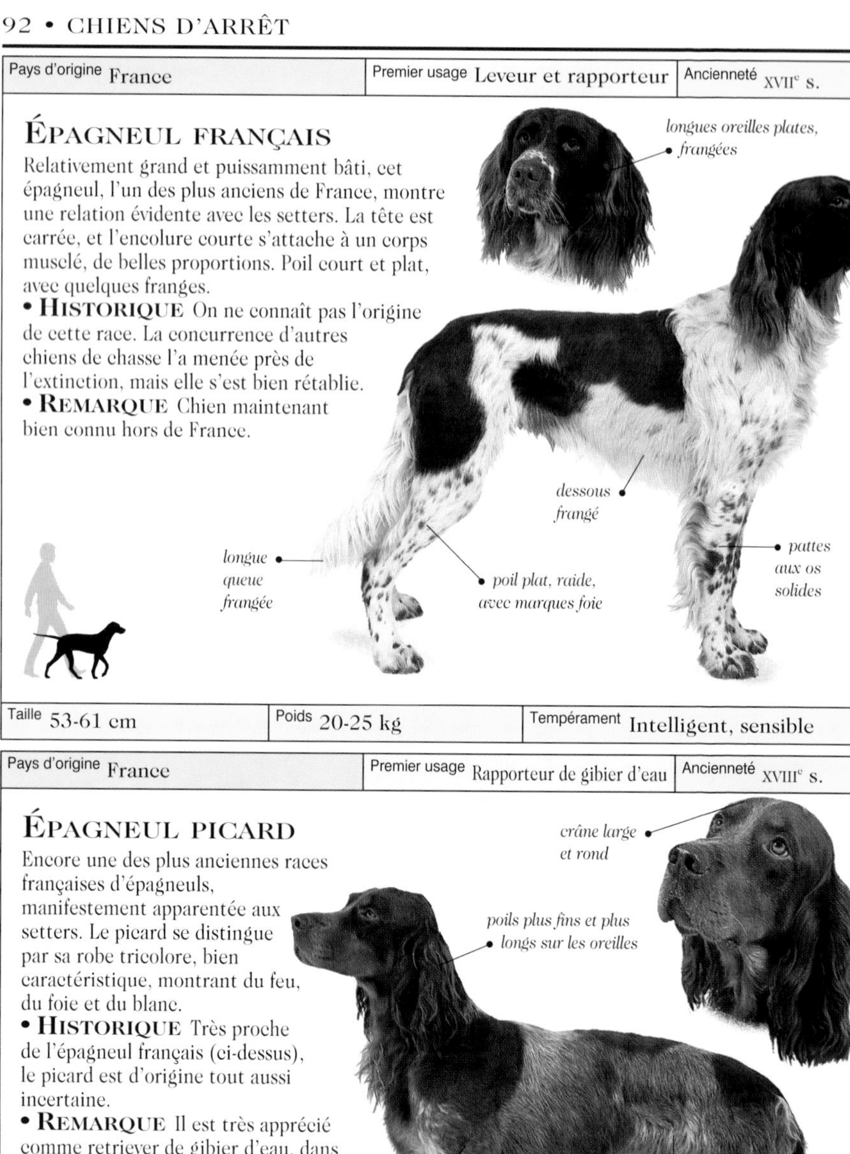

Taille 53-61 cm	Poids 20-25 kg	Tempérament Intelligent, sensible

Pays d'origine France	Premier usage Rapporteur de gibier d'eau	Ancienneté XVIIIe s.

ÉPAGNEUL PICARD

Encore une des plus anciennes races françaises d'épagneuls, manifestement apparentée aux setters. Le picard se distingue par sa robe tricolore, bien caractéristique, montrant du feu, du foie et du blanc.

• **HISTORIQUE** Très proche de l'épagneul français (ci-dessus), le picard est d'origine tout aussi incertaine.

• **REMARQUE** Il est très apprécié comme retriever de gibier d'eau, dans les zones humides de Picardie.

Taille 56-61 cm	Poids 20 kg	Tempérament Intelligent, aimable

Pays d'origine France	Premier usage Retriever	Ancienneté XVIIIe s.

ÉPAGNEUL BRETON

Malgré son nom d'épagneul, ce chien assez trapu a plus de choses en commun avec les setters, par la taille comme par le comportement. Ils n'est pas particulièrement gracieux, les pattes paraissant plutôt disproportionnées par rapport au corps. La queue est naturellement courte, mais on n'en laisse habituellement que 10 cm au maximum.

• **HISTORIQUE** Vieille race, qui a connu un regain de faveur en France au début de ce siècle. Depuis lors, elle est devenue populaire aux États-Unis.

• **REMARQUE** Bon chien à tout faire, l'épagneul breton peut pister, lever et rapporter le gibier.

narines bien ouvertes, donnant au chien un excellent flair

museau effilé, de longueur moyenne

oreilles assez courtes, aux bouts arrondis

longueur maximale de la queue : 10 cm

hauteur au garrot égale à la longueur du corps

arrière-train large

grasset bien oblique, franges jusqu'à mi-cuisse

pieds forts mais assez petits, soles épaisses

AUTRES ROBES

Taille 46-52 cm	Poids 13-15 kg	Tempérament Fidèle, obéissant

Pays d'origine France	Premier usage Leveur et rapporteur	Ancienneté XVIIe s.

ÉPAGNEUL DE PONT-AUDEMER

La présence d'une huppe frisée sur le sommet du crâne lui donne son aspect caractéristique. Le reste de la robe, de couleur foie ou foie et blanc, est longue et bouclée. Elle couvre un chien de taille moyenne, bien bâti.

• **HISTORIQUE** Race due à des croisements impliquant l'épagneul d'eau irlandais, ou une ancienne souche similaire. D'anciens épagneuls français y ont sans doute aussi contribué. Elle s'est développée autour de Pont-Audemer, en Normandie. Elle a considérablement décliné après la Seconde Guerre mondiale, et l'on a réutilisé des épagneuls d'eau irlandais pour la remonter.

• **REMARQUE** Reste rare, mais une association s'est constituée pour sauvegarder son avenir.

Taille 51-58 cm	Poids 18-24 kg	Tempérament Sensible, docile

Pays d'origine France	Premier usage Rapporteur de gibier d'eau	Ancienneté XVIIe s.

BARBET

Sa robe est épaisse et laineuse ; elle le protège même de l'eau glacée. Luisante, frisée ou ondulée, elle peut aller jusqu'à former des glands. Le barbet a joué un rôle de premier plan dans le développement de plusieurs races actuelles de chiens d'eau.

• **HISTORIQUE** Son origine est précise, mais c'est un chien ancien, précurseur de races comme les caniches, l'épagneul d'eau irlandais et l'otterhound. On pense que le chien d'eau anglais, maintenant éteint, lui ressemblait.

• **REMARQUE** Il paraît que le barbet ne rapportait pas seulement la sauvagine mais aussi les flèches des chasseurs qui avaient manqué leur but.

• **AUTRE NOM** Griffon d'arrêt à poil laineux.

Taille 46-56 cm	Poids 15-25 kg	Tempérament Intelligent, obéissant

Pays d'origine France	Premier usage Chasse à la bécassine	Ancienneté XIXe s.

ÉPAGNEUL BLEU DE PICARDIE

Sa couleur bleue rouannée, caractéristique de cette race, contribue à la distinguer de l'épagneul picard (voir p. 92), variante du même chien mais portant sur sa robe des mouchetures et des taches foie et feu. Pour ce qui est de la taille, des proportions d'ensemble et de la forme de la tête, la race est plus conforme à la définition actuelle d'un setter qu'à celle d'un épagneul, et elle rappelle un peu les gravures des premiers setters Gordon (voir p. 66).

• **HISTORIQUE** Cette forme de picard descend de croisements entre le setter anglais bleu *belton* (bleu mêlé de blanc) et l'épagneul picard proprement dit. D'où un chien plus grand, à l'ossature plus légère, ayant meilleur nez que les anciens types d'épagneul français.

• **REMARQUE** Chasseur exceptionnellement dur à la tâche, il noue des liens très étroits avec son maître.

Taille 56-61 cm	Poids 20 kg	Tempérament Intelligent, aimable

Pays d'origine France	Premier usage Chasse	Ancienneté XIXᵉ s.

GRIFFON À POIL DUR

Le poil dur et grossier de ce chien lui donne un aspect quelque peu hirsute. Cependant il demande peu de soins, à part un brossage périodique. La face se caractérise par ses sourcils broussailleux et par sa grosse barbe aux poils longs et épais.

• **HISTORIQUE** Race développée par le Hollandais Eduard Karel Korthals, peut-être en croisant des griffons avec des braques français.

• **REMARQUE** À la fois pointer et retriever, ce griffon polyvalent tue aussi les rongeurs et court le renard.

• **AUTRE NOM** Korthals.

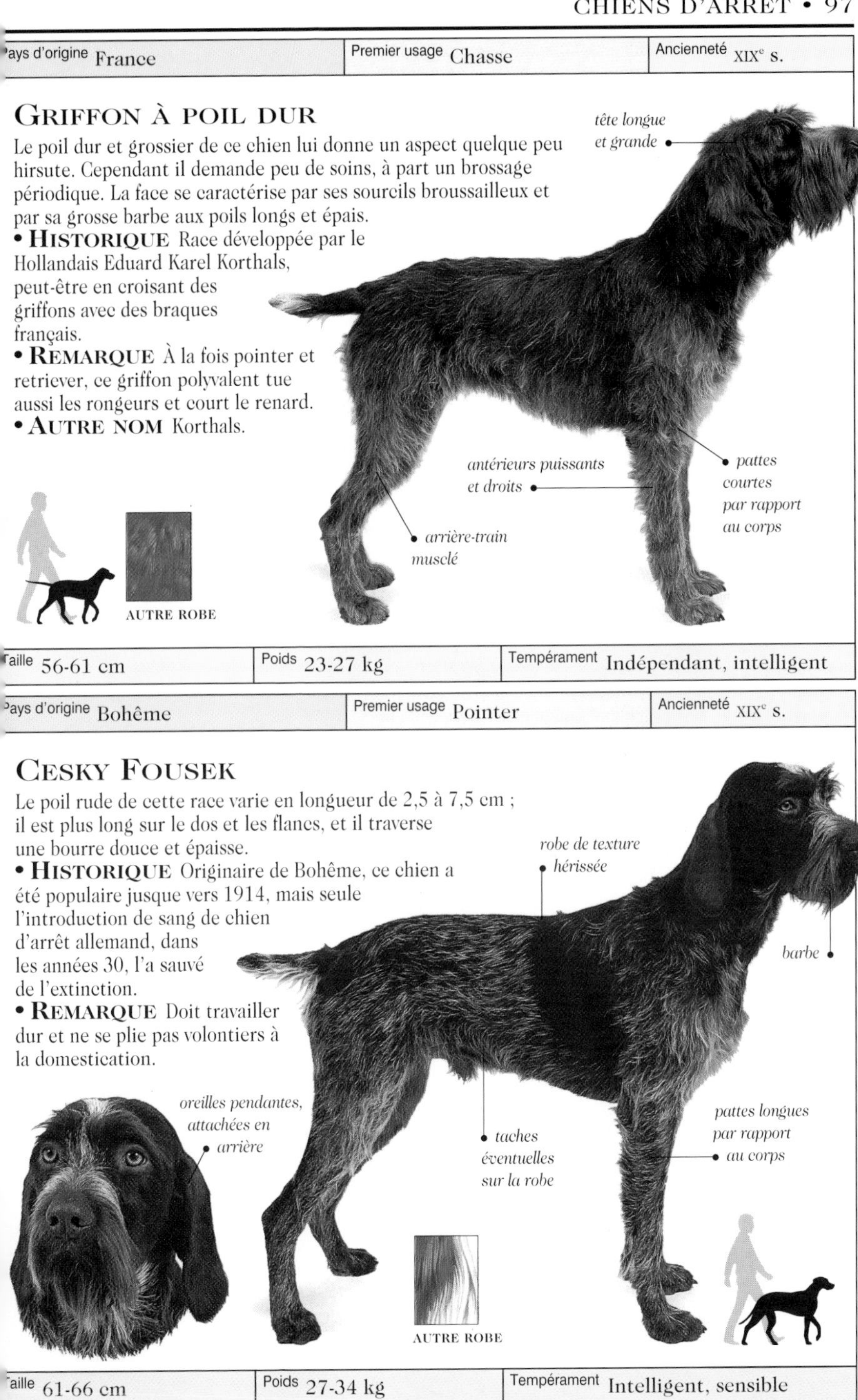

Taille 56-61 cm	Poids 23-27 kg	Tempérament Indépendant, intelligent

Pays d'origine Bohême	Premier usage Pointer	Ancienneté XIXᵉ s.

CESKY FOUSEK

Le poil rude de cette race varie en longueur de 2,5 à 7,5 cm ; il est plus long sur le dos et les flancs, et il traverse une bourre douce et épaisse.

• **HISTORIQUE** Originaire de Bohême, ce chien a été populaire jusque vers 1914, mais seule l'introduction de sang de chien d'arrêt allemand, dans les années 30, l'a sauvé de l'extinction.

• **REMARQUE** Doit travailler dur et ne se plie pas volontiers à la domestication.

Taille 61-66 cm	Poids 27-34 kg	Tempérament Intelligent, sensible

Pays d'origine Hongrie	Premier usage Chasse	Ancienneté XIe s.

BRAQUE HONGROIS

Ce chien de chasse athlétique, de taille moyenne, donne dès l'abord une impression de sveltesse, de vivacité et de force musculaire. Sa robe est remarquable : lisse, luisante et de couleur roux doré. Les marques blanches sont indésirables.

• **HISTORIQUE** On pense qu'une forme ancestrale de ce braque accompagnait les Magyars lors de leur invasion de la région danubienne. Son lignage inclut probablement l'ancien chien de Transylvanie et le chien jaune turc, avec un apport plus récent de pointers.

• **REMARQUE** Chien courant, chien d'arrêt et retriever sur tout terrain, même marécageux.

• **AUTRES NOMS**
Vizsla, Magyar vizsla.

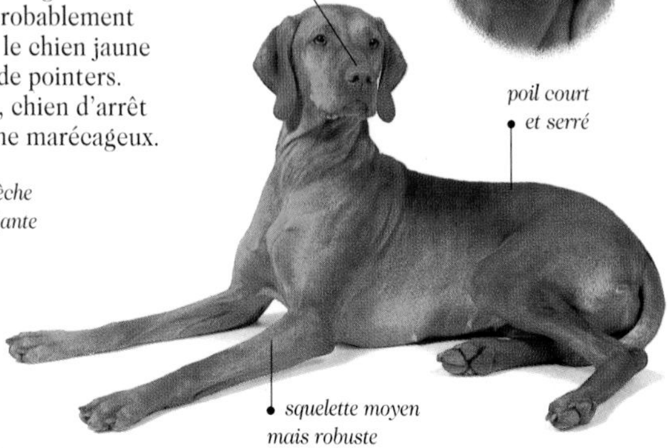

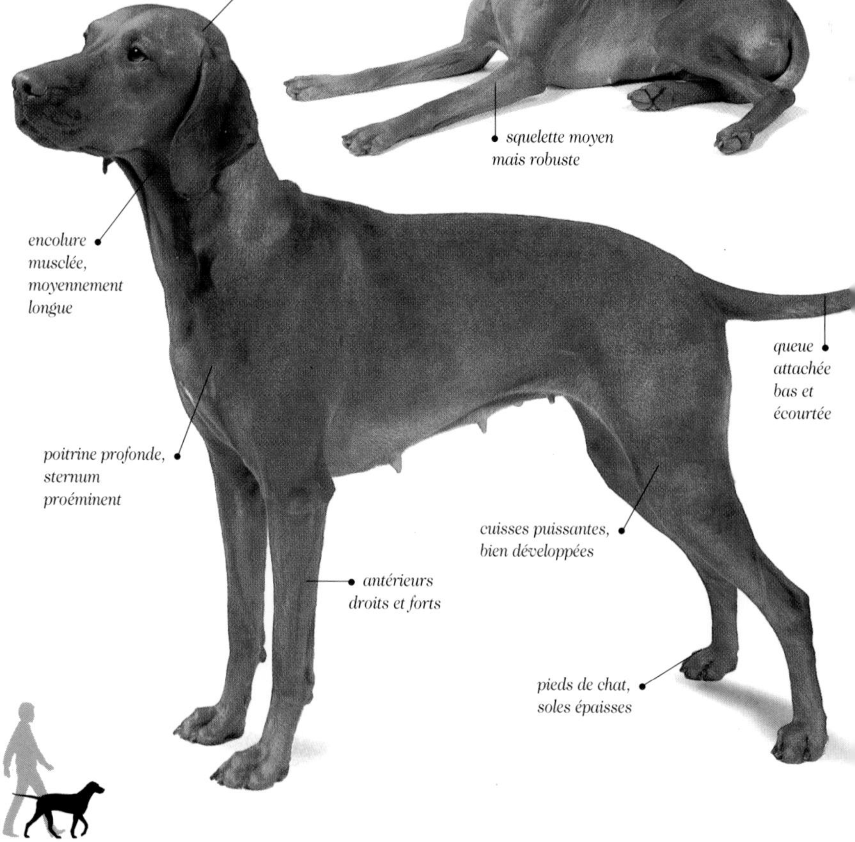

Taille 57-64 cm	Poids 22-30 kg	Tempérament Doux, sensible

Pays d'origine Hongrie	Premier usage Arrêt	Ancienneté 1930-1940

VIZSLA À POIL DUR

La forme à poil dur du braque hongrois est beaucoup plus rare que celle à poil lisse. Elle est relativement nouvelle venue parmi les chiens de chasse et elle n'a pas encore obtenu une reconnaissance généralisée en tant que race séparée. En Hongrie, on l'utilise pour le travail dans l'eau car elle souffre moins du froid.

• **HISTORIQUE** Race due à des croisements entre drahthaars et vizslas, pendant les années 30.

• **REMARQUE** Le mot hongrois *vizsla* signifie à peu près « sensible » ou « alerte ».

• **AUTRE NOM** Drótszörü Magyar vizsla.

Taille 56-61 cm	Poids 22-30 kg	Tempérament Sensible, intelligent

Pays d'origine Italie	Premier usage Retriever	Ancienneté XIIIe s.

Spinone

Solide et trapu, le spinone est l'un des chiens de chasse les plus talentueux. Apprécié depuis longtemps en Italie, il rencontre une faveur croissante en Europe occidentale et aux États-Unis. Il est particulièrement bon pisteur et peu de chiens ont la bouche aussi « douce » pour rapporter le gibier intact.

- **Historique** D'origine ancienne, il descend probablement d'un griffon.
- **Remarque** Une fresque du XVe siècle, au palais ducal de Mantoue, montre une forme ancienne de la race.
- **Autres noms** Griffon italien, spinone italiano.

Taille 61-66 cm	Poids 32-37 kg	Tempérament Sensible, fidèle

Pays d'origine Italie	Premier usage Arrêt	Ancienneté Moyen Âge

BRAQUE ITALIEN

Agile bien que plutôt trapue, c'est l'une des plus anciennes races survivantes de chiens d'arrêt, montrant les signes évidents d'une ascendance de chiens courants. Le museau est inhabituel : carré presque jusqu'à la truffe, avec le chanfrein convexe. Le poil, court et dense, est plus fin sur la tête, l'encolure et le bas du corps. L'aspect général est celui des autres braques et du pointer.

• **HISTORIQUE** Chien populaire à la Renaissance et souvent donné en présent par des Italiens, surtout à des Français et à des Espagnols. A décliné au XIXe siècle mais a récemment retrouvé la faveur dans son pays.

• **REMARQUE** A peu changé au cours des siècles et tend à être un peu têtu.

• **AUTRE NOM** Bracco italiano.

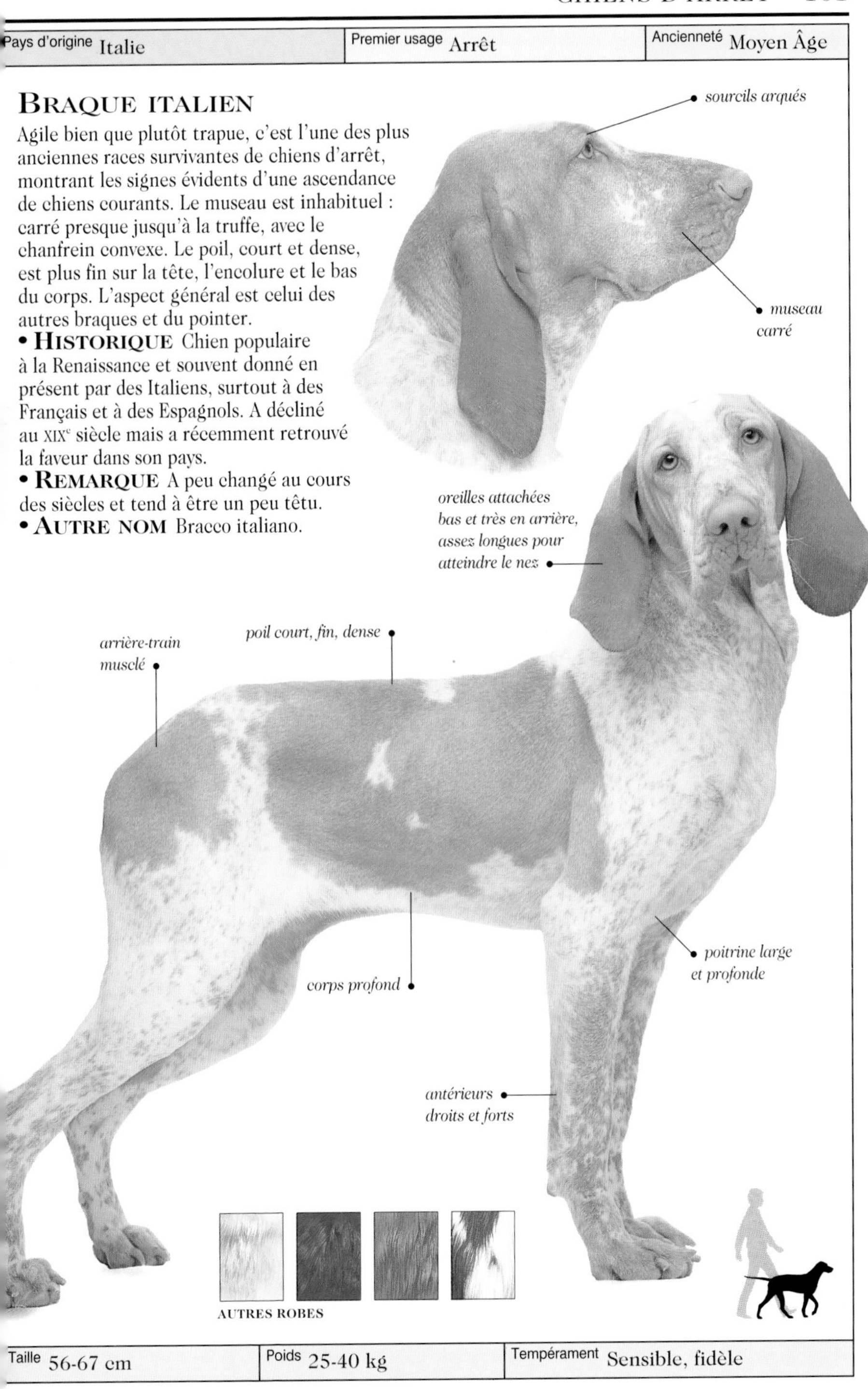

Taille 56-67 cm	Poids 25-40 kg	Tempérament Sensible, fidèle

Pays d'origine Espagne	Premier usage Vénerie	Ancienneté XVIIe s.

BRAQUE ESPAGNOL

La tête, massive, contraste avec le corps plutôt élancé mais bien musclé. La robe est courte, de texture fine, de couleur exclusivement foie et blanc, souvent avec des mouchetures prononcées.

• **HISTORIQUE** Son origine est incertaine mais sans aucun doute ancienne ; il est peut-être apparenté au sabueso (voir p. 195).

• **REMARQUE** L'ancêtre de la forme actuelle courait le cerf. Aujourd'hui, sa proie est plutôt la perdrix.

• **AUTRE NOM** Perdiguero de Burgos.

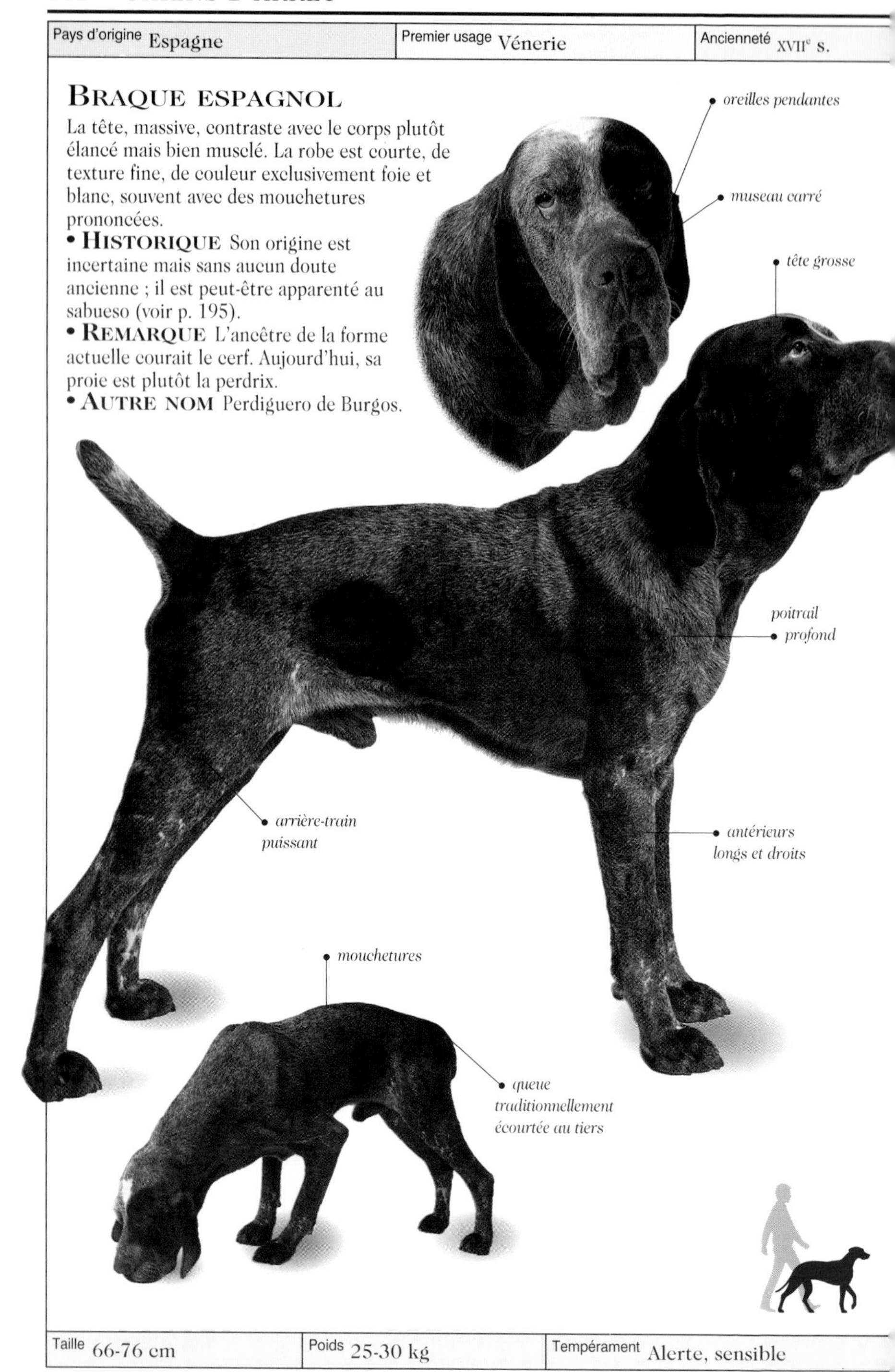

Taille 66-76 cm	Poids 25-30 kg	Tempérament Alerte, sensible

Pays d'origine Portugal	Premier usage Retriever en mer	Ancienneté XVIe s.

CHIEN D'EAU PORTUGAIS

Il y a deux types de robes chez cette race, aucun des deux ne comportant de sous-poil. Dans le premier, le pelage est plutôt long et ondulé, avec des boucles lâches. Dans le second, il est plus court et plus épais, avec des boucles plus serrées.

• **HISTORIQUE** Cette race ancienne a fourni aux pêcheurs de l'Algarve, au Portugal, un excellent chien, capable de rapporter des objets tombés par-dessus bord et de porter des messages d'un bateau à l'autre.

• **REMARQUE** Le nombre d'individus était tombé à 50 en 1960, mais ce chien est maintenant répandu dans toute l'Europe.

• **AUTRE NOM** Cão de agua.

AUTRES ROBES

Taille 41-56 cm	Poids 16-25 kg	Tempérament Obéissant, aimable

Pays d'origine Portugal	Premier usage Chasse	Ancienneté XIIIe s.

BRAQUE PORTUGAIS

Il s'agit d'un pointer de taille moyenne, toujours au travail dans son pays d'origine. La forme à poil long est relativement rare, celle à poil ras prédomine. Ce chien a la tête large et un stop jusqu'au nez.

• **HISTORIQUE** Les qualités de chasseur de cette race ancienne sont telles que le gibier en a subi un déclin catastrophique. À la fin du XVIe siècle fut édictée une interdiction de le posséder, dont seule la cour royale était exemptée.

• **REMARQUE** Son nom portugais de *perdigueiro* vient du terme signifiant « perdrix », sa proie principale.

• **AUTRE NOM** Perdigueiro português.

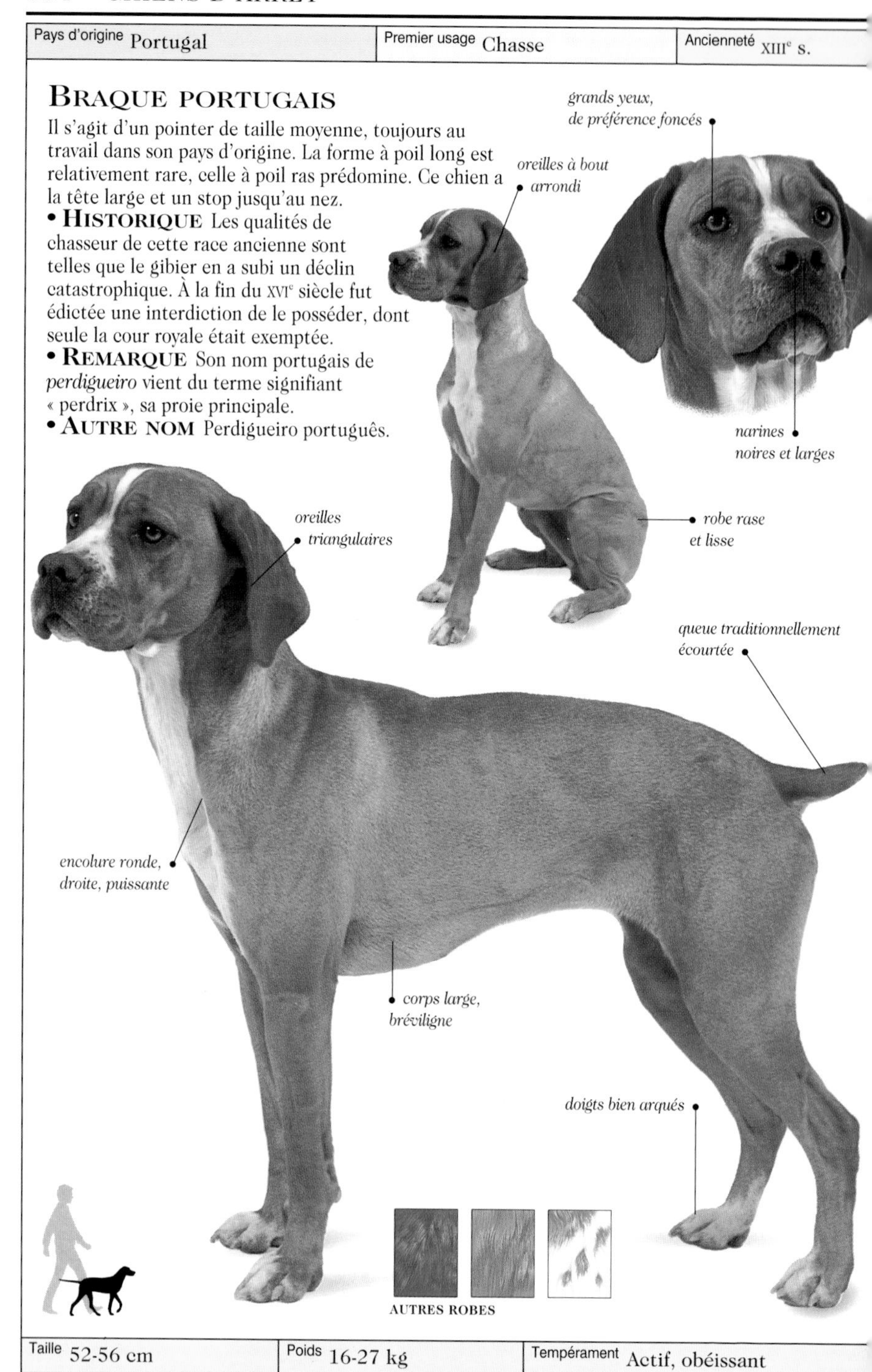

Taille 52-56 cm	Poids 16-27 kg	Tempérament Actif, obéissant

LES CHIENS DE BERGER

LES PREMIERS chiens de berger étaient généralement grands et uissants, capables de protéger les trou-eaux contre des prédateurs tels que les ups et les ours. Ces menaces déclinant, n adopta des races plus petites et plus giles, pour leur confier un rôle plus actif ans la conduite du bétail. À quelques exceptions près, dont le berger allemand (voir p. 119), on voit rarement les races européennes dans les expositions ou chez les particuliers : elles servent toujours au travail pastoral. Certaines, comme le tervueren (voir p. 128), perdent cependant ce rôle pour devenir des animaux familiers ou de concours.

ays d'origine États-Unis	Premier usage Berger	Ancienneté XIXe s.

BERGER AUSTRALIEN

Joli chien à long poil, à queue courte et à la coloration remarquablement variée : chaque individu a ses propres marques. La couleur des yeux, elle aussi, est très variable.

• **HISTORIQUE** Malgré son nom, cette race a été développée surtout aux États-Unis. Elle descend d'une souche de collies, peut-être croisée avec d'autres chiens de berger. Son origine lointaine peut se rechercher au pays basque.

• **REMARQUE** Race hautement prisée là où l'obéissance est vitale, comme dans le travail de recherche et de sauvetage.

• **AUTRE NOM** Australian shepherd.

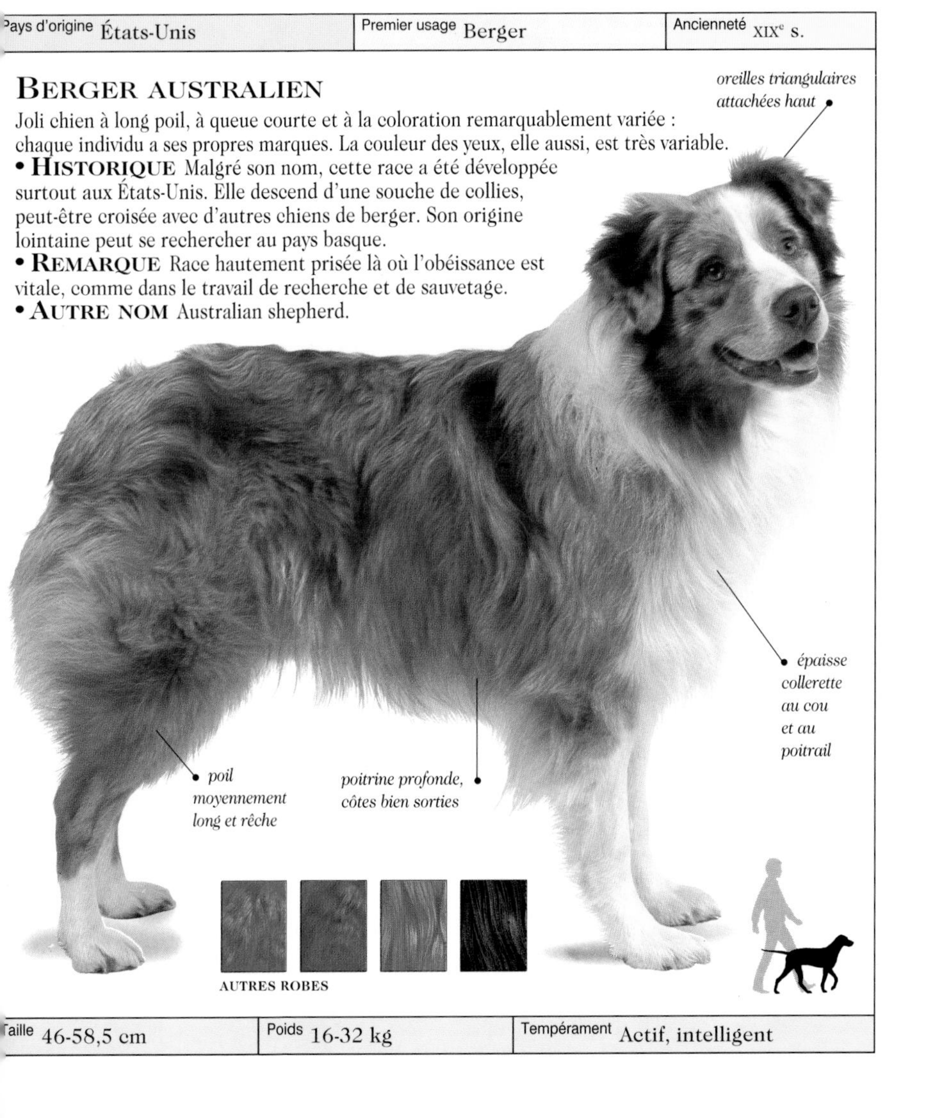

aille 46-58,5 cm	Poids 16-32 kg	Tempérament Actif, intelligent

Pays d'origine Grande-Bretagne	Premier usage Berger	Ancienneté XVIe s.

Collie barbu

Il ressemble au bobtail (voir p. 110), mais il est beaucoup plus léger et de ligne plus élancée. De longueur moyenne, il a les membres forts et le corps agile, athlétique, couvert d'une robe ébouriffée.

• **Historique** On pense qu'il descend de bergers polonais emmenés en Écosse il y a des siècles par des marins. Travailleur attentif et appliqué, il s'adapte très bien à son rôle croissant d'animal d'agrément et de compagnie.

• **Remarque** Robuste et bien protégé, il aime dormir dehors.

• **Autres noms** Bearded collie, beardie.

Taille 51-56 cm	Poids 18-27 kg	Tempérament Aimable, actif

Pays d'origine Grande-Bretagne	Premier usage Berger	Ancienneté XVIIIe s.

COLLIE DES BORDERS

Cette race gracieuse a une robe typiquement noir et blanc, bien qu'une certaine variété de couleurs soit admissible. Elle doit être modérément longue, ou rase.

• **HISTORIQUE** Le standard n'a pas été approuvé par le Kennel Club britannique avant 1976, mais ce chien était apprécié depuis longtemps, pour ses qualités de berger, par les fermiers de la frontière *(border)* anglo-écossaise.

• **REMARQUE** Il marche sans effort, en levant à peine les pieds.

• **AUTRE NOM** Border collie.

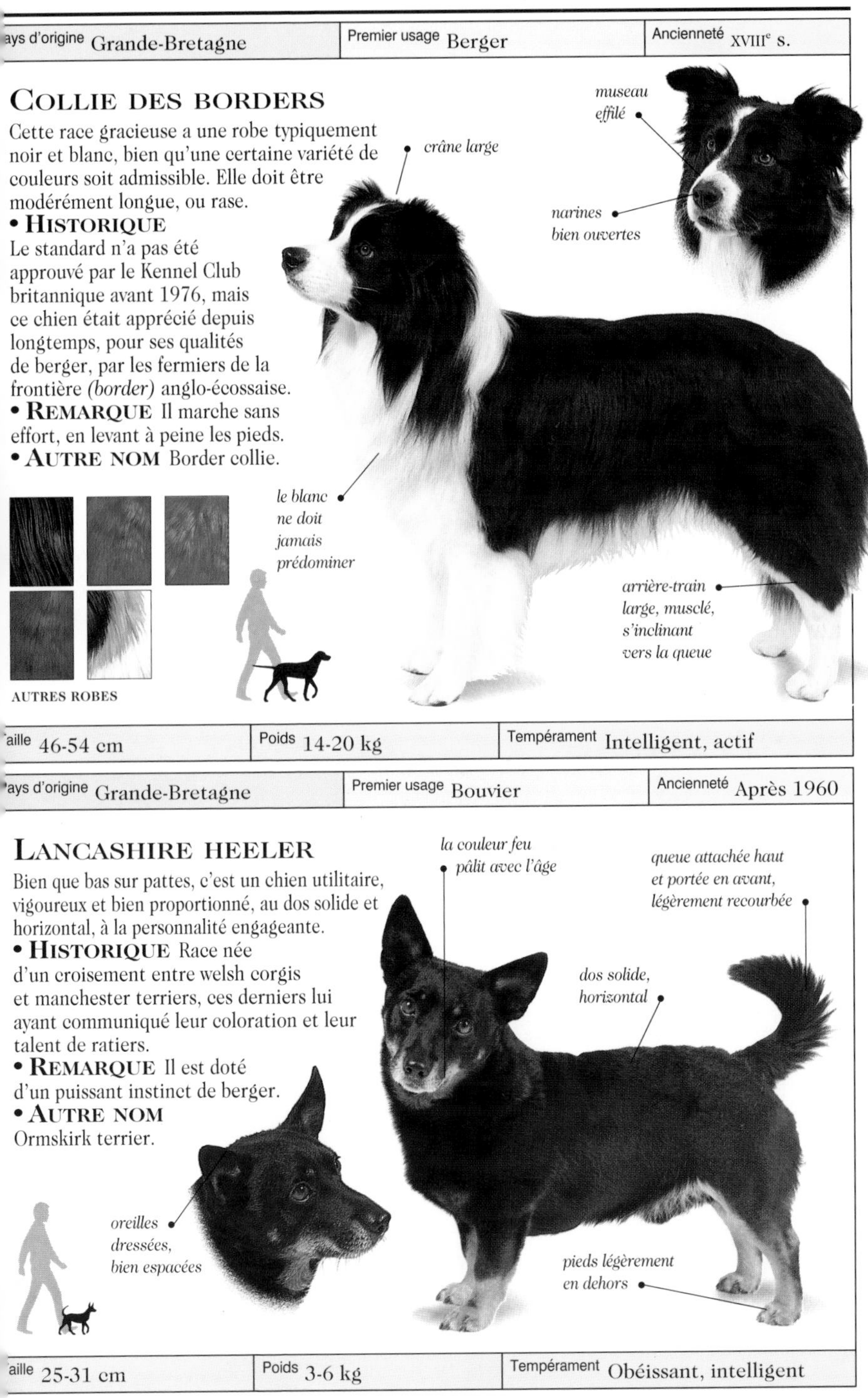

Taille 46-54 cm	Poids 14-20 kg	Tempérament Intelligent, actif

Pays d'origine Grande-Bretagne	Premier usage Bouvier	Ancienneté Après 1960

LANCASHIRE HEELER

Bien que bas sur pattes, c'est un chien utilitaire, vigoureux et bien proportionné, au dos solide et horizontal, à la personnalité engageante.

• **HISTORIQUE** Race née d'un croisement entre welsh corgis et manchester terriers, ces derniers lui ayant communiqué leur coloration et leur talent de ratiers.

• **REMARQUE** Il est doté d'un puissant instinct de berger.

• **AUTRE NOM** Ormskirk terrier.

Taille 25-31 cm	Poids 3-6 kg	Tempérament Obéissant, intelligent

Pays d'origine Grande-Bretagne	Premier usage Berger	Ancienneté XVIe s.

BERGER D'ÉCOSSE

Ce chien à la robe spectaculaire est l'un des plus séduisants du monde. On ne saurait le confondre, avec sa vaste crinière, sa collerette et son expression intelligente.

• **HISTORIQUE** Pour l'essentiel, c'est la même race que le collie à poil ras (page de droite). Elle descend de la même lignée de collies utilitaires écossais et bénéficie d'un patronage royal depuis que la reine Victoria l'a accueillie au château de Balmoral, en Écosse.

• **REMARQUE** La plus grande vedette canine de cinéma, Lassie, était un berger d'Écosse.

• **AUTRES NOMS** Collie, collie à poil long, rough collie.

Taille 51-61 cm	Poids 18-30 kg	Tempérament Fidèle, sensible

ays d'origine Grande-Bretagne	Premier usage Berger	Ancienneté XVIe s.

Collie à poil ras

Aisé à distinguer de son parent à poil long (voir p. 108), ce collie a le poil ras, plutôt dur et plat, ainsi qu'un sous-poil dense et protecteur. La forme bleu merle (bleu et noir mêlés de feu) a souvent les yeux bleus.

- **Historique** L'histoire de la race peut être retracée jusqu'à un chien nommé Trefoil, un tricolore né en 1873.
- **Remarque** N'a pas la popularité de la race à poil long.
- **Autre nom** Smooth collie.

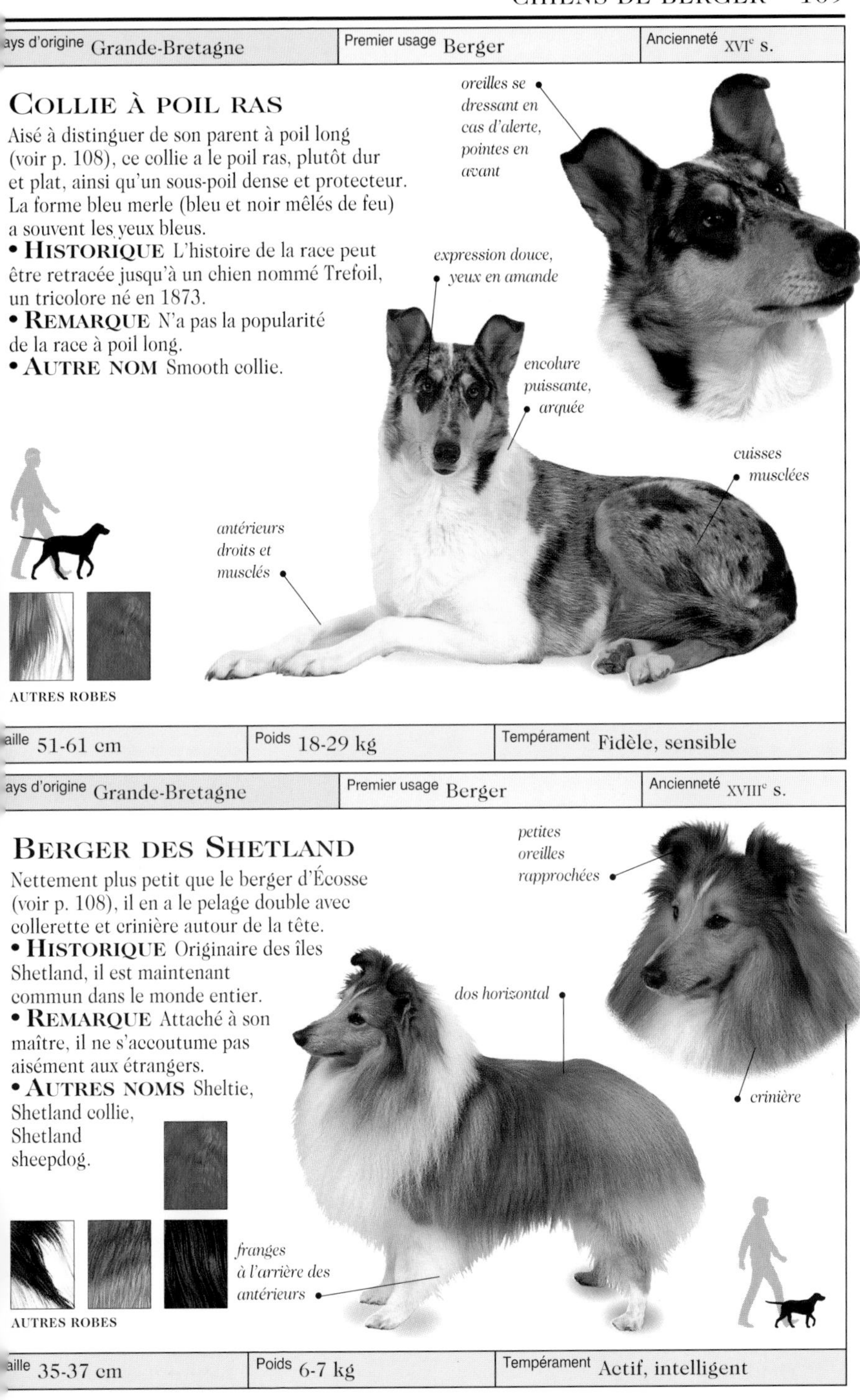

aille 51-61 cm	Poids 18-29 kg	Tempérament Fidèle, sensible

ays d'origine Grande-Bretagne	Premier usage Berger	Ancienneté XVIIIe s.

Berger des Shetland

Nettement plus petit que le berger d'Écosse (voir p. 108), il en a le pelage double avec collerette et crinière autour de la tête.

- **Historique** Originaire des îles Shetland, il est maintenant commun dans le monde entier.
- **Remarque** Attaché à son maître, il ne s'accoutume pas aisément aux étrangers.
- **Autres noms** Sheltie, Shetland collie, Shetland sheepdog.

aille 35-37 cm	Poids 6-7 kg	Tempérament Actif, intelligent

Pays d'origine Grande-Bretagne	Premier usage Berger	Ancienneté XIXe s.

BOBTAIL

Sa robe foisonnante et hirsute est le trait distinctif du bobtail, et elle nécessite un entretien assidu. Trapu, musclé, robuste et carré, ce chien a une grande symétrie et une démarche typiquement amblée.

• **HISTORIQUE** Développée à partir de bouviers après 1800, la race est probablement apparentée aux bergers continentaux, comme le bergamasque (voir p. 135).

• **REMARQUE** Demande beaucoup d'exercice pour rester sain et heureux.

• **AUTRE NOM** Old English sheepdog.

Taille 56-61 cm	Poids 30 kg	Tempérament Actif, protecteur

Pays d'origine Grande-Bretagne	Premier usage Bouvier	Ancienneté 1200 av. J.-C.

CARDIGAN WELSH CORGI

Le cardigan se distingue du pembroke welsh corgi (ci-dessous) par sa longue queue de renard. Ses oreilles sont plus grandes et plus espacées. Enfin, ses pieds tendent à être plus arrondis.

• **HISTORIQUE** Le corgi est traditionnellement un bouvier ; sa petite taille lui permet d'esquiver aussi bien que de mordre le bas des membres du bétail, en forçant celui-ci à se déplacer où l'on veut le mener.

• **REMARQUE** Jusqu'après 1850, le cardigan welsh corgi était, semble-t-il, le seul chien de certaines communautés galloises.

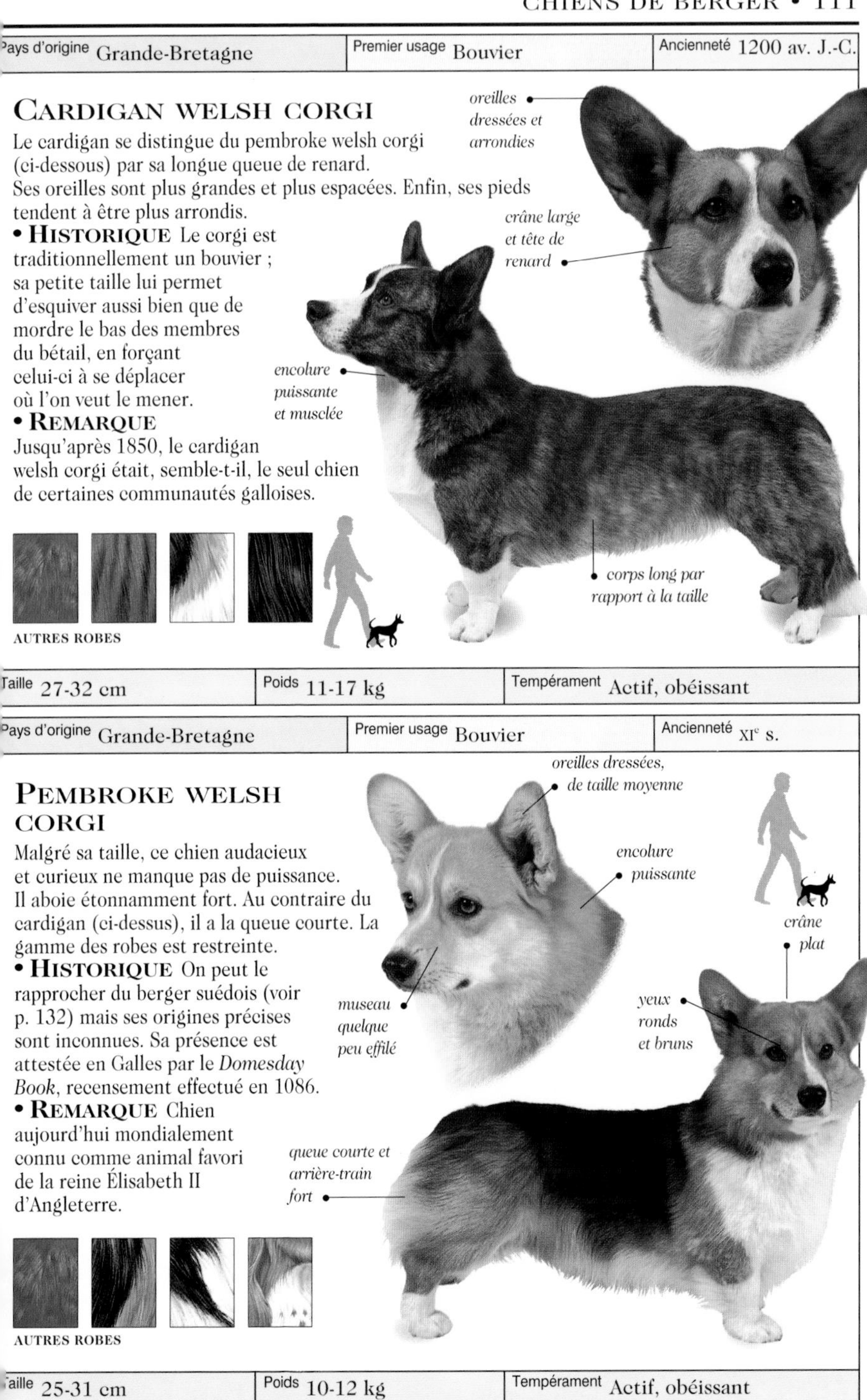

Taille 27-32 cm	Poids 11-17 kg	Tempérament Actif, obéissant

Pays d'origine Grande-Bretagne	Premier usage Bouvier	Ancienneté XIe s.

PEMBROKE WELSH CORGI

Malgré sa taille, ce chien audacieux et curieux ne manque pas de puissance. Il aboie étonnamment fort. Au contraire du cardigan (ci-dessus), il a la queue courte. La gamme des robes est restreinte.

• **HISTORIQUE** On peut le rapprocher du berger suédois (voir p. 132) mais ses origines précises sont inconnues. Sa présence est attestée en Galles par le *Domesday Book*, recensement effectué en 1086.

• **REMARQUE** Chien aujourd'hui mondialement connu comme animal favori de la reine Élisabeth II d'Angleterre.

Taille 25-31 cm	Poids 10-12 kg	Tempérament Actif, obéissant

Pays d'origine Australie	Premier usage Bouvier	Ancienneté XIXᵉ s.

BOUVIER AUSTRALIEN

Ce chien fort et compact a été créé en Australie pour conduire les troupeaux de bovins jusqu'aux marchés, par des pistes longues et ardues. Ses qualités majeures sont une étonnante résistance, la faculté d'adaptation et l'endurance. Il est quasiment silencieux au travail, guidant les bestiaux avec précision et le minimum d'efforts.

• **HISTORIQUE** Plusieurs races ont contribué à ses origines, dont le dingo, ce chien aborigène retourné à l'état sauvage et trop indiscipliné pour mener des troupeaux avec compétence.

• **REMARQUE** Cette race bat le record de longévité canine : 29 ans.

• **AUTRES NOMS** Australian cattle dog, Australian Queensland heeler, blue heeler.

Taille 43-51 cm	Poids 16-20kg	Tempérament Intrépide, déterminé

ays d'origine Australie	Premier usage Berger, bouvier	Ancienneté XIXe s.

KELPIE

La capacité de travail de ce rude petit chien de berger est légendaire en Australie. Corps compact, bâti à l'économie, bien musclé mais sans graisse, soutenu par des pattes fortes, aux os solides. Couverture de poils durs, imperméables, avec un sous-poil court et dense. Vaste gamme de couleurs ; les chiens noirs sont parfois appelés *barbs*.

• **HISTORIQUE** Un certain Allen, éleveur dans les Nouvelles-Galles du Sud, importa d'Angleterre, en 1870, un couple de collies. L'un de leurs produits fut croisé avec une chienne locale noir et feu, nommée Kelpie. Ce fut la base de la race, exposée pour la première fois en 1908.

• **REMARQUE** Ces bergers semblent avoir la faculté d'hypnotiser les moutons et de les mener rien qu'au regard.

• **AUTRE NOM** Berger australien.

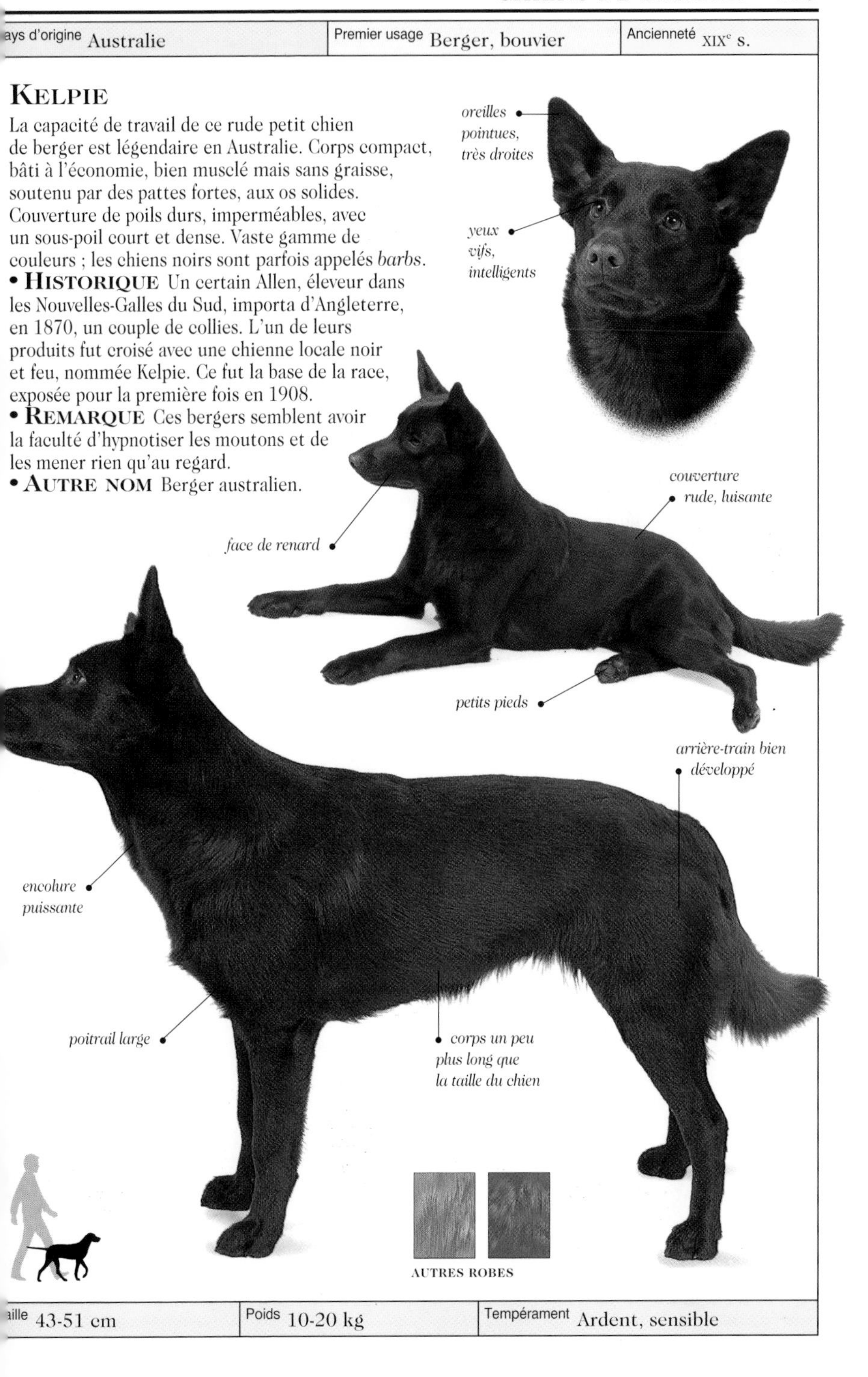

aille 43-51 cm	Poids 10-20 kg	Tempérament Ardent, sensible

Pays d'origine Finlande	Premier usage Garde des rennes	Ancienneté XVIIe s.

LAPON DE FINLANDE

Cette race de taille moyenne a l'aspect typique des spitz, avec une belle robe duveteuse. La gamme des couleurs est variée.

• **HISTORIQUE** Ce chien, élevé à l'origine par les Lapons, premiers habitants du Grand Nord européen, est probablement apparenté au samoyède, le chien des tribus de l'Oural.

• **REMARQUE** Chez le chien pie, la partie colorée doit prédominer, les marques blanches étant petites et symétriques.

• **AUTRE NOM** Lapinkoira.

Taille 46-52 cm	Poids 20-21 kg	Tempérament Sensible, intelligent

Pays d'origine Finlande	Premier usage Garde des rennes	Ancienneté XVIIe s.

LAPINPOROKOIRA

Ce gardien de troupeaux de rennes a la queue vaguement ondulée, qu'il peut ramener le long d'une cuisse plutôt que par-dessus le dos. Le corps est plus long que celui du lapon (ci-dessus).

• **HISTORIQUE** Il fut longtemps considéré comme un simple chien d'utilité. Le Kennel Club finlandais a établi son standard dans les années 60.

• **REMARQUE** Les mâles travaillent dans le nord et sont envoyés au sud pour s'accoupler ; les produits mâles sont renvoyés dans le nord parmi les troupeaux de rennes. On maintient ainsi leur instinct de berger.

Taille 48-56 cm	Poids 27-30 kg	Tempérament Alerte, sensible

Pays d'origine France	Premier usage Chasse au sanglier	Ancienneté XVIe s.

Beauceron

L'un des bergers les plus connnus en France. Il a l'allure du doberman (voir pp. 250-251), mais il s'en distingue par sa longue queue et par ses ergots doubles. On l'essorille souvent.

• **Historique** Utilisé à l'origine pour chasser le sanglier, il est d'une nature intelligente et adaptable, ce qui lui a permis de se convertir à la garde des moutons et même au rôle de messager en temps de guerre.

• **Remarque** Son autre nom de bas-rouge vient de ses marques feu aux membres.

• **Autres noms** Berger de Beauce, bas-rouge.

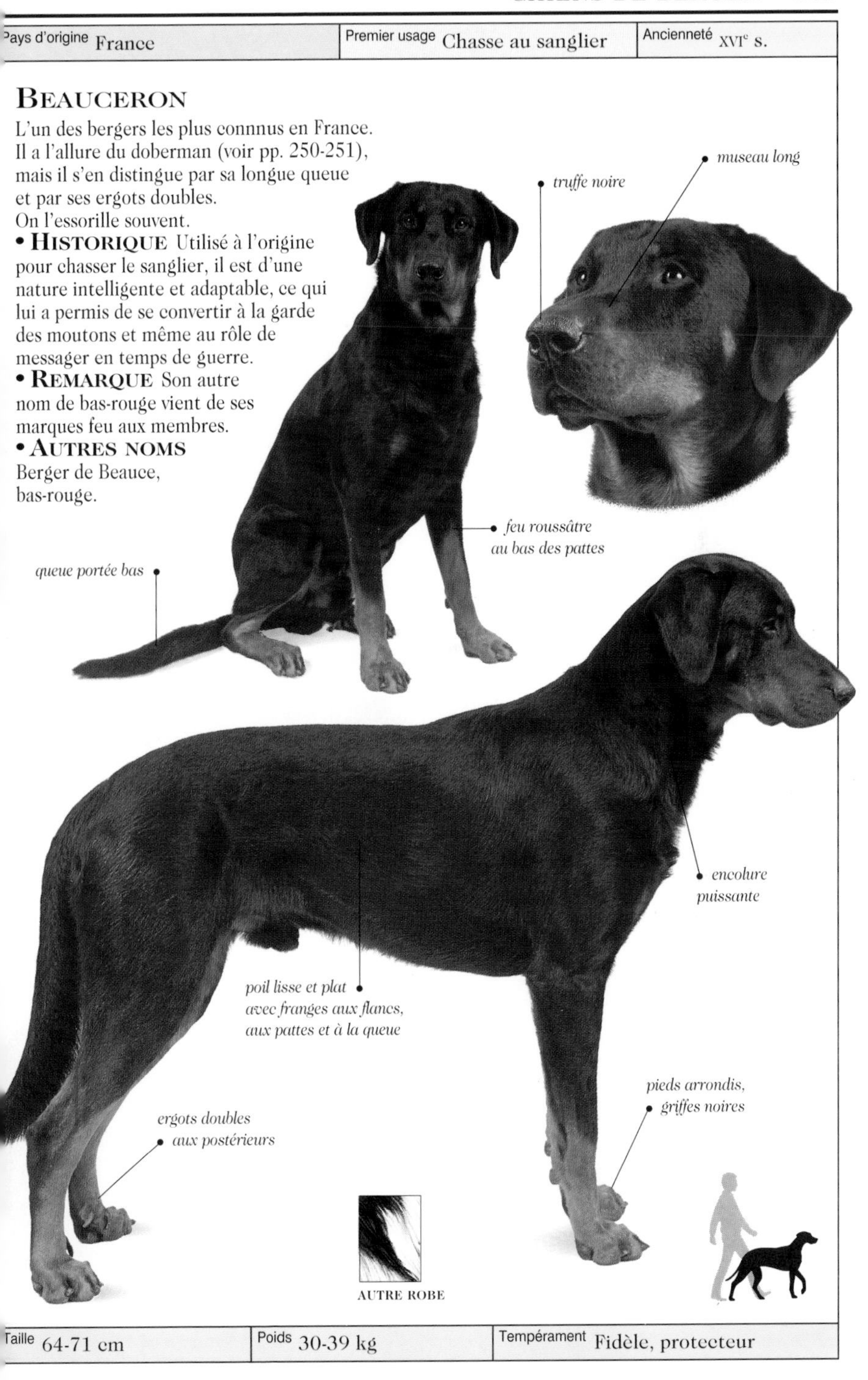

Taille 64-71 cm	Poids 30-39 kg	Tempérament Fidèle, protecteur

Pays d'origine France	Premier usage Chien de garde, berger	Ancienneté XIIIe s.

Briard

Ce berger français, grand et fort, est l'un des plus anciens d'Europe septentrionale. Bien que protecteur et gardien acharné de son troupeau, c'est un géant débonnaire, aisé à dresser, affectueux et patient avec les enfants. L'une de ses caractéristiques majeures, ce sont ses ergots doubles, toujours exigés aux postérieurs des chiens d'exposition. La musculature de ce chien est telle que, quand il court, il semble progresser sans effort, comme s'il glissait sur le sol. Sa robe un peu ondulée et très sèche le protège contre les intempéries et ne demande guère de soins.

• **Historique** Si son nom évoque la Brie, la race semble avoir été élevée partout en France. On l'a utilisée tout à la fois pour mener les troupeaux et pour les protéger contre les loups.

• **Remarque** Plusieurs briards ont été emmenés aux États-Unis après la Première Guerre mondiale et la race est devenue populaire en Grande-Bretagne dans les années 70.

• **Autre nom** Berger de Brie.

AUTRE ROBE

truffe noire, saillante

poil d'au moins 7 cm sur le corps

Taille 57-69 cm	Poids 34 kg	Tempérament Vif, protecteur

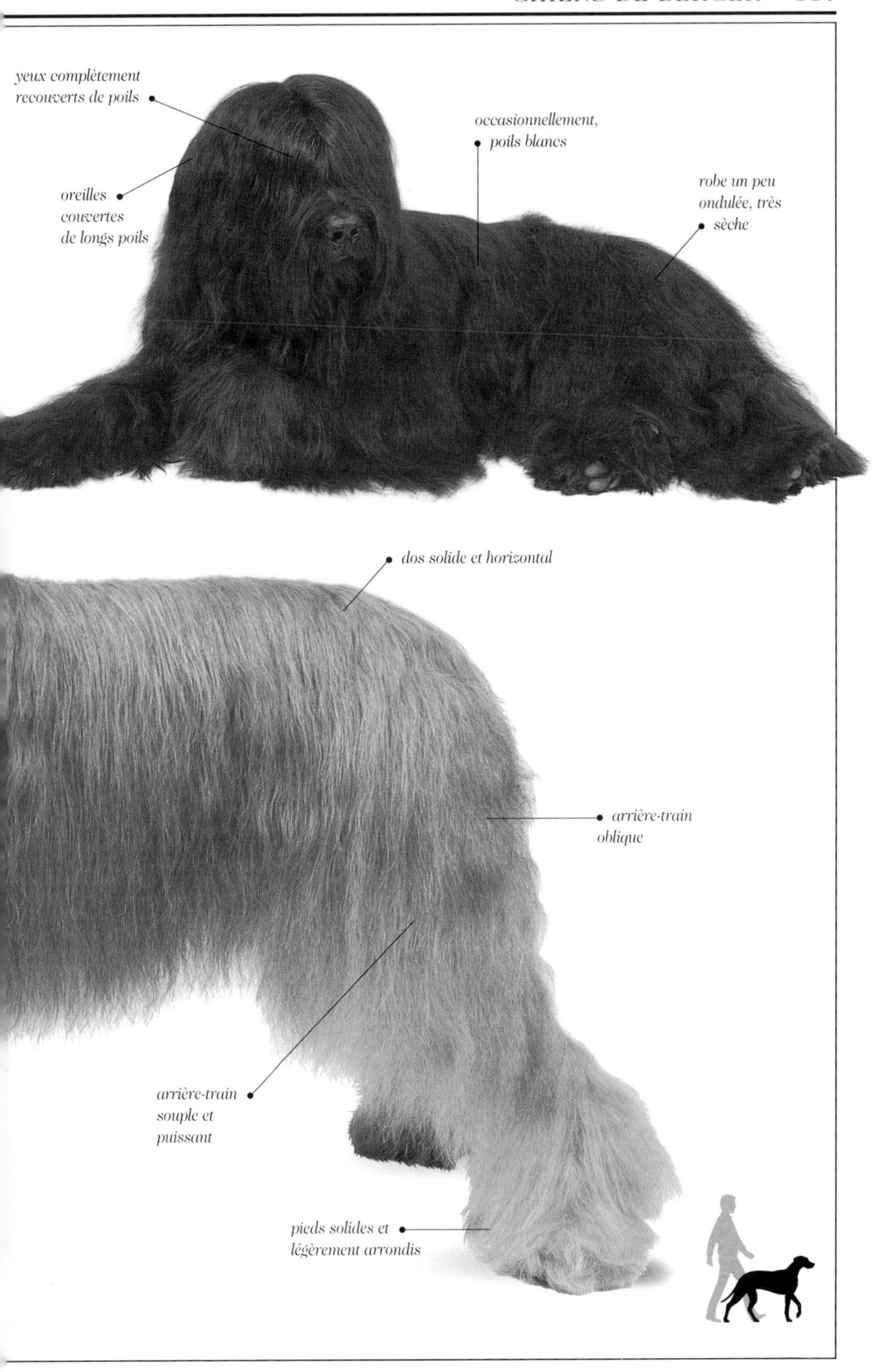
yeux complètement recouverts de poils
oreilles couvertes de longs poils
occasionnellement, poils blancs
robe un peu ondulée, très sèche
dos solide et horizontal
arrière-train oblique
arrière-train souple et puissant
pieds solides et légèrement arrondis

Pays d'origine France	Premier usage Berger	Ancienneté IXe s.

Berger picard

C'est le plus ancien des bergers français et l'on pense qu'il est apparu dans le nord du pays vers le IXe siècle. Il a à peu près la taille du berger allemand, une couverture de poils rêches et durables, un sous-poil épais et imperméable. La couleur est habituellement fauve ou grise, avec des marques blanches limitées au poitrail et aux pattes.

• **Historique** On pense que les Celtes sont arrivés en Gaule avec l'ancêtre du berger picard, dont les origines restent néanmoins obscures. Il est devenu rare, même en France, où il est toujours majoritairement utilitaire. On ne le voit pas souvent à l'étranger.

• **Remarque** Les picards peuvent faire d'excellents et affectueux chiens de compagnie. Ils ont toutefois tendance à se montrer un peu hargneux dans la défense de leur territoire.

• **Autre nom** Berger de Picardie.

tête grande, museau puissant

oreilles dressées, bien espacées

queue légèrement recourbée à l'extrémité

poitrail proéminent

cuisses musclées

poil rêche et hirsute, jamais bouclé

membres à l'ossature solide

AUTRE ROBE

Taille 55-66 cm	Poids 23-32 kg	Tempérament Vif, adaptable

ays d'origine Allemagne	Premier usage Berger	Ancienneté XIXe s.

BERGER ALLEMAND

Avec son corps plutôt longiligne, sa structure robuste et sa musculature, le berger allemand compte parmi les races les plus appréciées dans le monde. Travailleur polyvalent et enthousiaste, il montre beaucoup de capacités, y compris comme chien policier, de sauvetage et d'aveugle. Autrefois, on reconnaissait des formes à poil ras, long et dur, mais à présent seuls les chiens à poil ras sont acceptés dans les expositions. Exceptionnellement, on produit encore des bergers à poil long.

• **HISTORIQUE** Bien que ses ancêtres utilitaires remontent loin dans le temps, le berger allemand moderne est apparu pour la première fois au cours d'une exposition tenue en 1882 à Hanovre.

• **REMARQUE** La couleur blanche n'est pas reconnue, seules de petites marques claires étant admises.

• **AUTRE NOM** Berger alsacien.

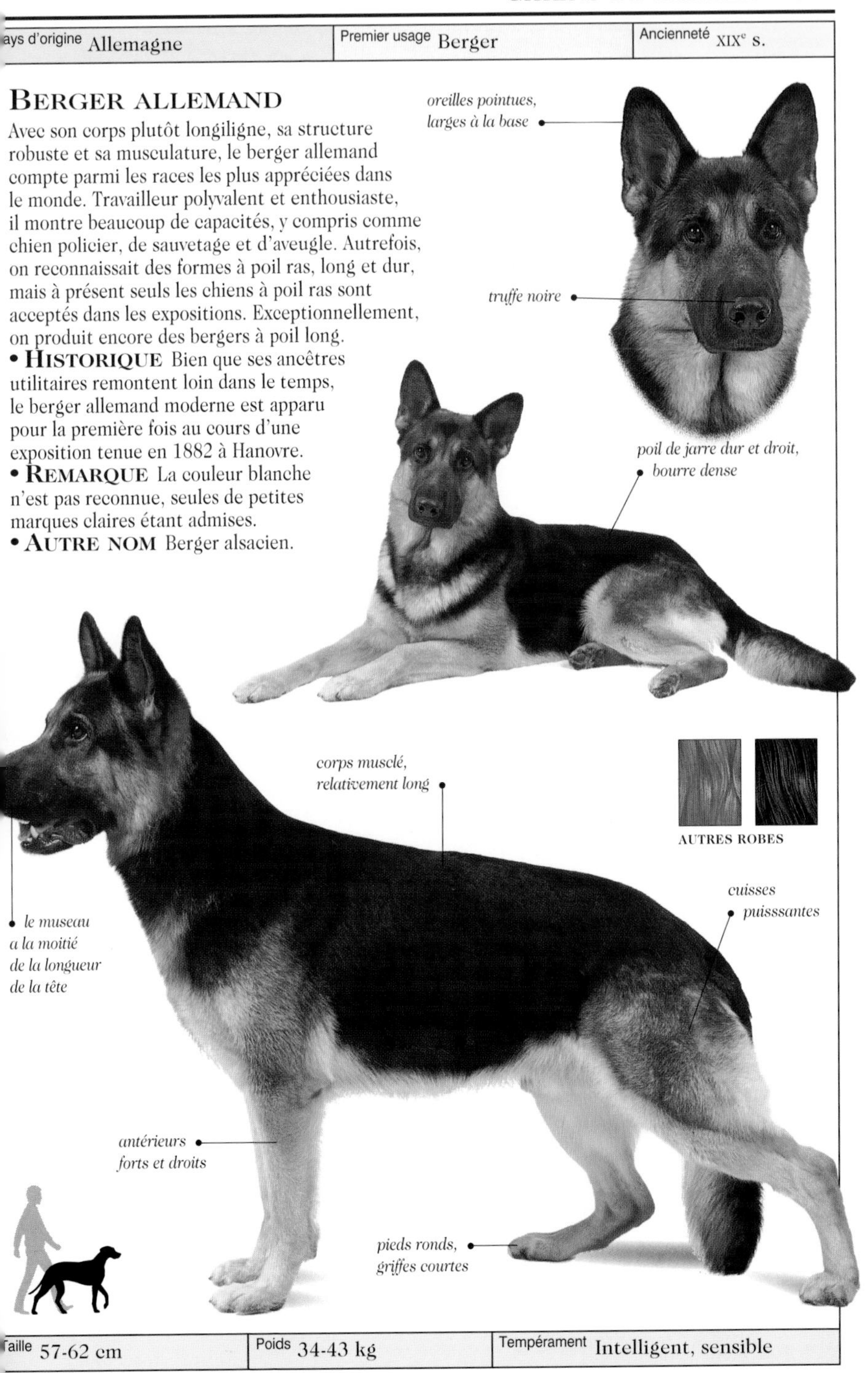

aille 57-62 cm	Poids 34-43 kg	Tempérament Intelligent, sensible

Pays d'origine Allemagne	Premier usage Garde	Ancienneté XIIIe s.

HOVAWART

AUTRE ROBE

Cette race au poil long, épais et imperméable est bâtie en légèreté tout en ayant un physique robuste. D'aspect, elle ressemble au flat-coated retriever (voir p. 67), mais il n'y a pas de relation directe entre ces deux chiens. Au demeurant, le hovawart n'est pas un chien de chasse mais, traditionnellement, un gardien de moutons et d'autres animaux domestiques. De nature très protectrice, il montre une grande fidélité.

• **HISTORIQUE** L'expansion récente du hovawart est due aux efforts de l'éleveur allemand Kurt König. La race a été reconnue par le Kennel Club allemand en 1936 et ce chien a été vu pour la première fois aux États-Unis dans les années 80.

• **REMARQUE** Le nom est une forme dialectale de l'allemand *hofewart* signifiant « gardien de ferme ».

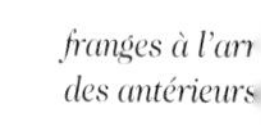

Taille 58-70 cm	Poids 25-41 kg	Tempérament Alerte, protecteur

couleur de la truffe assortie à celle de la robe
oreilles pendantes
front large et bombé
couverture de longs poils sur une bourre raide ou un peu ondulée
yeux foncés et ovales
queue frangée, portée haut quand l'animal est excité
aturons
égèrement obliques
quelques poils blancs sont admissibles à l'extrémité de la queue

Pays d'origine Allemagne	Premier usage Bouvier	Ancienneté XVe s.

Schnauzer géant

C'est la plus grande des trois races de schnauzers, et la plus récente. Chien puissant, musclé, dont la hauteur au garrot doit en principe égaler la longueur, en lui donnant de profil un aspect carré.

• **Historique** Il est vraisemblable que le schnauzer géant provienne de bouviers à poil dur croisés avec des schnauzers plus petits. La race a été exposée pour la première fois à Munich en 1909, sous le nom de « schnauzer russe chasseur d'ours » ; elle a aussi été connue brièvement sous celui de « schnauzer de Munich ».

• **Remarque** La qualité du poil est particulièrement importante pour les expositions : il doit être de texture raide et dure, sans aucune douceur. Environ deux fois par an, il faut étriller la robe pour en extraire les poils morts.

• **Autre nom** Riesenschnauzer.

Taille 60-70 cm	Poids 32-35 kg	Tempérament Fidèle, protecteur

ays d'origine Pologne	Premier usage Berger	Ancienneté XVIe s.

BERGER POLONAIS

Il ressemble un peu au collie barbu (voir p. 106), mais en plus petit. Certains individus naissent sans queue ; sinon on l'ampute.

• **HISTORIQUE** Après la Seconde Guerre mondiale, la race a été sauvée de l'extinction par un vétérinaire polonais chez qui deux mâles et six chiennes avaient survécu au conflit.

• **REMARQUE** On dit que ce chien a une excellente mémoire.

• **AUTRE NOM** Polski owczarek nizinny.

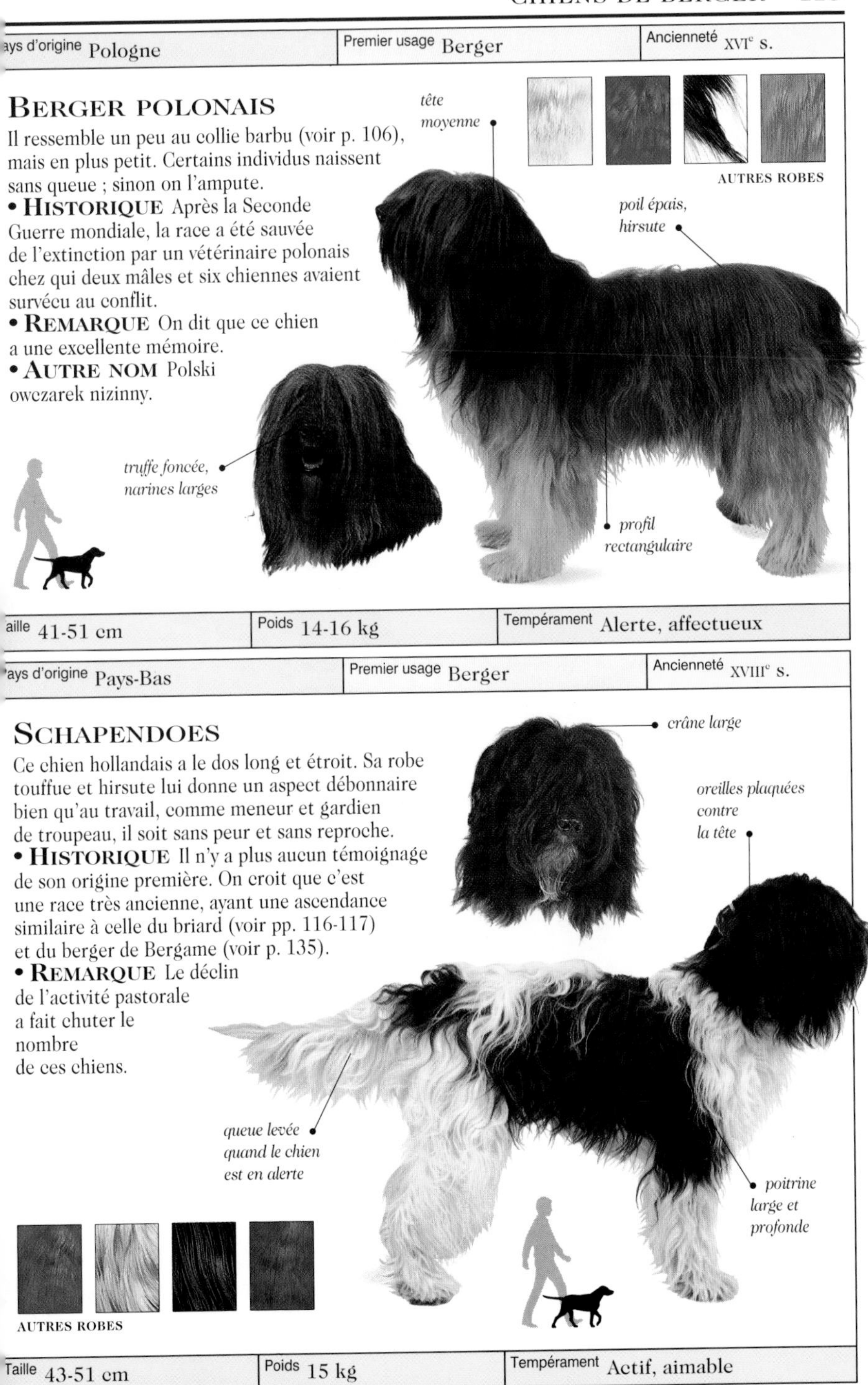

aille 41-51 cm	Poids 14-16 kg	Tempérament Alerte, affectueux

'ays d'origine Pays-Bas	Premier usage Berger	Ancienneté XVIIIe s.

SCHAPENDOES

Ce chien hollandais a le dos long et étroit. Sa robe touffue et hirsute lui donne un aspect débonnaire bien qu'au travail, comme meneur et gardien de troupeau, il soit sans peur et sans reproche.

• **HISTORIQUE** Il n'y a plus aucun témoignage de son origine première. On croit que c'est une race très ancienne, ayant une ascendance similaire à celle du briard (voir pp. 116-117) et du berger de Bergame (voir p. 135).

• **REMARQUE** Le déclin de l'activité pastorale a fait chuter le nombre de ces chiens.

Taille 43-51 cm	Poids 15 kg	Tempérament Actif, aimable

Pays d'origine Pays-Bas	Premier usage Bouvier, berger	Ancienneté XVIIIe s.

Berger hollandais

Une expression vive et éveillée éclaire la face finement ciselée de ce berger agile et dur à l'ouvrage. On reconnaît à cette race trois types de robe : à poil long, à poil dur et à poil ras. Robe bringée de diverses nuances telles que le jaune, le rouge et le bleu.
La coloration pâlit avec l'âge.

• **Historique** On suppose que ce chien descend du groenendael, l'une des races de bergers belges (voir p. 126) ; hormis la coloration, ils sont jugés suivant le même standard.

• **Remarque** Il naît parfois des chiots à queue courte, mais ils sont refusés dans les expositions.

• **Autre nom** Hollandse herdershond.

museau de longueur moyenne, grandes narines

oreilles dressées, triangulaires, attachées haut

antérieurs longs, parallèles, musclés

croupe légèrement oblique

poitrine large et profonde

au repos, la queue pend, l'extrémité un peu relevée

doigts arqués et arrondis aux pieds de devant

AUTRES ROBES

Taille 58-64 cm	Poids 30 kg	Tempérament Alerte, obéissant

ays d'origine Pays-Bas	Premier usage Amélioration des races	Ancienneté XXe s.

CHIEN-LOUP DE SAARLOOS

Il ressemble beaucoup au loup et conserve un fort instinct grégaire ; comme il est, en outre, de bonne taille et d'un caractère volontaire, il nécessite un traitement sans faiblesse.

• **HISTORIQUE** Cette race puissante a été créée par Leendert Saarloos, qui jugeait les bergers actuels affaiblis par des dysplasies de la hanche et d'autres troubles semblables. Il résolut de rétablir la situation en croisant un berger allemand avec un loup.

• **REMARQUE** Saarloos est mort en 1969, six ans avant que sa race fût acceptée par le Kennel Club hollandais.

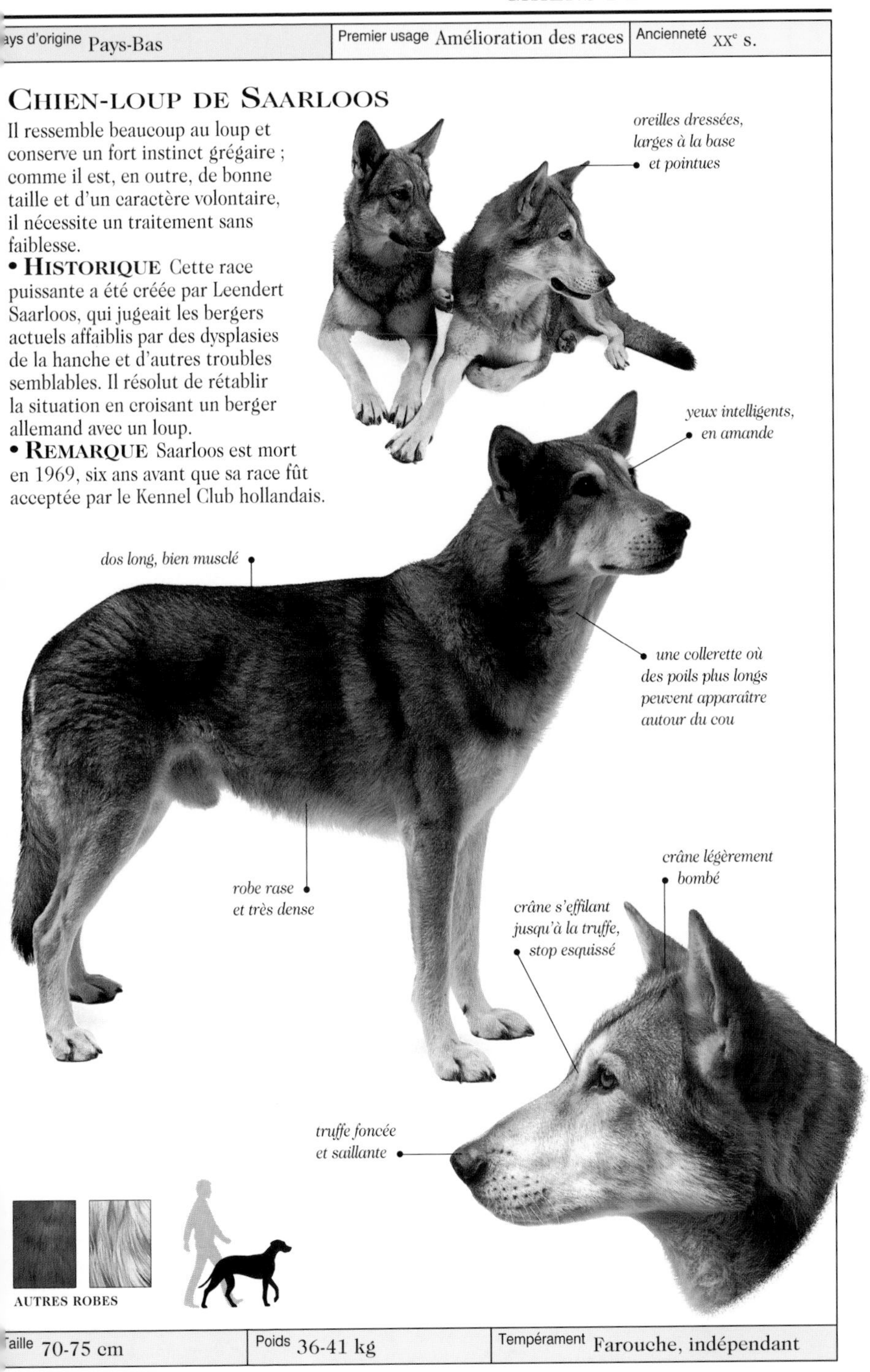

aille 70-75 cm	Poids 36-41 kg	Tempérament Farouche, indépendant

Pays d'origine Belgique	Premier usage Berger	Ancienneté v. 1890

GROENENDAEL

Sa robe noire, caractéristique, distingue le groenendael des autres races regroupées sous le nom collectif de bergers belges (pp. 126-129). Ces chiens sont tous de type semblable et ne diffèrent que par la coloration et la longueur du poil.

• **HISTORIQUE** L'élevage du groenendael a commencé par hasard vers 1890. Nicolas Rose, propriétaire du café-restaurant « le Château de Groenendael », près de Bruxelles, éleva un chiot noir et obtint une femelle de même type. Ce couple fonda la race.

• **REMARQUE** Aux États-Unis, le groenendael n'est reconnu que comme berger belge, tandis que le tervueren et le malinois le sont comme races distinctes, sous leur propre nom.

• **AUTRE NOM**
Berger belge.

Taille 56-66 cm	Poids 28 kg	Tempérament Obéissant, fidèle

Pays d'origine Belgique	Premier usage Bouvier, berger	Ancienneté XIIIᵉ s.

LAEKENOIS

Ce chien est considéré comme le plus rare des bergers belges et il n'est toujours pas largement reconnu hors de son pays d'origine. On l'identifie sans hésitation à sa robe rêche et dure, ni raide ni frisée.

• **HISTORIQUE** Favori de la reine Marie-Henriette de Belgique, il a été nommé d'après le château royal de Laeken, à Bruxelles. Race reconnue en Belgique en 1897.

• **REMARQUE** Chien de berger, il a aussi servi à garder le lin mis à blanchir au soleil. La culture et l'industrie du lin étaient autrefois importantes à Boom, près d'Anvers, berceau de la race.

• **AUTRE NOM** Berger belge.

Taille 56-66 cm	Poids 28 kg	Tempérament Obéissant, fidèle

Pays d'origine Belgique	Premier usage Bouvier, berger	Ancienneté 1891

TERVUEREN

Ce membre du groupe des bergers belges est identique au groenendael, mieux connu (voir p. 126), sauf par la couleur de sa robe. On met en effet l'accent sur la coloration en tant que caractère distinctif : les poils du tervueren ont l'extrémité noire, ce qui donne un assombrissement du dos, des côtes et des épaules, surtout chez le mâle adulte. La femelle a le poil plus court.

• **HISTORIQUE** Le tervueren a été développé sous la direction du professeur Reul à l'École vétérinaire belge, en 1891.

• **REMARQUE** De même origine lointaine que les autres bergers belges, cette race robuste est si proche du groenendael que l'accouplement de deux groenendaels peut à l'occasion donner un chiot ayant l'aspect d'un tervueren.

• **AUTRE NOM** Berger belge.

Taille 56-66 cm	Poids 28 kg	Tempérament Obéissant, fidèle

Pays d'origine Belgique	Premier usage Bouvier, berger	Ancienneté XIIIe s.

MALINOIS

C'est le seul berger belge à poil ras. On considère aussi qu'il en représente la forme la plus ancienne, née aux alentours de Malines, entre Bruxelles et Anvers.

• **HISTORIQUE** Ironie de l'histoire, c'est quand la valeur utilitaire de ce chien robuste a commencé à décliner, vers la fin du siècle dernier, que l'intérêt à son égard s'est ravivé.

• **REMARQUE** La coloration définitive s'établit vers l'âge de 18 mois.

• **AUTRES NOMS** Berger malinois, berger belge.

Taille 56-66 cm	Poids 28 kg	Tempérament Obéissant, fidèle

Pays d'origine Belgique	Premier usage Bouvier	Ancienneté XVIIe s.

Bouvier des Flandres

La fonction protectrice de cette race se reflète dans son apparence impressionnante, accentuée par ses gros sourcils, sa barbe et sa moustache. Malgré cet aspect bourru, le bouvier des Flandres fait un excellent animal de compagnie, gentil avec les enfants et toujours vigilant. Bien que nullement paresseux, ce bon géant se contente d'un exercice modéré.

• **Historique** L'origine de cette race n'est pas claire mais, dès le début du XIXe siècle, on en trouve plusieurs types différents dans la plaine des Flandres. Trois formes ont survécu jusqu'en 1965 pour se fondre alors en un seul standard. Un club d'éleveurs a été fondé en Belgique en 1922.

• **Remarque** Renommé pour son courage et sa fidélité, ce chien a servi, pendant la Première Guerre mondiale, à porter des messages et à repérer des blessés.

Taille 58-69 cm	Poids 27-40 kg	Tempérament Alerte, sensible

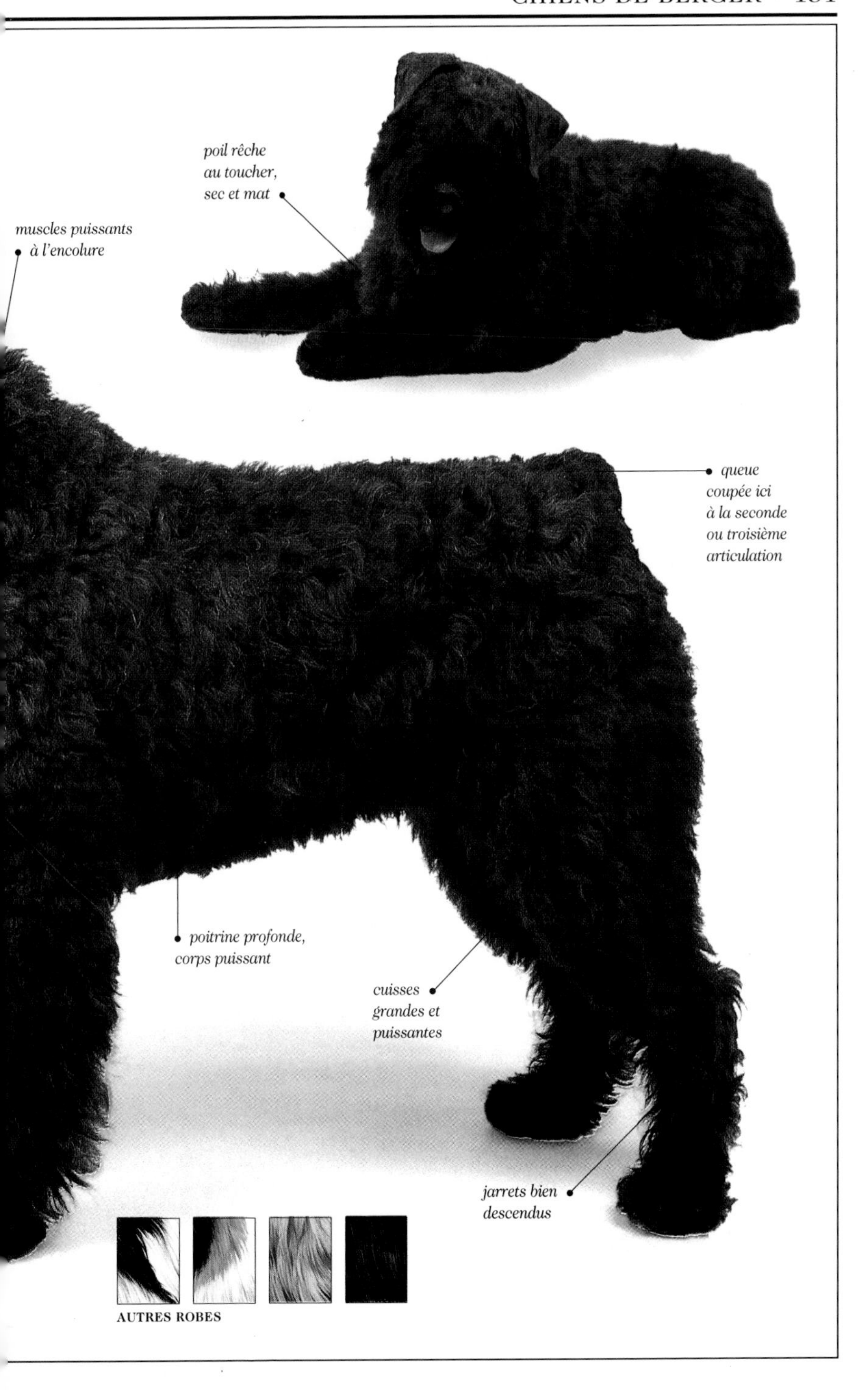

AUTRES ROBES

Pays d'origine Suède	Premier usage Bouvier, ratier	Ancienneté VIe s.

Berger suédois

Bien que petit, ce berger puissamment bâti déborde d'énergie. Il montre une ressemblance frappante avec le welsh corgi (voir p. 111), sauf en ce qui concerne la robe, qui tend à plus de pâleur. En Suède, il reste principalement pastoral.

• **Historique** Race reconnue par le Kennel Club suédois en 1948.

• **Remarque** On discute la question de savoir si le berger suédois est l'ancêtre ou le descendant des corgis.

• **Autres noms** Väsgötaspets, vallhund suédois.

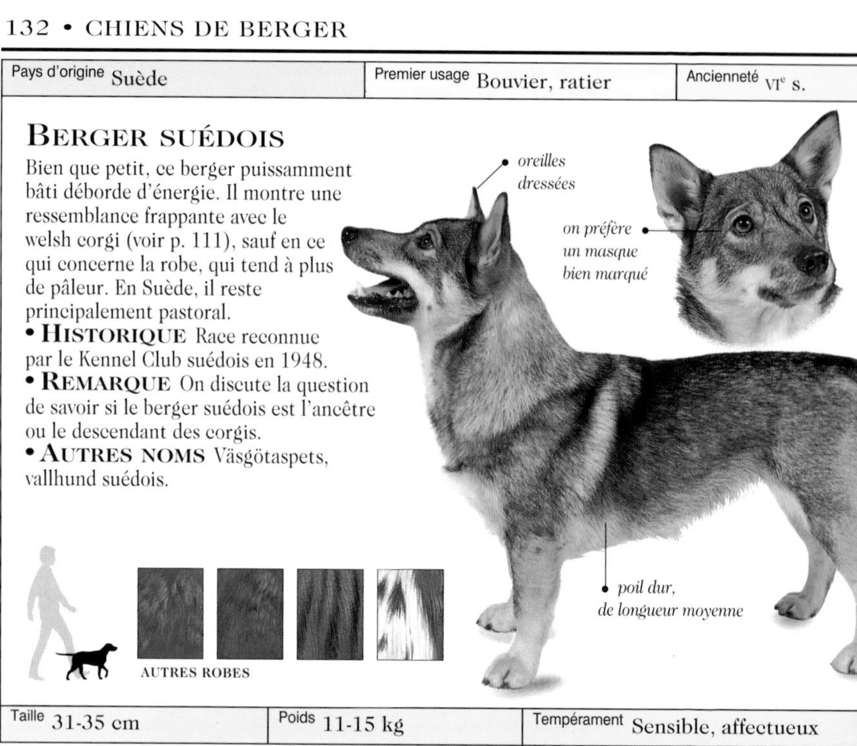

Taille 31-35 cm	Poids 11-15 kg	Tempérament Sensible, affectueux

Pays d'origine Islande	Premier usage Berger, chien de traîneau	Ancienneté XIXe s.

Chien d'Islande

Ce petit chien a le museau allongé, le poil épais et de longueur moyenne, la queue retroussée sur le dos. Bien que semblable aux autres membres du groupe des spitz, c'est plutôt un gardien de troupeaux qu'un chasseur.

• **Historique** On pense que ce chien a été introduit en Islande par les Norvégiens, qui l'appellent friaar dog. Il pourrait partager son origine avec l'esquimau du Groenland (voir p. 244).

• **Remarques** À cause d'une épizootie, la race a frôlé l'extinction au tournant du siècle. Elle a été sauvée par les efforts des éleveurs islandais et anglais.

• **Autres noms** Berger d'Islande, friaar dog.

AUTRES ROBES

Taille 31-41 cm	Poids 9-14 kg	Tempérament Vif, rude

Pays d'origine Hongrie	Premier usage Berger	Ancienneté Xe s.

PULI

La robe très caractéristique de cette race vigoureuse est traditionnellement cordée, bien qu'aux États-Unis ont ait tendance à exposer des pulis au poil laineux.

• **HISTORIQUE** D'origine incertaine, le puli pourrait descendre d'un ancien dogue tibétain. Élevé en Hongrie comme berger, ce chien très obéissant a été employé avec succès comme chien policier.

• **REMARQUE** Chaque corde du pelage doit être toilettée séparément.

• **AUTRE NOM** Berger hongrois.

Taille 36-48 cm	Poids 9-18 kg	Tempérament Sensible, obéissant

Pays d'origine Hongrie	Premier usage Bouvier	Ancienneté XVIIe s.

PUMI

Dérivé du puli par croisement avec des loulous de Poméranie ou peut-être avec des caniches, ce chien a perdu le pelage cordé de son ancêtre. Son poil est long, épais et bouclé. À la courbe caractéristique du fouet répond une tendance semblable des oreilles.

• **HISTORIQUE** Élevé d'abord comme bouvier et chien de garde. Devenu récemment populaire comme chien de compagnie, tant en Hongrie qu'ailleurs.

• **REMARQUE** Très bruyant, surtout vis-à-vis des étrangers.

Taille 33-48 cm	Poids 8-13 kg	Tempérament Alerte, énergique

Pays d'origine Slovénie	Premier usage Berger, bouvier	Ancienneté XVIIe s.

Berger d'Istrie

La coloration gris fer, parcourue d'ombres plus foncées, est très frappante. Poil dense et rêche, offrant une bonne protection contre les intempéries.

• **Historique** Originaire du Karst, à la frontière italo-slovène, ce gardien de troupeaux est apparenté au šar planina (ci-dessous).

• **Remarque** Bien que rare à présent sur son territoire d'origine, cette race suscite l'intérêt à l'échelle internationale depuis la fin des années 70.

• **Autres noms** Berger du Karst, krašky ovčar.

Taille 51-61 cm	Poids 26-40 cm	Tempérament Fidèle, réservé

Pays d'origine Kosovo-Macédoine	Premier usage Berger	Ancienneté XIIIe s.

Šar Planina

Ce berger partage les traits principaux de celui d'Istrie (ci-dessus), mais sa robe varie plus que celle de son cousin éloigné.

• **Historique** Cette race est née dans l'ancienne Illyrie, aux confins actuels du Kosovo, de la Macédoine et de l'Albanie. Ses origines précises sont inconnues.

• **Remarque** Exporté pour la première fois aux États-Unis en 1975, il y a connu le succès.

• **Autres noms** Berger d'Illyrie, šarplaninac.

Taille 56-61 cm	Poids 25-37 kg	Tempérament Réservé, indépendant

ays d'origine Italie	Premier usage Berger	Ancienneté 100 av. J.-C.

Berger de Bergame

La robe typiquement cordée de ce berger ne lui fournit pas seulement une bonne protection contre les intempéries : elle formait bouclier contre les attaques des loups quand ceux-ci abondaient en Italie. La coloration comprend toutes les nuances de gris, avec d'éventuelles marques blanches ne dépassant pas 20 pour cent de l'ensemble.

• **Historique** La race, ancienne, doit son nom à la région bergamasque, dans le nord de l'Italie, où l'on pense qu'elle a été primitivement utilisée à garder les moutons. Son origine précise est inconnue. Depuis 1949, elle remporte prix sur prix aux expositions italiennes et, depuis, elle a acquis une renommée internationale.

• **Remarque** Une bourre épaisse et huileuse protège la peau.

• **Autres noms** Bergamasque, cane da pastore bergamasco.

crâne large, un peu bombé entre les oreilles

oreilles triangulaires

poil formant de longs flots ondulés et résistants

queue se terminant en pointe

poil facial de texture plus fine

raie naturelle au milieu du dos

corps bien musclé

queue épaisse, portée bas

pieds ovales, doigts bien arqués

Taille 56-61 cm	Poids 26-38 kg	Tempérament Fidèle, intelligent

Pays d'origine Espagne	Premier usage Berger	Ancienneté XVIIIe s.

BERGER CATALAN

Présentant quelque similitude avec le collie barbu (voir p. 106), le berger catalan porte une barbe et une moustache remarquables ; il a à peu près la taille du springer spaniel anglais (voir p. 66). La race a été développée en Catalogne, au nord-est de l'Espagne, sous deux formes qui diffèrent par la longueur de la robe. La version à poil ras, parfois appelée *gos d'atura cerda*, est devenue très rare. Traditionnellement, on essorille ce berger pour le faire paraître plus féroce.

• **HISTORIQUE** La proximité de la France rend possible une relation entre le berger catalan et des races françaises, mais les origines de la race restent incertaines.

• **REMARQUE** Des chiens de cette race adaptable ont servi de messagers et de sentinelles pendant la guerre civile espagnole.

• **AUTRE NOM** Gos d'atura Catalá.

Taille 46-51 cm	Poids 18 kg	Tempérament Courageux, énergique

ays d'origine Portugal	Premier usage Gardien de troupeau	Ancienneté XIXᵉ s.

BERGER PORTUGAIS

Ce berger de taille moyenne peut varier de hauteur au garrot, mais la majorité des individus dépassent 45 cm. Sa ressemblance avec le briard (voir pp. 116-117) se reflète dans la présence d'ergots doubles aux postérieurs et dans la similitude des robes, encore que le berger portugais n'ait pas de sous-poil. Son expression faciale l'a fait surnommer « chien-singe » au Portugal. Il n'y garde pas seulement les moutons mais aussi les chevaux, les porcs et d'autres animaux.

• **HISTORIQUE** On utilise depuis longtemps des chiens ayant cette allure générale mais ce n'est qu'en 1930 que le type a été standardisé. L'origine pourrait remonter à des croisements entre des chiens des Pyrénées et des briards, ou même des bergers catalans.

• **REMARQUE** Intelligents et appliqués, ces chiens sont capables de retrouver des animaux égarés.

• **AUTRE NOM** Cão da serra de Aires.

aille 41-56 cm	Poids 12-18 kg	Tempérament Actif, indépendant

LES CHIENS COURANTS

ÉLEVÉS à l'origine pour la vénerie, ces chiens athlétiques, de taille moyenne, ont généralement une robe rase, bicolore ou tricolore. Les uns ont été sélectionnés pour leur endurance, les autres pour leur vitesse. En fonction de la technique qu'ils adoptent instinctivement, on peut grosso modo distinguer ceux qui chassent à vue, comme l'afghan (voir p. 202), de ceux qui prennent la voie, comme le saint-hubert (voir pp. 166-167 Certaines races strictement utilitaires r sont connues que localement. Les chie courants ne s'adaptent pas toujours bie au côté sédentaire de la vie urbaine et i ont besoin de beaucoup d'espace po s'exercer. Ils sont de nature aimable ma leur instinct de prédateur est si fort qu' n'est pas toujours facile de les dresser rapporter le gibier.

Pays d'origine États-Unis	Premier usage Grande vénerie	Ancienneté XVIIIe s.

CATAHOULA

Ce chien compact, musclé, travailleur sert à quantité de tâches en dehors de la chasse. Son aspect général confirme ses origines de chien courant. Il n'en excelle pas moins à rassembler et à mener les bœufs et les cochons.

• **HISTORIQUE** Nommé d'après la paroisse de Catahoula, en Louisiane. Origines précises inconnues. Très apprécié dans la région comme gardien de troupeaux semi-sauvages de bovins et de porcins.

• **REMARQUE** Adopté comme symbole de l'État de Louisiane en 1979.

• **AUTRES NOMS** Catahoula leopard dog, Catahoula hog dog.

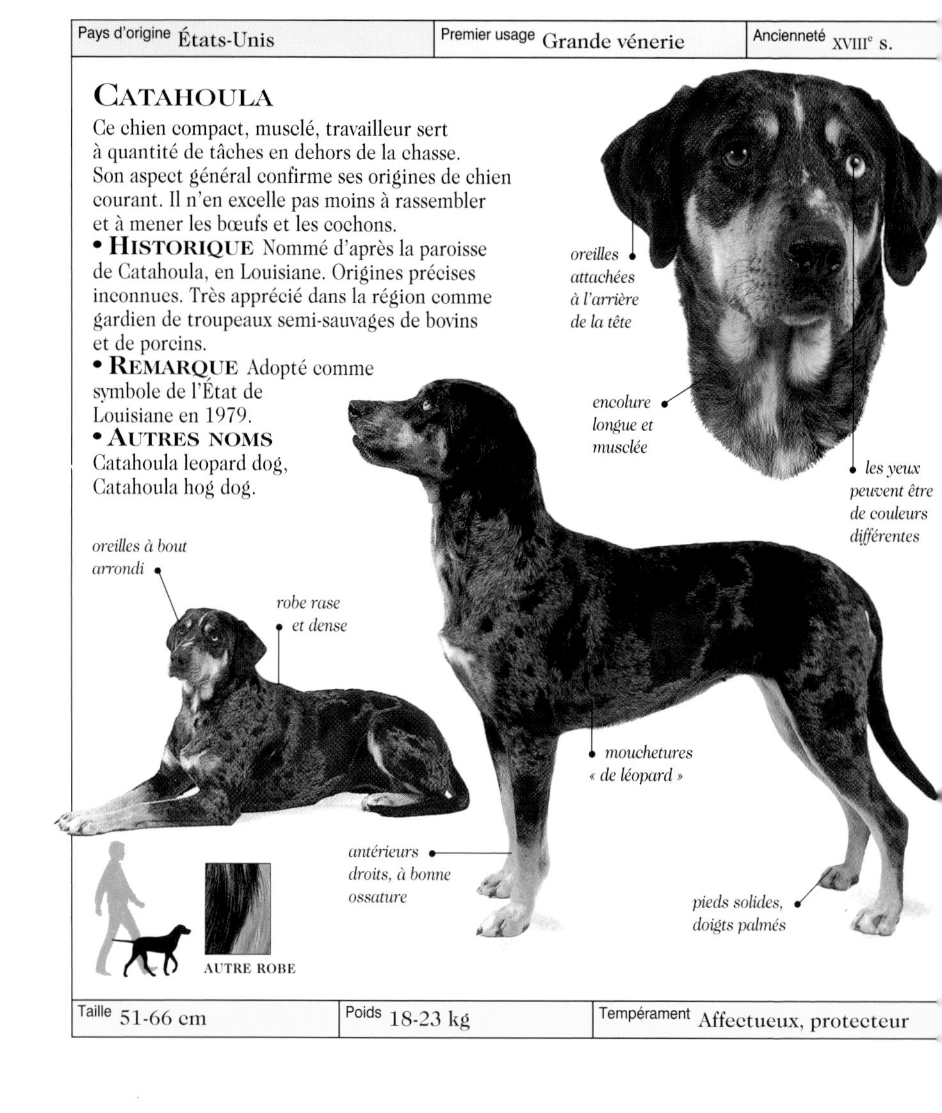

Taille 51-66 cm	Poids 18-23 kg	Tempérament Affectueux, protecteur

ays d'origine États-Unis	Premier usage Chasse à l'ours	Ancienneté XVIIIe s.

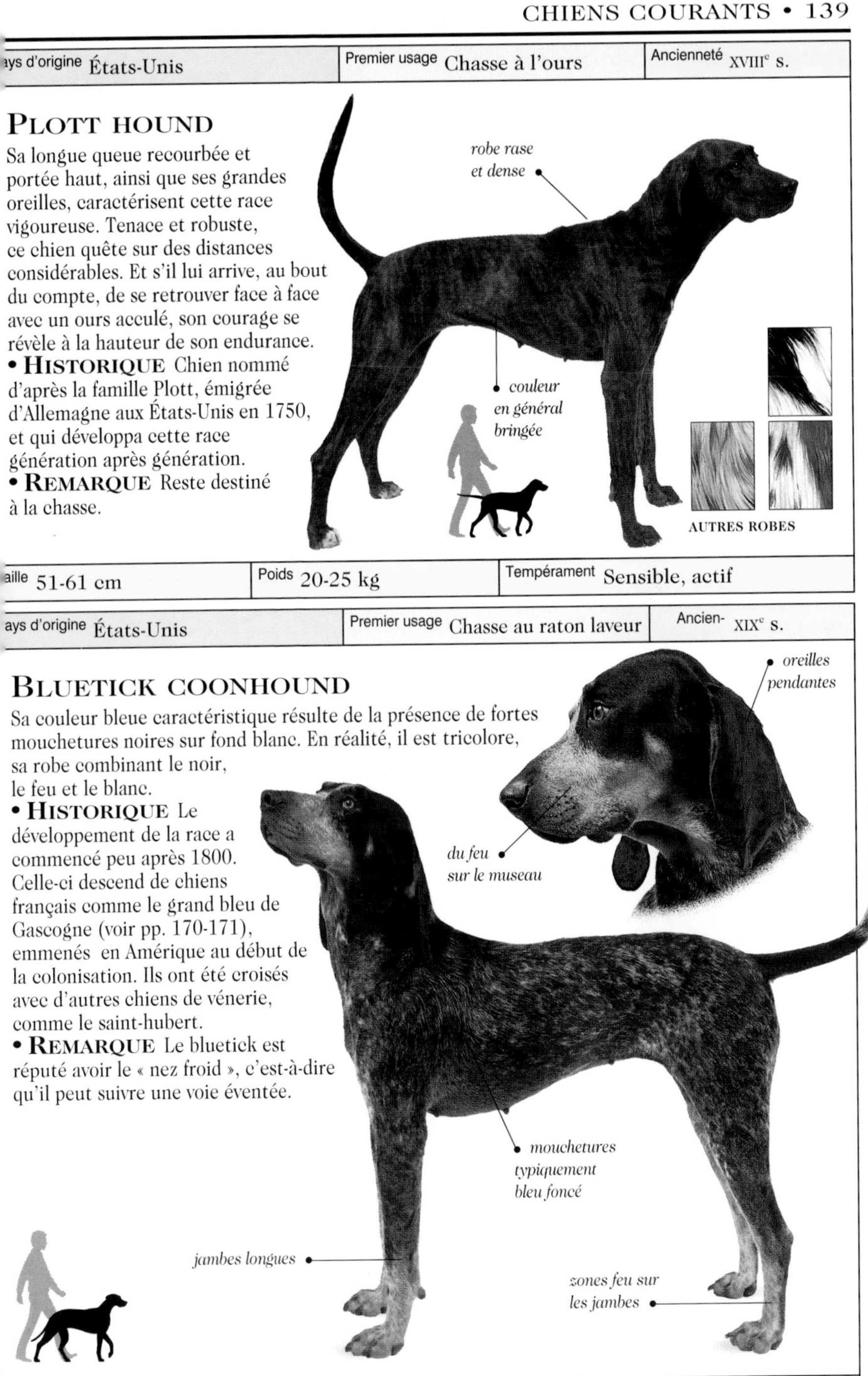

PLOTT HOUND

Sa longue queue recourbée et portée haut, ainsi que ses grandes oreilles, caractérisent cette race vigoureuse. Tenace et robuste, ce chien quête sur des distances considérables. Et s'il lui arrive, au bout du compte, de se retrouver face à face avec un ours acculé, son courage se révèle à la hauteur de son endurance.

- **HISTORIQUE** Chien nommé d'après la famille Plott, émigrée d'Allemagne aux États-Unis en 1750, et qui développa cette race génération après génération.
- **REMARQUE** Reste destiné à la chasse.

aille 51-61 cm	Poids 20-25 kg	Tempérament Sensible, actif

ays d'origine États-Unis	Premier usage Chasse au raton laveur	Ancien- XIXe s.

BLUETICK COONHOUND

Sa couleur bleue caractéristique résulte de la présence de fortes mouchetures noires sur fond blanc. En réalité, il est tricolore, sa robe combinant le noir, le feu et le blanc.

- **HISTORIQUE** Le développement de la race a commencé peu après 1800. Celle-ci descend de chiens français comme le grand bleu de Gascogne (voir pp. 170-171), emmenés en Amérique au début de la colonisation. Ils ont été croisés avec d'autres chiens de vénerie, comme le saint-hubert.
- **REMARQUE** Le bluetick est réputé avoir le « nez froid », c'est-à-dire qu'il peut suivre une voie éventée.

'aille 51-69 cm	Poids 20-36 kg	Tempérament Actif, alerte

Pays d'origine États-Unis	Premier usage Chasse à l'ours	Ancienneté XIXe s.

COONHOUND

Ce chien tenace, de taille moyenne, porte une robe dure et rase qui lui fournit une certaine protection par temps froid et quand il chasse sous bois. La majorité des individus sont d'un blanc moucheté de rouge, mais d'autres couleurs sont reconnues. Intrépide, cette race a été utilisée contre le raton laveur (ce qu'exprime son nom de *coonhound*) mais aussi contre d'autres animaux, dont le renard et même l'ours.

• **HISTORIQUE** Un certain nombre de subdivisions sont apparues parmi les coonhounds, cette race-ci se fixant définitivement au début de notre siècle.

• **REMARQUE** Le coonhound sert principalement à la chasse et rarement comme chien de compagnie, bien qu'il soit doué d'une nature aimable.

• **AUTRES NOMS** English coonhound, redtick coonhound.

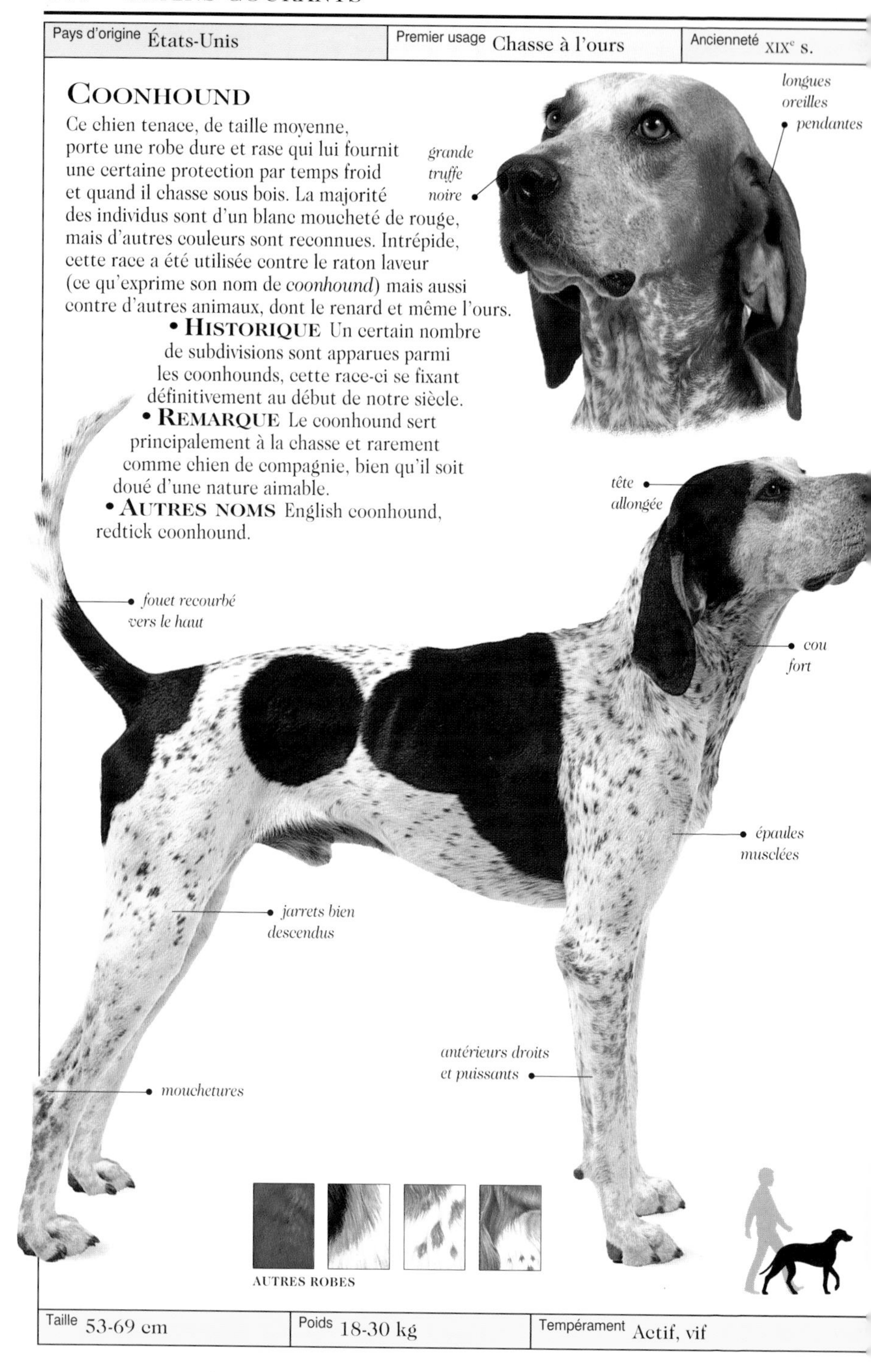

AUTRES ROBES

Taille 53-69 cm	Poids 18-30 kg	Tempérament Actif, vif

Pays d'origine États-Unis	Premier usage Chasse au raton laveur	Ancienneté XVIIIe s.

Coonhound redbone

Reconnaissable sans hésitation à sa robe rouge, voici le seul coonhound à robe unie. Certains individus portent quelques traces de blanc, aux pieds ou au poitrail, sans que cela les fasse pénaliser dans les expositions. Ce chien d'un bon naturel, de taille moyenne, a de plus en plus de succès aux États-Unis.

• **Historique** Des chiens de cette couleur ont été signalés en Amérique il y a plus de 200 ans. Les formes anciennes de cette race avaient plus de blanc sur la robe.

• **Remarque** Chien nommé probablement d'après un ancien éleveur, Peter Redbone, qui vivait dans le Tennessee.

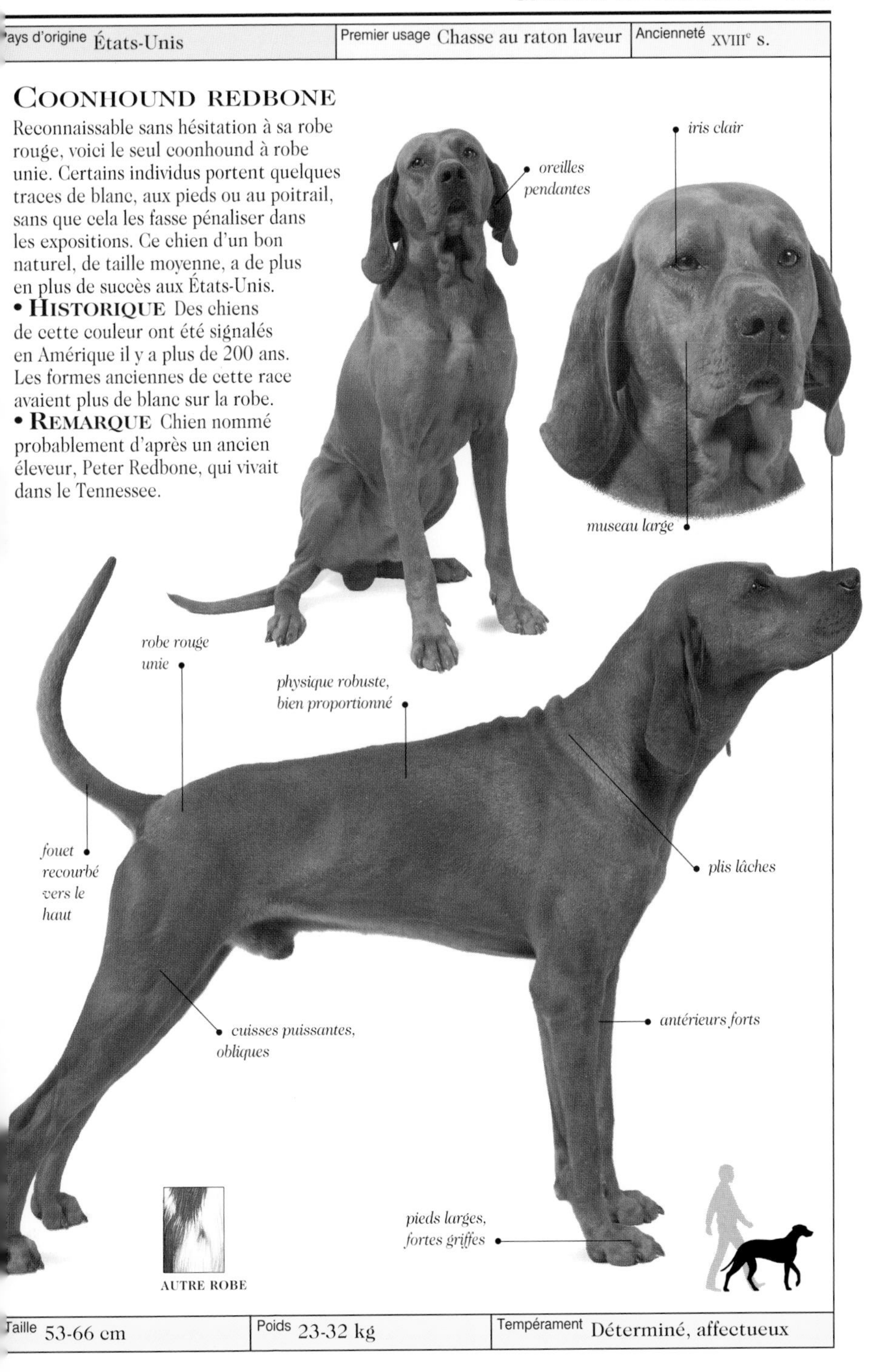

Taille 53-66 cm	Poids 23-32 kg	Tempérament Déterminé, affectueux

Pays d'origine États-Unis	Premier usage Chasse au raton laveur	Ancienneté XVIIIe s.

COONHOUND NOIR ET FEU

Cette race a été créée à partir de foxhounds et, probablement, de bloodhounds. Le noir y prédomine, avec des marques feu affectant 10 à 15 pour cent de la robe. On voit aussi, occasionnellement, des zones blanches autour du poitrail. Bien que d'un bon naturel, ce coonhound est tenace sur la voie. Les chasseurs reconnaissent leurs chiens à leurs aboiements individualisés.

• **HISTORIQUE** Ce chien est d'une origine américaine que l'on peut retracer jusqu'au XVIIIe siècle. En 1900, il a été le premier coonhound à être reconnu comme race distincte.

• **REMARQUE** Souvent qualifié de *treeing hound* parce qu'il force le raton laveur à se réfugier dans un arbre *(tree)*.

• **AUTRES NOMS** Black and tan coonhound, american black and tan coonhound.

longues ore
tombante

petite pelote feu au-dessus de chaque œil

griffes noires

peau adhérant bien au corps

doigts puissants

Taille 58-69 cm	Poids 25-35 kg	Tempérament Déterminé, vif

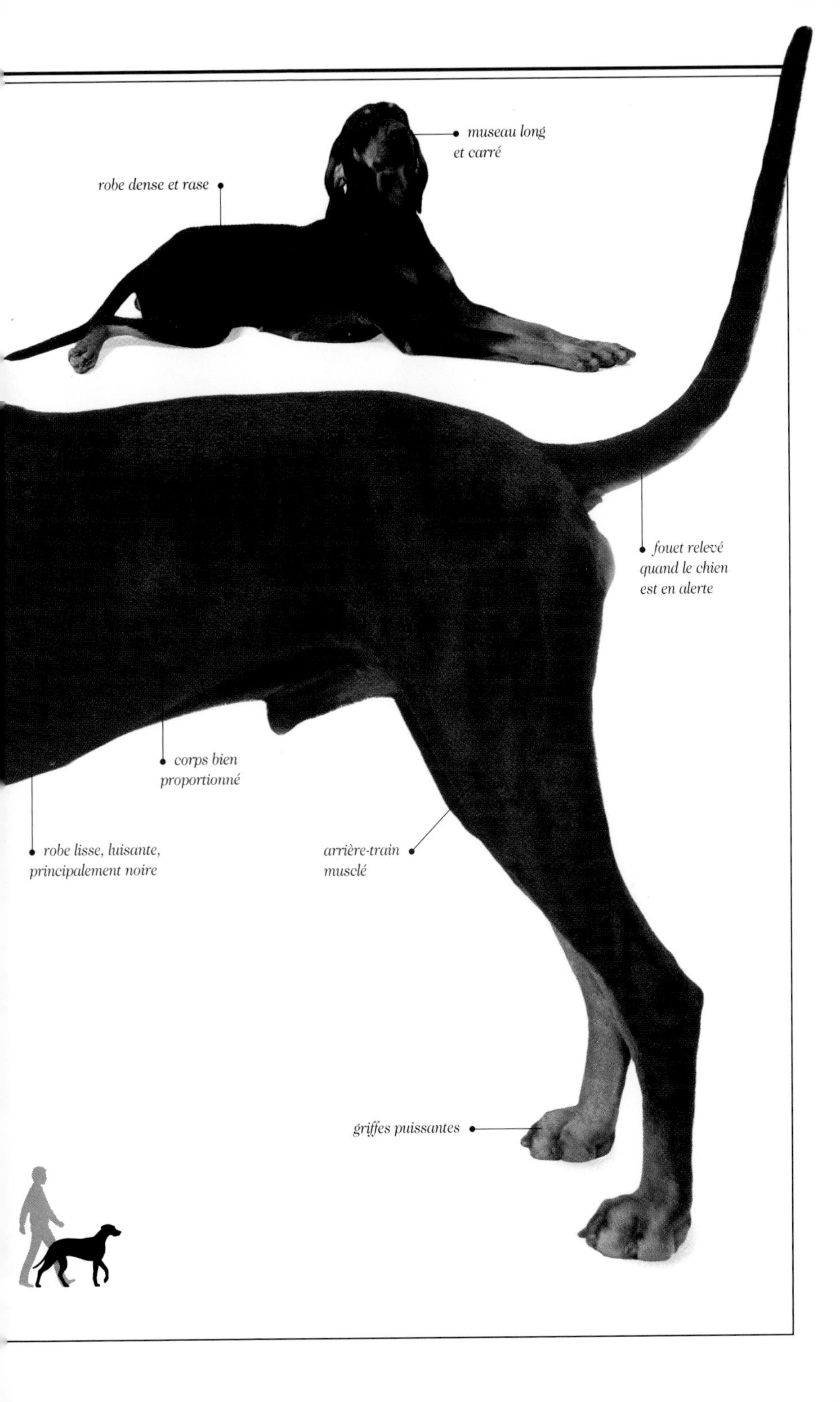
museau long
et carré
robe dense et rase
fouet relevé
quand le chien
est en alerte
corps bien
proportionné
robe lisse, luisante,
principalement noire
arrière-train
musclé
griffes puissantes

Pays d'origine États-Unis	Premier usage Chasse au raton laveur	Ancienneté XIXe s.

TREEING WALKER COONHOUND

Ce coonhound est plus léger et plus rapide que les autres races similaires. On le préfère tricolore, bien que des individus bicolores existent. On ne qualifie pas de « rouges » ceux qui sont feu et blanc, pour éviter la confusion avec le coonhound redbone (voir p. 141).

• **HISTORIQUE** Ce coonhound descend de foxhounds anglais mais son évolution implique un chien volé au XIXᵉ siècle : il s'appelait Tennessee Lead et il alliait la vitesse à la capacité de grimper aux arbres *(treeing)*.

• **REMARQUE** Toujours utilisé pour la chasse au raton laveur et à l'opossum.

larges oreilles pendant plus bas que la tête

museau long et mince

narines très ouverte

robe tricolore

poil fin, luisant et lisse

zones de couleurs bien définies

arrière-train musclé

antérieurs droits

pieds compacts, soles épaisses

AUTRES ROBES

Taille 51-69 cm	Poids 23-32 kg	Tempérament Vif, intelligent

ays d'origine États-Unis	Premier usage Chasse au renard	Ancienneté XVIIIᵉ s.

FOXHOUND AMÉRICAIN

Conçu pour mener un train plus rapide, le foxhound américain est d'ossature plus légère que l'anglais (voir p. 147), et il a plus de nez. Sa robe rase, serrée et dure est acceptée dans toutes les combinaisons de couleurs, bien qu'aux expositions l'on voie surtout la tricolore.

- **HISTORIQUE** Ses ancêtres remontent à des chiens anglais importés en Amérique du Nord en 1650 par un certain Robert Brooke. Un siècle plus tard, ils ont été croisés avec des chiens français envoyés par Lafayette à George Washington.
- **REMARQUE** Sa voix chantante a été enregistrée et incorporée à de la musique populaire.
- **AUTRE NOM** American foxhound.

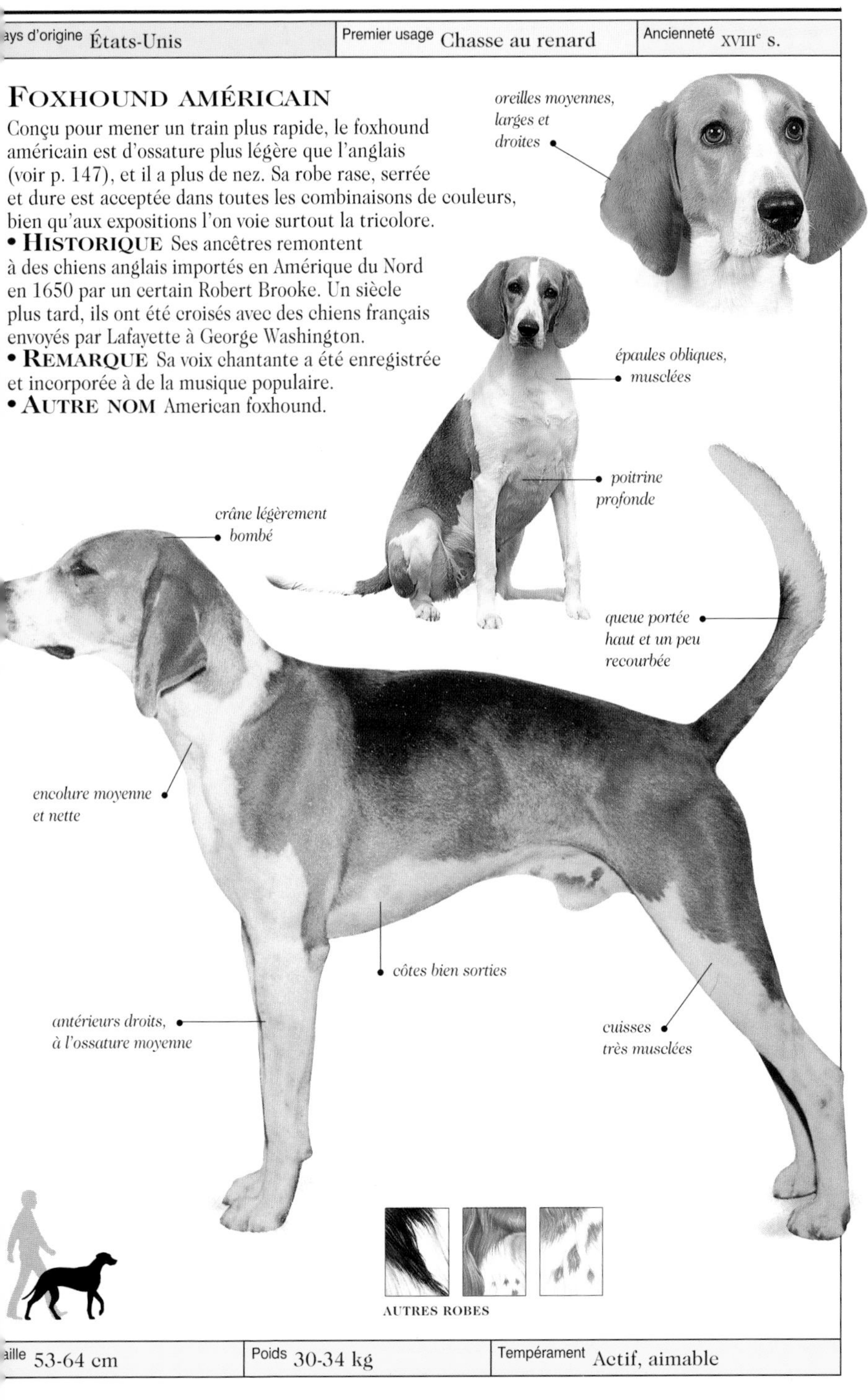

aille 53-64 cm	Poids 30-34 kg	Tempérament Actif, aimable

Pays d'origine Grande-Bretagne	Premier usage Petite vénerie	Ancienneté XIXe s.

BASSET HOUND

Comme tous les chiens bassets, celui-ci se caractérise par ses pattes courtes. C'est, parmi toutes les races, celle qui a le squelette le plus lourd pour sa taille. On accepte les robes bicolores et tricolores.

• **HISTORIQUE** La plupart des races de bassets sont d'origine française mais celle-ci est, par exception, née en Grande-Bretagne à la fin du siècle dernier.

• **AUTRE NOM** Basset.

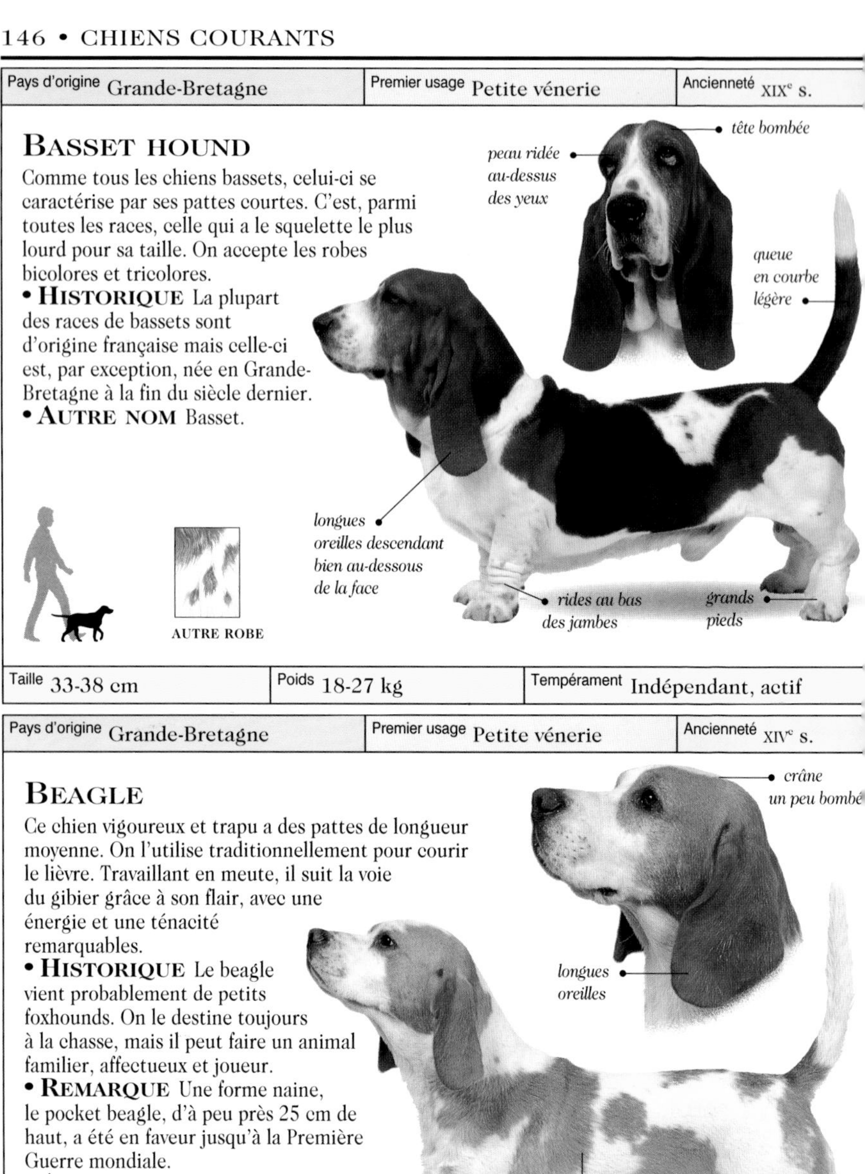

Taille 33-38 cm	Poids 18-27 kg	Tempérament Indépendant, actif

Pays d'origine Grande-Bretagne	Premier usage Petite vénerie	Ancienneté XIVe s.

BEAGLE

Ce chien vigoureux et trapu a des pattes de longueur moyenne. On l'utilise traditionnellement pour courir le lièvre. Travaillant en meute, il suit la voie du gibier grâce à son flair, avec une énergie et une ténacité remarquables.

• **HISTORIQUE** Le beagle vient probablement de petits foxhounds. On le destine toujours à la chasse, mais il peut faire un animal familier, affectueux et joueur.

• **REMARQUE** Une forme naine, le pocket beagle, d'à peu près 25 cm de haut, a été en faveur jusqu'à la Première Guerre mondiale.

• **AUTRE NOM** English beagle.

Taille 33-41 cm	Poids 8-14 kg	Tempérament Vif, aimable

ays d'origine Grande-Bretagne	Premier usage Chasse au renard	Ancienneté XVIIIe s.

FOXHOUND

Le foxhound traditionnel est un animal solide et bien bâti, avec de la ressource : l'énergie est l'élément essentiel qu'ont recherché ses éleveurs. Il vit en meute, généralement couplé. Cette race reste presque entièrement vouée à la chasse et on ne la voit guère dans les expositions.

• **HISTORIQUE** Chien issu du saint-hubert introduit en Grande-Bretagne par les Normands après l'invasion de 1066. Les registres le l'association britannique des maîtres de chiens révèlent qu'en 1880 il y avait dans ce pays 140 meutes et 7 000 foxhounds.

• **REMARQUE** Bien qu'élevée en chenil, c'est une race toujours aimable et affectueuse.

• **AUTRE NOM** English foxhound.

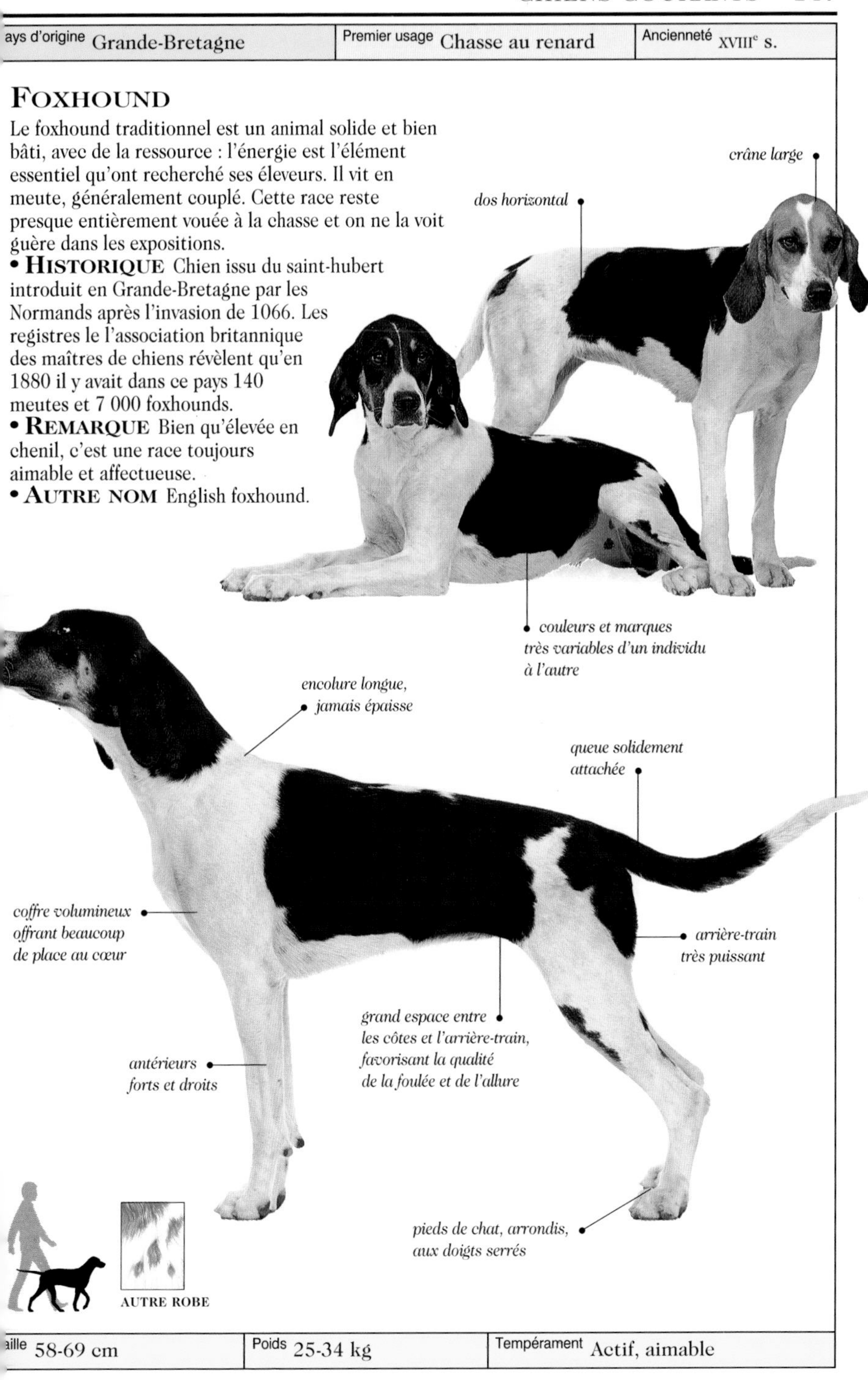

aille 58-69 cm	Poids 25-34 kg	Tempérament Actif, aimable

Pays d'origine Grande-Bretagne	Premier usage Chasse au cerf	Ancienneté IXe s.

LÉVRIER D'ÉCOSSE

Bien que semblable au lévrier d'Irlande (voir pp. 162-163), il est plus élancé et plus léger, ce qui reflète la contribution de lévriers anglais à ses origines. Cela se remarque surtout à la forme de la tête, le museau s'effilant nettement sur toute sa longueur. On tend aujourd'hui à privilégier la couleur gris-bleu foncé, mais l'une des plus anciennes que l'on voie encore est le rouge sable, avec des zones noires au museau et aux oreilles.

• **HISTORIQUE** Race créée en Écosse pour la chasse au cerf. L'usage des armes à feu l'a fait décliner mais elle reste estimée en tant que chien de compagnie.

• **REMARQUE** Sa robe ébouriffée lui offre une excellente protection contre les intempéries.

• **AUTRES NOMS** Deerhound, lévrier anglais à poil dur, scottish deerhound.

Taille 71-76 cm	Poids 36-45 kg	Tempérament Doux, actif

ays d'origine Grande-Bretagne	Premier usage Chasse à la loutre	Ancienneté XIe s.

OTTERHOUND

Avec ses deux couches bien distinctes, sa robe est la caractéristique principale de cette race. Le poil de jarre est grossier, rêche au toucher, et le sous-poil, plus court, laineux, protège le chien quand il entre dans l'eau.

• **HISTORIQUE** Race ancienne, probablement issue de foxhounds et d'autres chiens de chasse. Était autrefois un chien de meute.

• **REMARQUE** L'otterhound décline depuis la seconde moitié du XIXe siècle, en même temps que sa proie principale, la loutre.

aille 58-69 cm	Poids 30-55 kg	Tempérament Athlétique, indépendant

Pays d'origine Grande-Bretagne	Premier usage Chasse au lièvre	Ancienneté 3000 av. J.-C

LÉVRIER ANGLAIS

Les lévriers destinés aux expositions tendent à devenir un peu plus grands et plus lourds que ceux qui se sont distingués à la chasse, mais ce chien reste bâti pour l'accélération et la vitesse : athlétique et musclé, avec une poitrine profonde à grande capacité pulmonaire. Peu d'autres races actuelles présentent une telle variété de robes, combinées ou non avec du blanc.

• **HISTORIQUE** Il est sûr que la souche des lévriers est apparue au Moyen-Orient, puisque des chiens semblables sont représentés dans des tombes égyptiennes datant d'il y a environ 5 000 ans. Un ancien manuscrit britannique confirme que la race a atteint les Îles vers l'an 900 de notre ère.

• **REMARQUE** Bien que d'une nature douce, les lévriers ont tendance à attaquer les chats et les petits chiens ; il vaut donc mieux les museler pour les promener en laisse. Ils ne demandent pas énormément d'exercice mais, pour bien faire, de brèves séances de course.

• **AUTRE NOM** Greyhound.

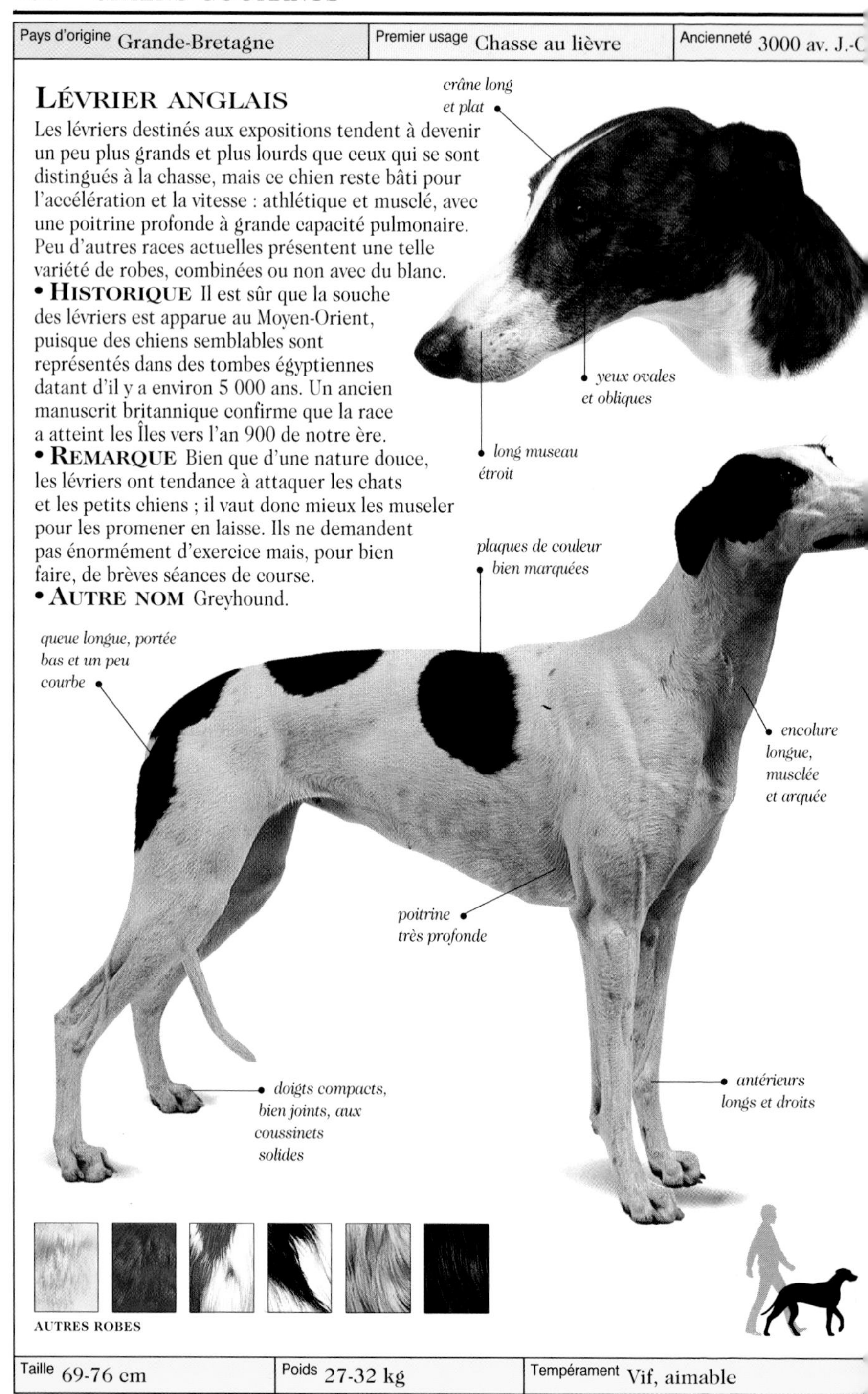

Taille 69-76 cm	Poids 27-32 kg	Tempérament Vif, aimable

Pays d'origine Grande-Bretagne	Premier usage Course	Ancienneté XIXe s.

LÉVRIER NAIN

L'élevage sélectif s'est attaché à en faire un animal de course qui, sur le parcours initial d'une compétition, peut même dépasser le lévrier anglais (voir p. 150). Sous bien des rapports, le premier semble un modèle réduit du second. On ne considère pas la couleur de la robe comme importante.

• **HISTORIQUE** On pense que le lévrier nain provient de croisements entre la levrette d'Italie et certains terriers.

• **REMARQUE** Malgré son aspect assez délicat, c'est un chien robuste et confiant. Sa grande vitesse en fait un excellent ratier.

• **AUTRE NOM** Whippet.

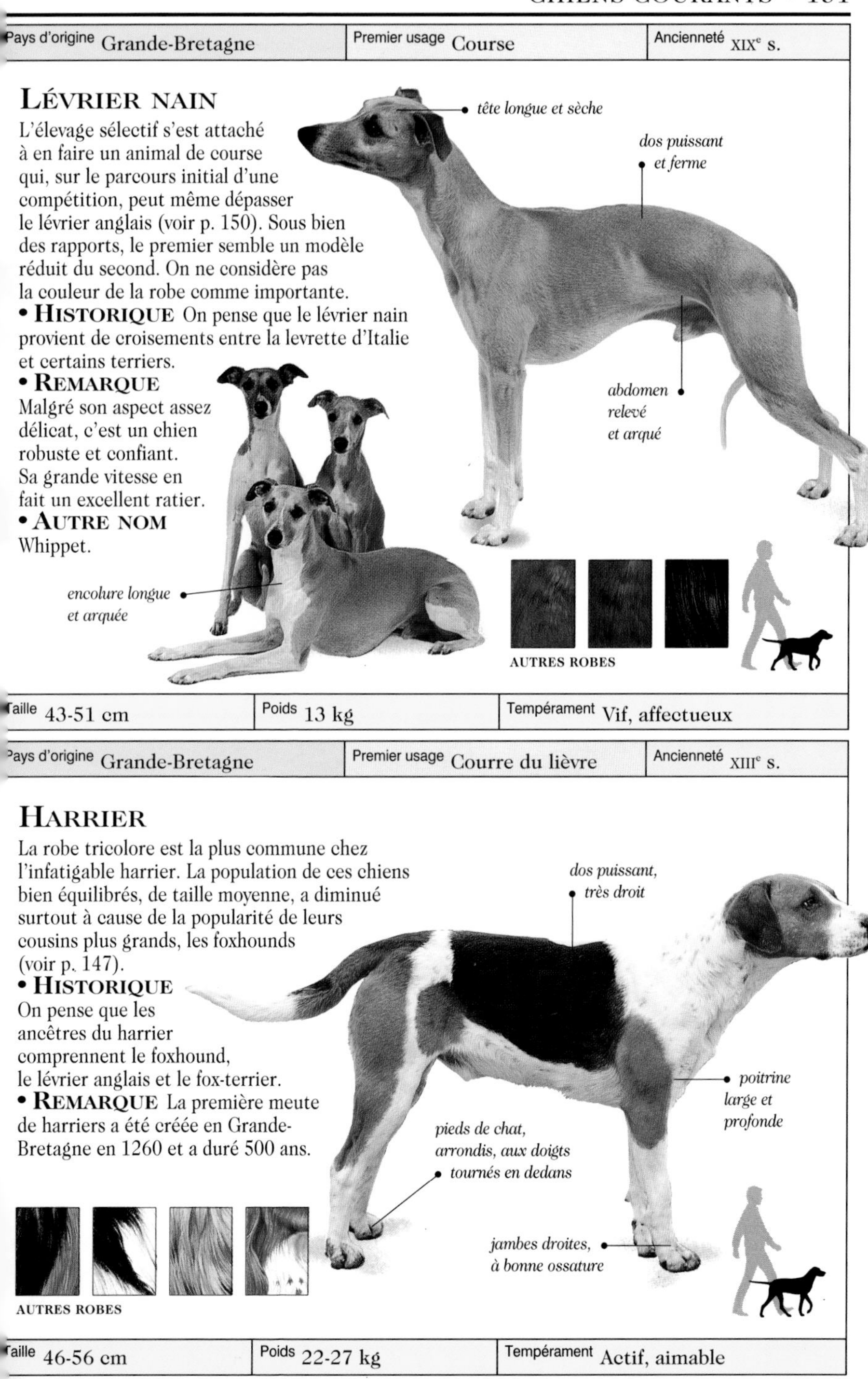

Taille 43-51 cm	Poids 13 kg	Tempérament Vif, affectueux

Pays d'origine Grande-Bretagne	Premier usage Courre du lièvre	Ancienneté XIIIe s.

HARRIER

La robe tricolore est la plus commune chez l'infatigable harrier. La population de ces chiens bien équilibrés, de taille moyenne, a diminué surtout à cause de la popularité de leurs cousins plus grands, les foxhounds (voir p. 147).

• **HISTORIQUE** On pense que les ancêtres du harrier comprennent le foxhound, le lévrier anglais et le fox-terrier.

• **REMARQUE** La première meute de harriers a été créée en Grande-Bretagne en 1260 et a duré 500 ans.

Taille 46-56 cm	Poids 22-27 kg	Tempérament Actif, aimable

Pays d'origine Norvège	Premier usage Chasse au lapin	Ancienneté XIXe s.

DUNKER

Ce chien mince, bâti en légèreté, a un aspect équilibré, élégant. Sa robe épaisse et rase est habituellement feu, avec une selle très caractéristique, marbrée de bleu ou tachetée de noir. Race très robuste, capable d'endurer un froid extrême et de s'adapter à tous les terrains.

• **HISTORIQUE** L'éleveur norvégien Wilhelm Dunker a croisé un chien russe arlequin avec divers chiens courants au nez fin pour obtenir cet animal capable de chasser le lapin au flair plutôt qu'à vue. Le dunker commence à devenir populaire hors de son pays d'origine.

• **REMARQUE** Un gène « merle » du chien arlequin donne au dunker sa typique selle pommelée.

• **AUTRE NOM** Chien norvégien.

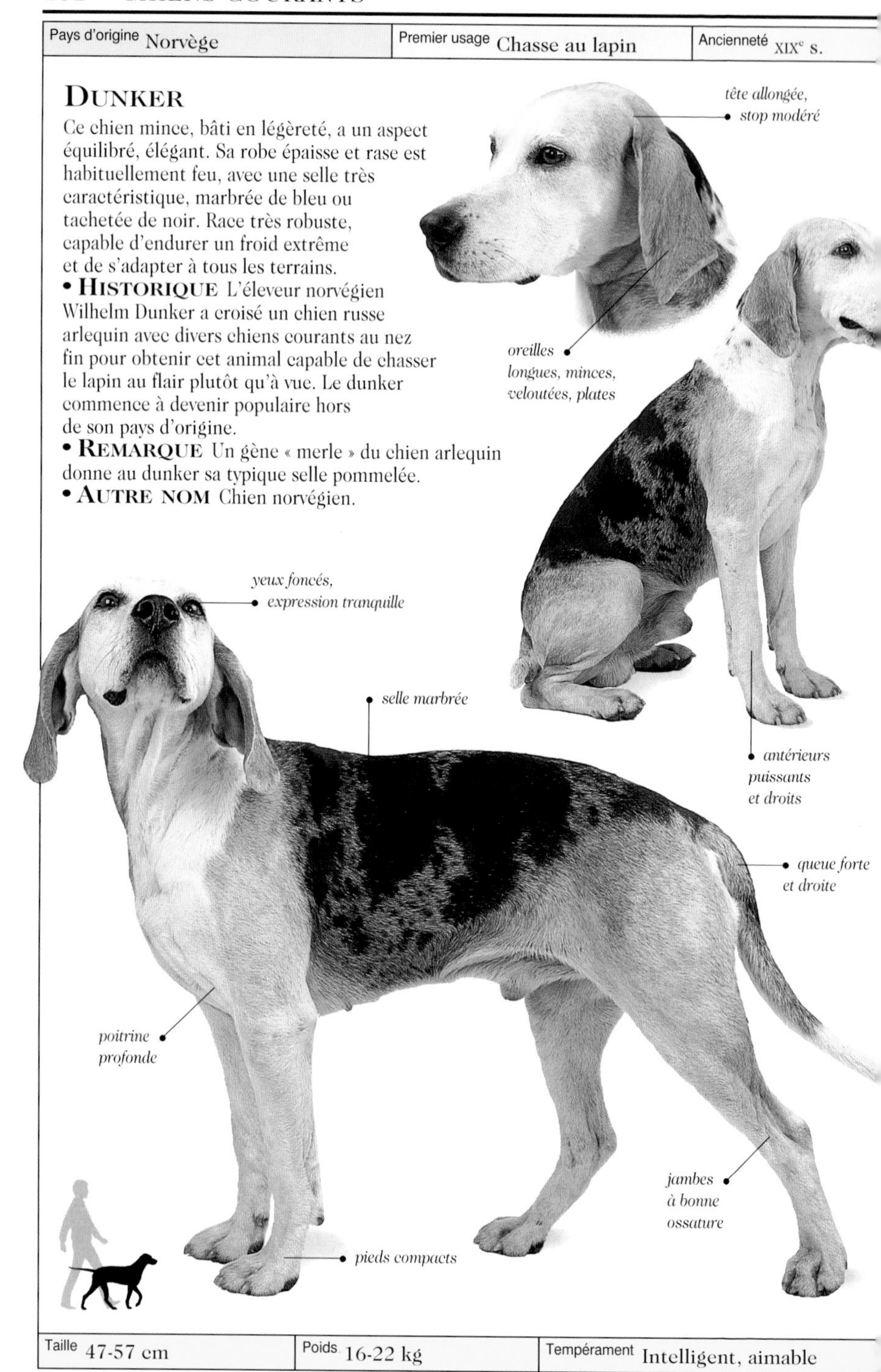

Taille 47-57 cm	Poids 16-22 kg	Tempérament Intelligent, aimable

Pays d'origine Norvège	Premier usage Limier	Ancienneté XIXe s.

Chien de Halden

Ce limier a une robe tricolore typique où le blanc prédomine, avec des marques noir et feu à des endroits bien précis du corps. C'est la plus grande des quatre races reconnues du type dit *stövare*.

• **Historique** Doit son nom à la ville de Halden, dans le sud-est de la Norvège. Résultat de croisements entre chiens courants locaux, suédois, allemands et britanniques.

• **Remarque** Comme d'autres chiens courants norvégiens, ce n'est pas un chien de meute et il peut faire un bon chien de compagnie.

• **Autre nom** Haldenstövare.

Taille 51-64 cm	Poids 23-29 kg	Tempérament Actif, affectueux

Pays d'origine Norvège	Premier usage Petite vénerie	Ancienneté XIXe s.

HYGENHUND

Cette race solide a le corps relativement court et compact. On en élève des individus de différentes robes mais la variété jaune à marques blanches devient la plus commune.

• **HISTORIQUE** Chien créé par un amateur norvégien, F. Hygen, à partir de holsteiners croisés avec différents chiens courants scandinaves.

• **REMARQUE** Sélectionné en vue de l'endurance, le hygenhund chasse plutôt seul avec son maître.

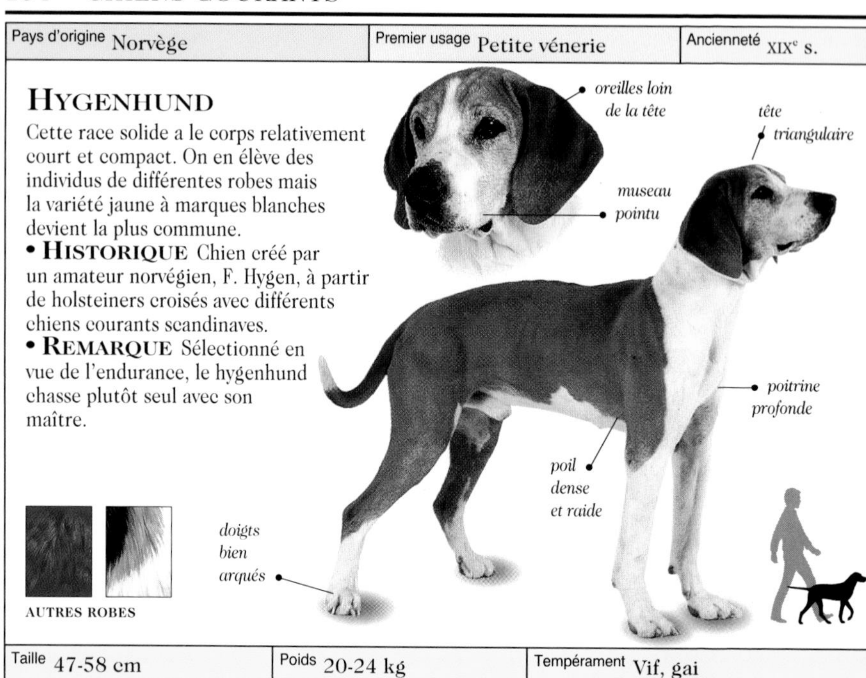

Taille 47-58 cm	Poids 20-24 kg	Tempérament Vif, gai

Pays d'origine Finlande	Premier usage Petite vénerie	Ancienneté XVIIIe s.

CHIEN FINNOIS

Ce chien relativement grand est plus long que haut. Il a la tête étroite, avec la truffe saillante et de grandes oreilles pendantes qui lui donnent une allure assez charmeuse. C'est un chasseur agile et très énergique.

• **HISTORIQUE** Cette race a des origines mêlées. Divers chiens courants anglais, suisses, allemands et scandinaves y ont contribué.

• **REMARQUE** Chasseur en été, le chien finnois préfère rester au coin du feu en hiver.

• **AUTRE NOM** Suomenajokoira.

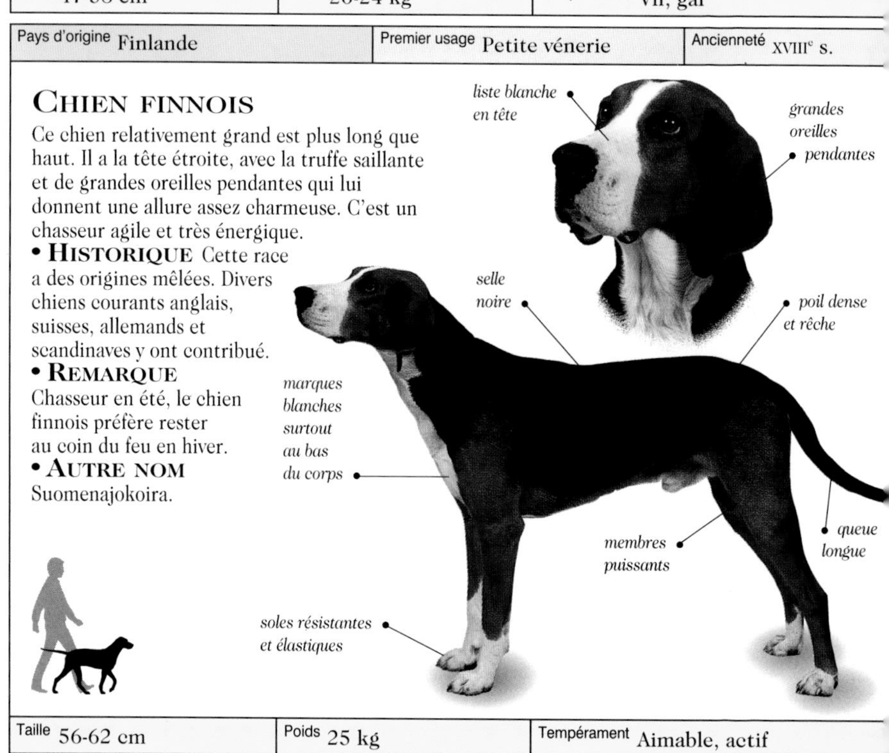

Taille 56-62 cm	Poids 25 kg	Tempérament Aimable, actif

Pays d'origine Suède	Premier usage Quête et chasse	Ancienneté XXe s.

DREVER

Le corps long et les pattes relativement courtes du drever lui confèrent une silhouette typiquement rectangulaire. Les marques blanches en sont une caractéristique importante et doivent être présentes sur la face, l'encolure, le poitrail et les pieds, ainsi qu'au bout de la queue. On reconnaît le drever à son aboiement bruyant, qui permet de le repérer même dans les bois où sa taille le fait passer inaperçu.

• **HISTORIQUE** Provient de croisements entre braques westphaliens et danois.

• **REMARQUE** Devient populaire au Canada.

• **AUTRE NOM** Braque suédois.

Taille 29-41 cm	Poids 15 kg	Tempérament Alerte, affable

Pays d'origine Suède	Premier usage Chasse au renard et au lièvre	Ancienneté XIIIe s.

CHIEN DE SCHILLER

La légèreté de ce chien lui procure beaucoup de vitesse, et on le considère comme le plus rapide de tous les chiens suédois. Son sous-poil épais, isolant, lui permet de travailler en neige profonde, sur la voie du renard et du lièvre arctique.

• **HISTORIQUE** Race développée par Per Schiller en croisant des chiens courants suédois avec des limiers suisses, allemands et autrichiens.

• **REMARQUE** Représenté à la première exposition canine suédoise, tenue en 1886.

• **AUTRE NOM** Schillerstövare.

Taille 53-57 cm	Poids 18-24 kg	Tempérament Actif, enthousiaste

Pays d'origine Suède	Premier usage Quête	Ancienneté XIXe s.

Chien d'Hamilton

Ce chien bien bâti, plein d'endurance, suit la voie avec détermination, sans se soucier du terrain ni du temps. Capable de chasser dans la neige profonde de sa Suède natale, il aboie pour signaler sa position aux chasseurs qui l'ont perdu de vue.

• **Historique** A. P. Hamilton, fondateur du Kennel Club suédois, s'est chargé de développer cette race. Son élevage était axé sur des foxhounds et des harriers d'Angleterre, croisés avec des chiens courants allemands, dont le holsteiner, maintenant éteint, et des chiens hanovriens.

• **Remarque** Lorsque cette race robuste fut introduite en Grande-Bretagne, en 1968, on la désigna comme un foxhound suédois.

• **Autre nom** Hamiltonstövare.

Taille 51-61 cm	Poids 23-27 kg	Tempérament Courageux, actif

Pays d'origine Suède	Premier usage Chasse au renard et au lièvre	Ancienneté XIIIᵉ s.

CHIEN DE SMÅLAND

Ce chien trapu, chasseur de renards et de lièvres, est le plus court et le plus lourdement bâti parmi les races suédoises de *stövare*. L'amputation de la queue n'est pas permise chez cette race, mais beaucoup d'individus naissent avec une queue inhabituellement courte pour un chien courant. La robe est invariablement noire avec des marques feu sur le museau, les sourcils et le bas des membres, des traces blanches pouvant éventuellement se montrer à l'extrémité de la queue et des pieds. Épaisse, lisse et lustrée, elle demande très peu de soins.

• **HISTORIQUE** Originaire de Småland, en Suède centrale, cette race a été reconnue par le Kennel Club suédois en 1921. Un ancien éleveur, le baron von Essen, avait une préférence pour les sujets à queue courte, et il contribua à accentuer cette caractéristique. La forme première de ce chien remonterait au Moyen Age.

• **REMARQUE** Demande beaucoup d'exercice.

• **AUTRE NOM** Smålandstövare.

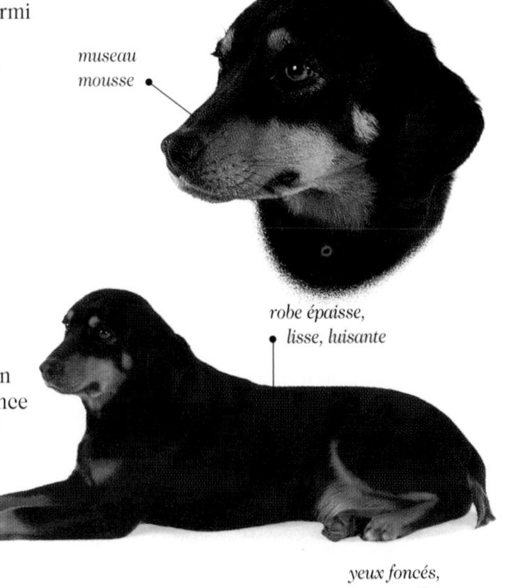

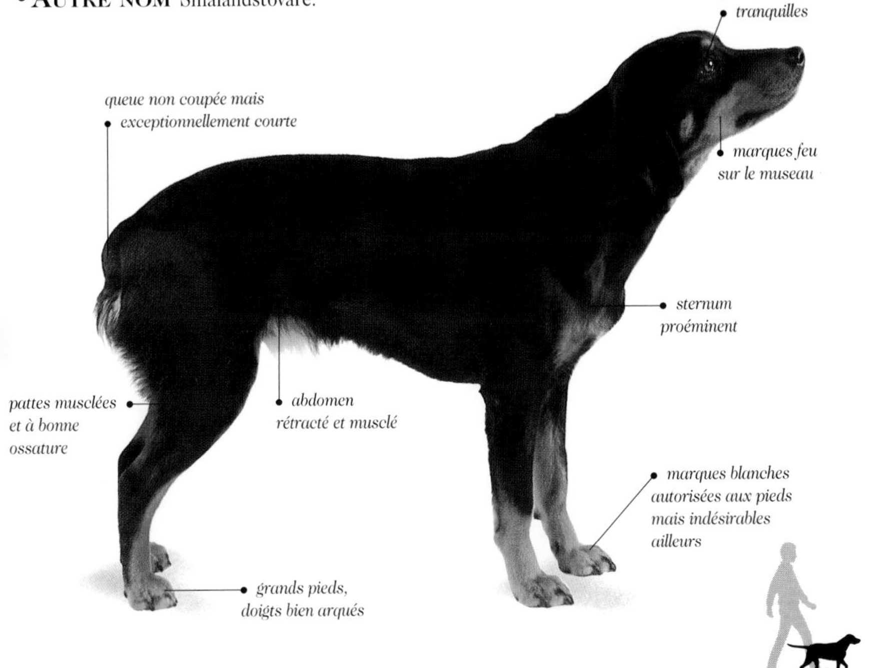

Taille 46-50 cm	Poids 15-18 kg	Tempérament Actif, enthousiaste

Pays d'origine Allemagne	Premier usage Chasse au blaireau	Ancienneté XXe s.

TECKEL NAIN

Beaucoup plus petit que le teckel standard, ce chien est illustré ici sous trois formes. Le teckel à poil ras a une robe courte et dense, moulant le corps. Le teckel à poil long en possède une également plate mais beaucoup plus longue, avec quelques franges. La forme à poil dur a un pelage de texture rêche et de longueur égale sur tout le corps.

• **HISTORIQUE** La version naine et le kaninchen, encore plus petits, ne diffèrent du teckel standard que par la taille, ou plutôt par le poids, qui sert de critère à cette classification. La forme ancienne est le teckel à poil ras.

• **REMARQUE** La forme naine à poil dur est la dernière à avoir obtenu sa reconnaissance officielle en Grande-Bretagne, en 1959.

• **AUTRES NOMS** Basset allemand,

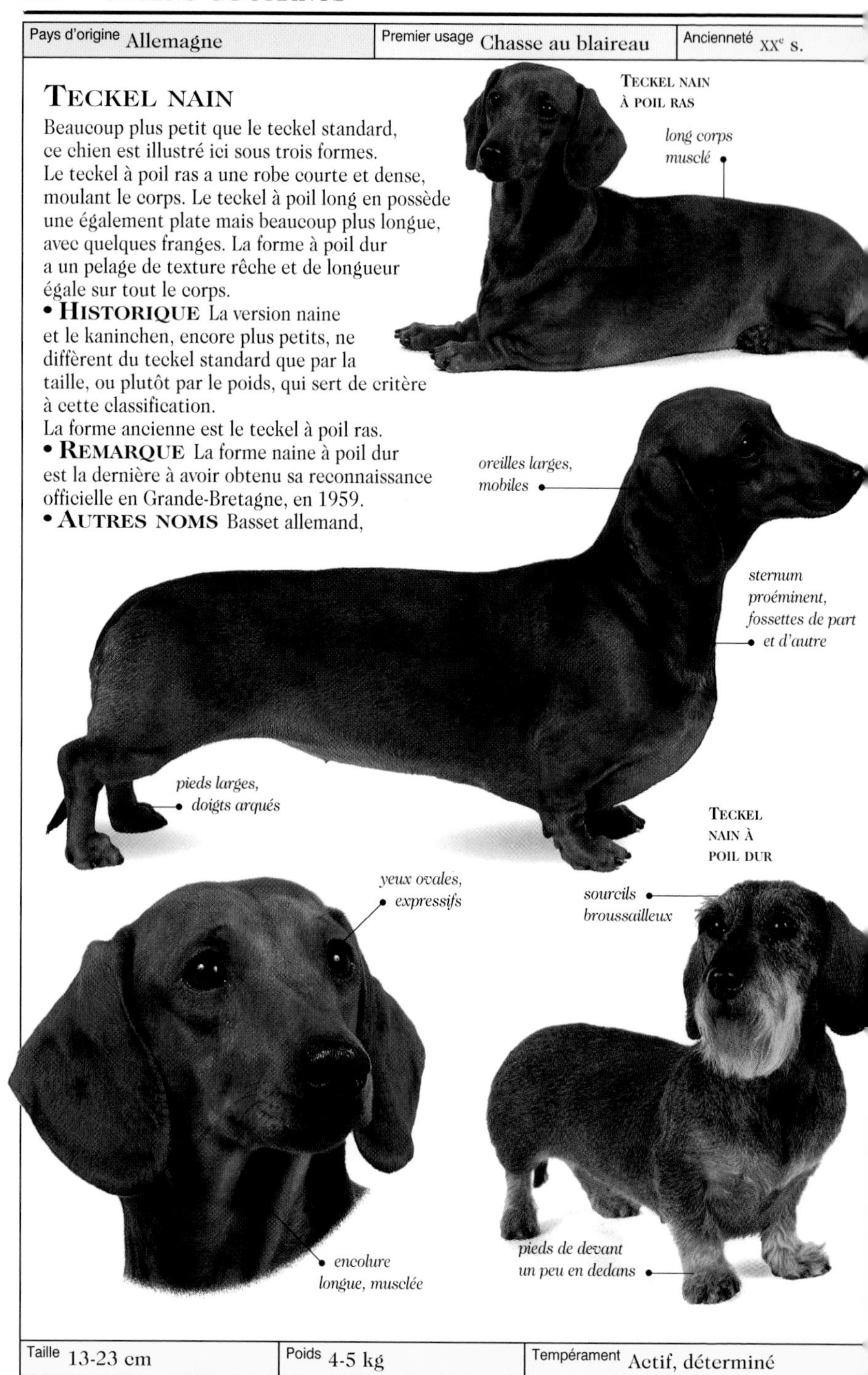

Taille 13-23 cm	Poids 4-5 kg	Tempérament Actif, déterminé

Teckel
nain à
poil long
Autres robes
franges
à la queue
poil plus
long sur
l'encolure
et le dessous
pieds arrière
plus petits que
ceux de devant
peu de poils
sur les pieds
gueule fendue
jusqu'à la verticale
des yeux
poils relativement
doux aux oreilles
croupe ronde
et large
encolure longue

Pays d'origine Allemagne	Premier usage Recherche au sang	Ancienneté XVIIIe s.

CHIEN ROUGE DE HANOVRE

Assez lourdement bâti, ce chien aux pattes courtes est utilisé surtout pour la recherche d'un animal blessé. Il porte souvent un masque noir, caractéristique.

• **HISTORIQUE** Développée par des gardes-chasse aux environs de Hanovre, cette race descend de limiers lourds croisés avec de plus légers, comme le haidbracke.

• **REMARQUE** Race utilisée principalement à la chasse, et réputée pour la finesse de son nez.

• **AUTRE NOM** Hannoverscher Schweisshund.

Taille 51-61 cm	Poids 38-44 kg	Tempérament Calme, fidèle

Pays d'origine Allemagne	Premier usage Recherche au sang	Ancienneté XIXe s.

CHIEN ROUGE DE BAVIÈRE

Un peu plus court et plus léger que d'autres races similaires (ci-dessus), ce chien est très estimé pour son flair. Il suivra obstinément la trace de sang jusqu'à ce que l'animal blessé soit retrouvé.

• **HISTORIQUE** Comme son nom l'indique, ce chien a évolué en Bavière, sans doute à partir de croisements entre chiens courants hanovriens et tyroliens.

• **REMARQUE** Les chiens rouges (*Schweisshunden* en allemand) sont ainsi nommés en raison de leur capacité de recherche au sang.

• **AUTRE NOM** Bayerischer Gebirgsschweisshund.

Taille 51 cm	Poids 25-35 kg	Tempérament Actif, intelligent

Pays d'origine Pologne	Premier usage Grande vénerie	Ancienneté XVIIIe s.

CHIEN POLONAIS

Ce chien grand et lourd a la face ridée, la tête rectangulaire et de puissantes mâchoires. C'est un quêteur acharné, à la truffe saillante et à la belle voix.

• **HISTORIQUE** Les origines de la race sont inconnues mais elles remontent probablement à des souches autrichiennes et allemandes. Le chien polonais a décliné pendant la Seconde Guerre mondiale mais il s'est repris depuis.

• **REMARQUE** Il en existait autrefois une version plus petite, connue sous le nom de *gonczy polski*.

• **AUTRE NOM** Ogar polski.

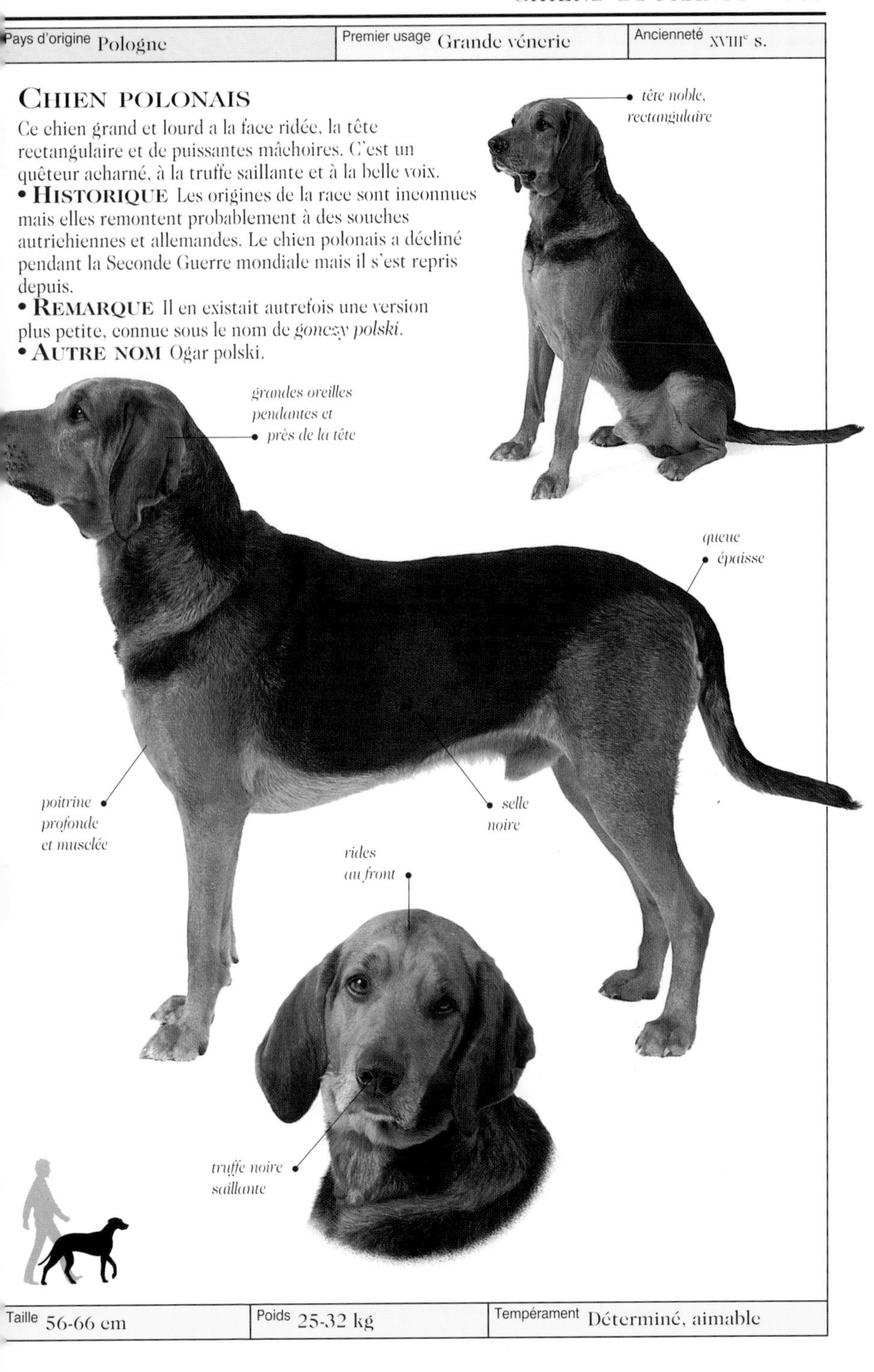

Taille 56-66 cm	Poids 25-32 kg	Tempérament Déterminé, aimable

Pays d'origine Irlande	Premier usage Louveterie	Ancienneté 100 av. J.-C.

LÉVRIER D'IRLANDE

Ce géant est le plus grand chien du monde. Il présente quelque ressemblance avec le lévrier d'Écosse (voir p. 148), mais il le dépasse en taille. Malgré cela, comme malgré son poil rude et sa musculature d'athlète, c'est un chien gracieux. Sa longue queue est d'une force surprenante et, en se balançant, elle peut causer des dégâts dans la maison. Le lévrier d'Irlande est d'un excellent tempérament mais, en raison de ses dimensions, il doit être dressé dès le plus jeune âge. Sa robe nécessite quelque soin.

• **HISTORIQUE** Ses origines remontent, à travers les siècles, à une lignée de chiens royaux. Au XIXe, l'extinction du loup en Irlande faillit causer celle de ce chien louvier. La race fut sauvée par un Écossais, le capitaine George Graham.

• **REMARQUE** Il ne faut pas promener le chiot trop longuement car cela pourrait endommager ses articulations. En revanche, il convient de l'encourager à courir et à jouer selon ses moyens.

• **AUTRES NOMS** Irish wolfhound, lévrier irlandais.

longs poils au-dessus des yeux

museau long, assez pointu

poil plus long et plus dur sous la mâchoire

oreilles petites

cuisses puissantes

robe dure et rustique

Taille 71-90 cm	Poids 40-55 kg	Tempérament Doux, aimable

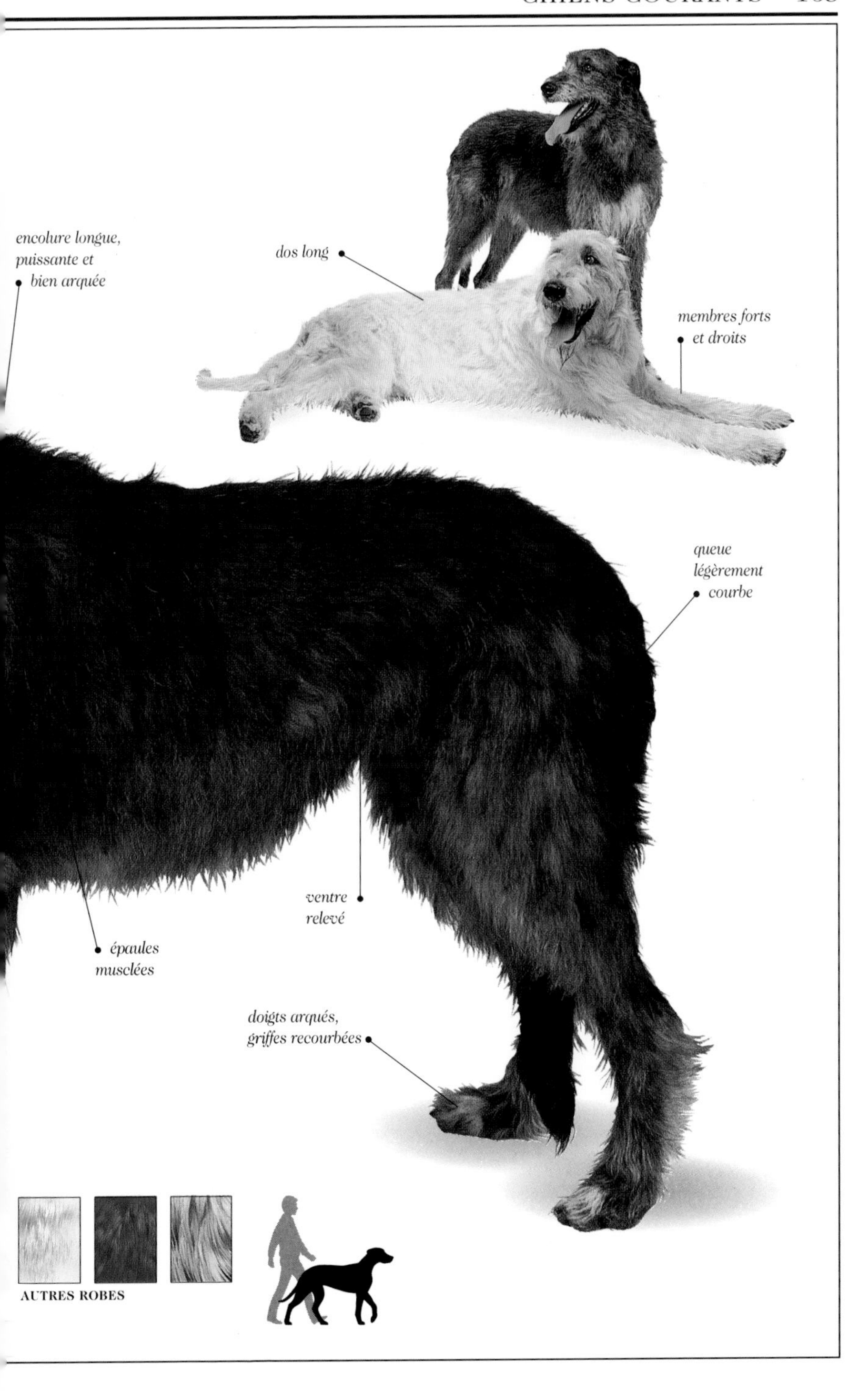
encolure longue, puissante et bien arquée
dos long
membres forts et droits
queue légèrement courbe
ventre relevé
épaules musclées
doigts arqués, griffes recourbées
AUTRES ROBES

Pays d'origine Irlande	Premier usage Courre du lièvre	Ancienneté XVIe s.

KERRY BEAGLE

De couleur le plus souvent noir et feu, parfois pommelé et tricolore, ce chien impétueux est nettement plus grand que le beagle (voir p. 146). La robe est ajustée, le museau haut, les oreilles moyennes et déployées. Chien de meute essentiellement, le kerry beagle n'est toujours pas reconnu comme race distincte, même pas en Irlande, malgré sa longue histoire et son aspect caractéristique.

• **HISTORIQUE** Bien que son origine soit obscure, on pense que cette race descend d'un chien de grande vénerie, de taille supérieure. Son aspect indique aussi que son développement impliquerait le saint-hubert.

• **REMARQUE** Race aujourd'hui utilisée principalement pour la chasse au petit gibier et à la sauvagine.

• **AUTRE NOM** Pocadan.

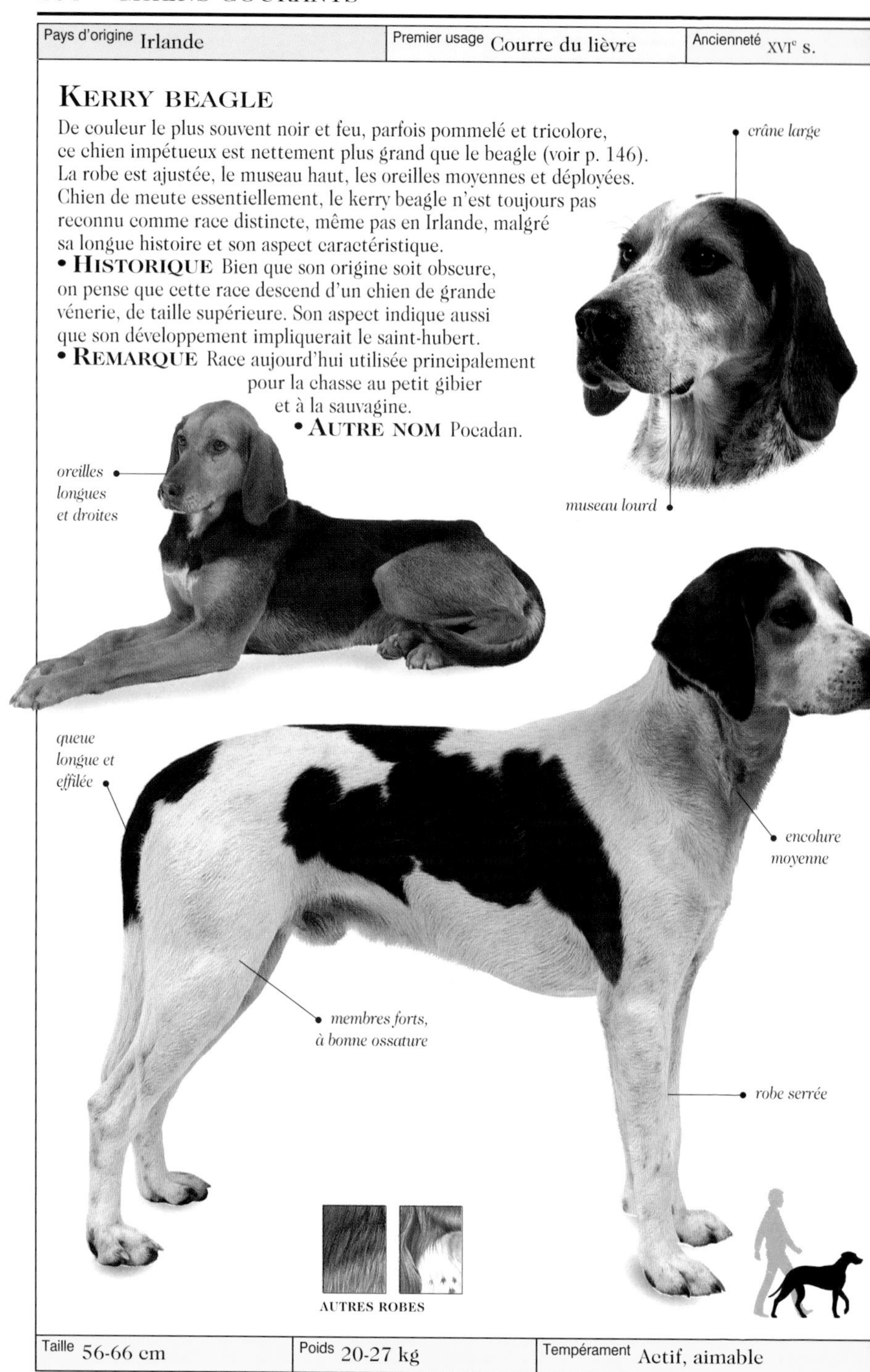

Taille 56-66 cm	Poids 20-27 kg	Tempérament Actif, aimable

Pays d'origine Irlande	Premier usage Chasse au lièvre	Ancienneté XVIIe s.

LURCHER

L'aspect des lurchers varie considérablement parce qu'ils ne sont pas élevés pour se conformer à un quelconque standard. En général toutefois, ce sont des chiens athlétiques, à robe dure. Aujourd'hui, ils résultent le plus souvent de croisements impliquant des lévriers d'Écosse.

• **HISTORIQUE** La sélection a été opérée en vue de la vitesse et de la finesse des réactions, souvent par des Gitans d'Irlande qui ont, pour cela, croisé des collies, des lévriers et d'autres races.

• **REMARQUE** La robe foncée du lurcher lui procure un bon camouflage quand il accompagne, la nuit, des braconniers.

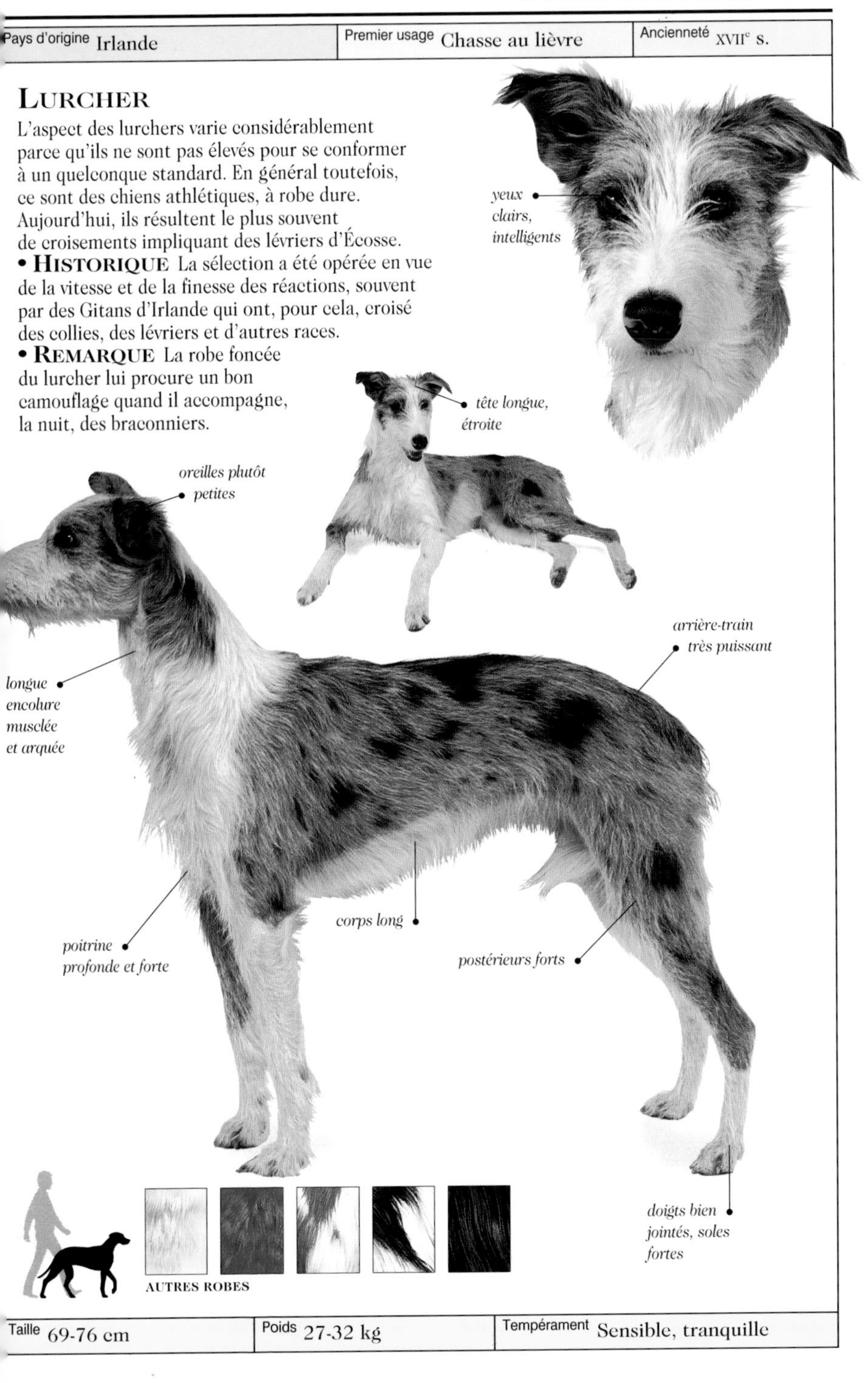

Taille 69-76 cm	Poids 27-32 kg	Tempérament Sensible, tranquille

Pays d'origine Belgique	Premier usage Limier	Ancienneté IXe s.

SAINT-HUBERT

Le saint-hubert est le chien de vénerie le plus connu au monde, et le plus grand. Des replis de peau à la face et à l'encolure lui donnent son fameux air triste, que dément son naturel vif et actif. Malgré l'image de chien féroce que l'on s'en fait parfois, il est très aimable envers l'homme. Il possède une voix mélodieuse, très caractéristique et que l'on ne saurait ignorer.

• **HISTORIQUE** Certains supposent que l'ancien chien de Saint-Hubert aurait été amené en Europe par des croisés. L'hypothèse est peu probable, car il est question de ce chien dès le IXe siècle.

• **REMARQUE** Ce chien infatigable a un flair inouï. Il s'est montré capable de suivre une piste vieille de 14 jours et on l'a vu, de sa démarche ininterrompue et chaloupée, venir à bout d'une voie de 220 km. Ses talents ont été utilisés par les tribunaux.

• **AUTRES NOMS** Chien de Saint-Hubert, bloodhound.

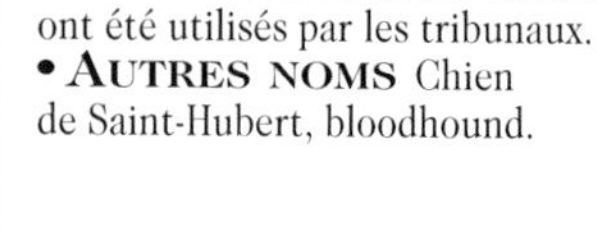

yeux brun foncé ou noisette

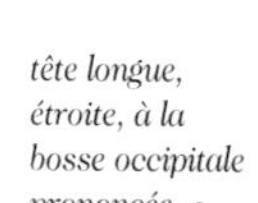

tête longue, étroite, à la bosse occipitale prononcée

oreilles minces, veloutées, tendant à se recourber vers l'intérieur et l'arrière

fanon caractéristique

longue queue en pointe

Taille 58-69 cm	Poids 36-41 kg	Tempérament Déterminé, sensible

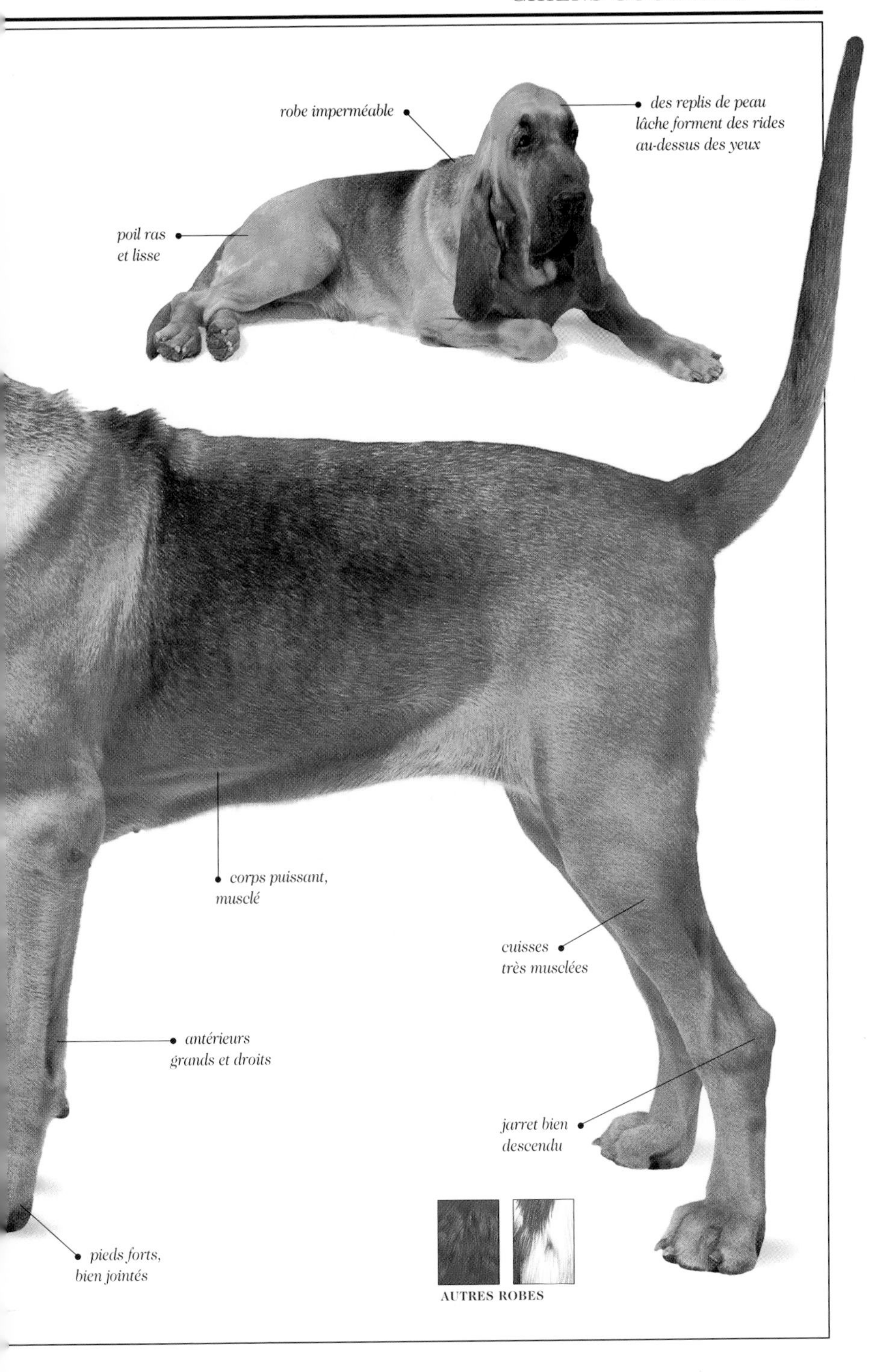
robe imperméable
des replis de peau lâche forment des rides au-dessus des yeux
poil ras et lisse
corps puissant, musclé
cuisses très musclées
antérieurs grands et droits
jarret bien descendu
pieds forts, bien jointés
AUTRES ROBES

Pays d'origine France	Premier usage Quête du gros gibier	Ancienneté XIXe s.

BILLY

Grand chien courant, de coloration typiquement pâle, le billy pousse un aboi étonnamment musical, souvent entendu quand la meute est sur la voie. La tête est fine et sèche, avec un museau carré et un stop prononcé. Ce n'est pas un chien lourd mais une meute est assez puissante pour immobiliser un cerf, proie favorite du billy, et elle ne craint pas le sanglier, toujours couru en France par ce chien.

• **HISTORIQUE** Le nom vient du château de Billy, en Poitou, qu'habitait le créateur de la race, Gaston Hublot de Rivault. Il a utilisé principalement des céris bicolores et des montembufs, variétés éteintes de blancs du roy. Des foxhounds et le larye, qui a le nez fin, ont également contribué à la fixation du type.

• **REMARQUE** Deux billys seulement ont survécu à la Seconde Guerre mondiale. Grâce à eux, le fils du créateur de la race a pu la sauver de l'extinction.

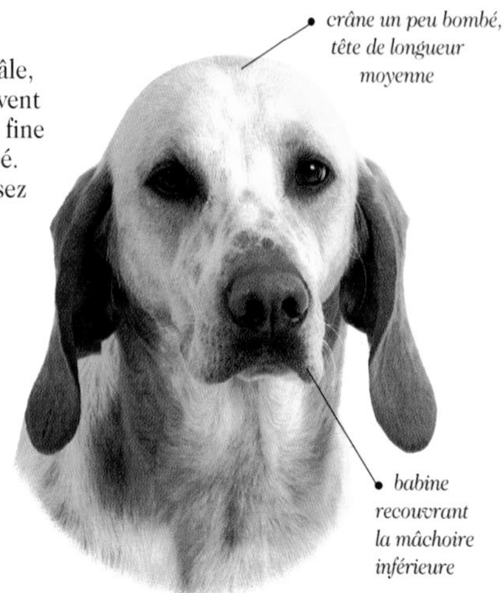

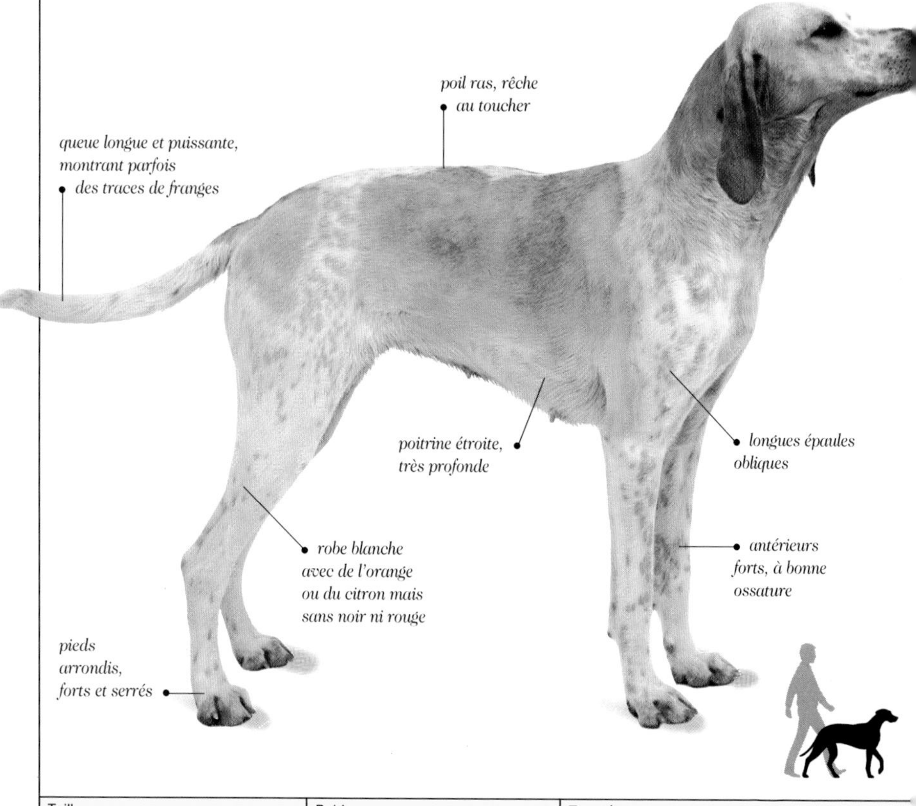

Taille 61-66 cm	Poids 25-30 kg	Tempérament Intelligent, actif

Pays d'origine France	Premier usage Petite vénerie	Ancienneté XIXe s.

Basset fauve de Bretagne

Globalement, la structure du basset fauve de Bretagne est typique des chiens bassets : corps long par rapport à la hauteur, pattes légèrement arquées, face longue. La robe, en revanche, est très différente : ni de texture grossière comme celle du basset griffon vendéen (voir p. 175), ni lisse comme celle du basset artésien-normand (voir p. 173).

- **Historique** Race développée à partir du griffon fauve de Bretagne, plus grand, par croisement avec des bassets. Elle garde la coloration unie du griffon, parfois avec une tache blanche unique sur le poitrail ou l'encolure, bien que cela ne soit pas encouragé.
- **Remarque** Traditionnellement, ces chiens couraient le petit gibier par groupes de quatre.

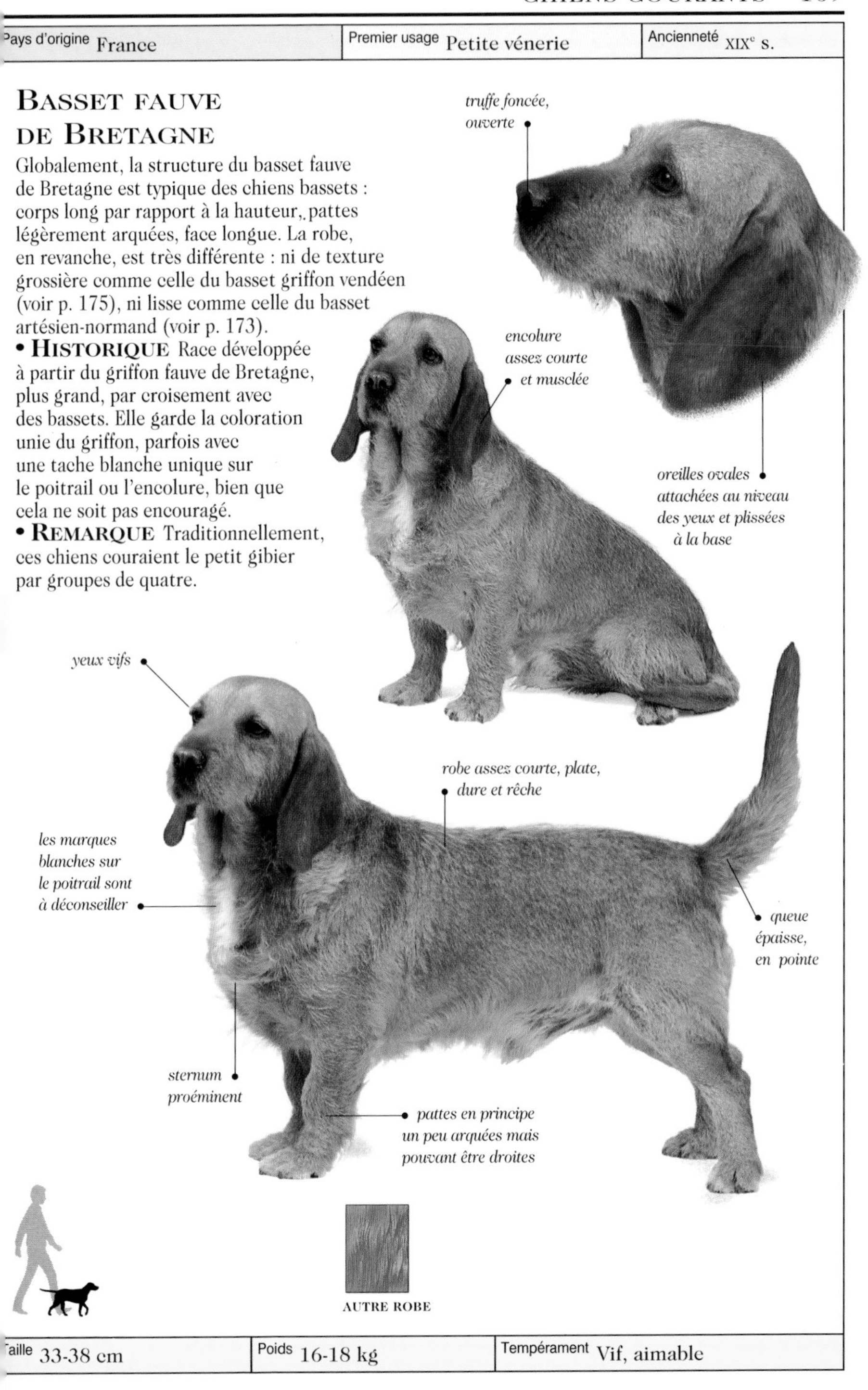

Taille 33-38 cm	Poids 16-18 kg	Tempérament Vif, aimable

Pays d'origine France	Premier usage Courre du cerf et du sanglier	Ancienneté XIVe s.

Grand bleu de Gascogne

Considéré par beaucoup d'amateurs comme le plus majestueux et le plus aristocratique des chiens français, le grand bleu de Gascogne est de bonne taille et puissant. Né sur les terres sèches et chaudes du Sud-Ouest, il n'est pas spécialement rapide, mais sa résistance est prodigieuse. Il partage son aspect typiquement pommelé avec d'autres chiens de la région.

• **Historique** Ses origines ne sont pas connues avec certitude, mais il s'agit indubitablement d'une race ancienne, qui s'est développée dans les provinces de Guyenne et de Gascogne. Elle servait à la louveterie, une tâche qu'elle a accomplie jusqu'à la fin du siècle dernier. Elle a été introduite aux États-Unis peu avant 1800.

• **Remarque** On trouve aux États-Unis plus de ces chiens que partout ailleurs, y compris en France.

grande truffe noire

rides sur les joues, babines pendantes

longues oreilles attachées bas

Taille 64-71 cm	Poids 32-35 kg	Tempérament Actif, aimable

petites marques feu
au-dessus des yeux,
créant un effet
« quatre yeux »
tête allongée,
crâne bombé
oreilles
repliées
vers
l'intérieur
antérieurs
longs et puissants
marbrures serrées
sur une robe
imperméable
paturons
un peu obliques
fortes
griffes noires

Pays d'origine France	Premier usage Courre du lièvre	Ancienneté XVIe s.

BRIQUET

Ce petit tricolore bien musclé représente l'une des races originelles de chiens de chasse français. Il est à la source de bien des chiens courants plus tardifs.

• **HISTORIQUE** Race développée dans l'ancienne province d'Artois, par croisement entre des chiens courants et des chiens d'arrêt. L'introduction ultérieure de sang de chiens d'arrêt anglais a failli se solder par la disparition du type d'origine. Toutefois le nombre de purs artois se redresse lentement en France.

• **REMARQUE** Spécialisé dans le petit gibier et, en particulier, dans le lièvre.

• **AUTRE NOM**
Chien d'Artois.

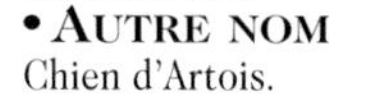

crâne large

oreilles longues, larges et plates, attachées au niveau des yeux

longue queue portée en faucille

encolure longue et puissante

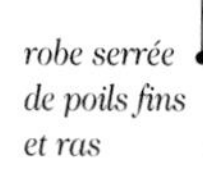

peau de la face un peu plissée

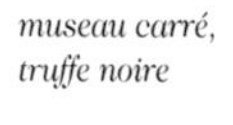

caractéristique

Taille 52-58 cm	Poids 18-24 kg	Tempérament Vif, aimable

ays d'origine France	Premier usage Vénerie	Ancienneté XVIIe s.

BASSET BLEU DE GASCOGNE

Le membre le plus petit du cercle des bleus de Gascogne partage avec ses parents plus grands leur coloration typique. C'est un chien tricolore, à dominante blanche, taches noires sur la tête et le corps, marques feu sur la tête.

• **HISTORIQUE**
Ce basset est, pour l'essentiel, une recréation par M. Alain Bourbon de la race originelle, éteinte en 1911.

• **REMARQUE**
Chasseur enthousiaste, le basset bleu de Gascogne est aussi un charmant animal familier.

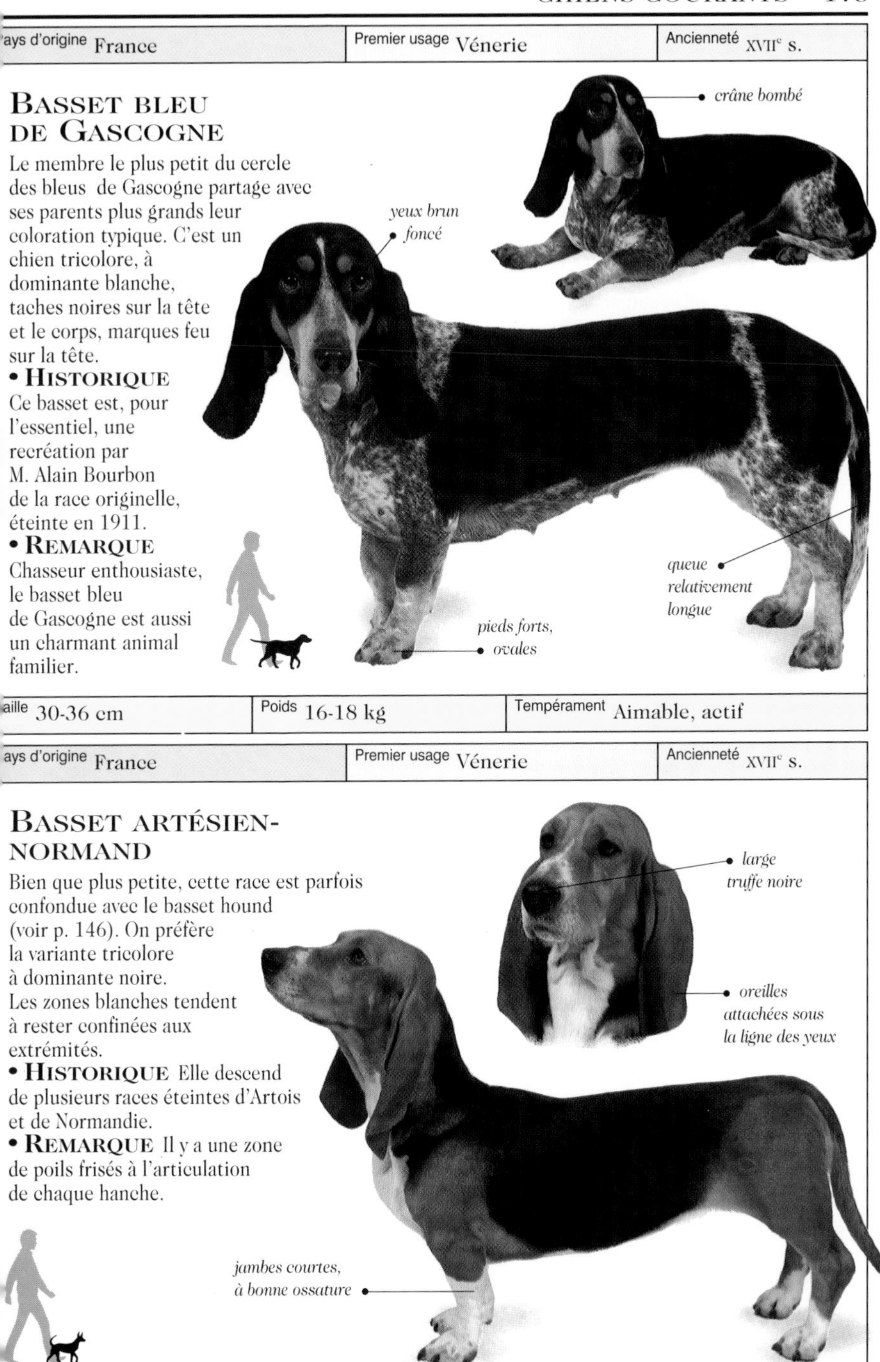

aille 30-36 cm	Poids 16-18 kg	Tempérament Aimable, actif

ays d'origine France	Premier usage Vénerie	Ancienneté XVIIe s.

BASSET ARTÉSIEN-NORMAND

Bien que plus petite, cette race est parfois confondue avec le basset hound (voir p. 146). On préfère la variante tricolore à dominante noire. Les zones blanches tendent à rester confinées aux extrémités.

• **HISTORIQUE** Elle descend de plusieurs races éteintes d'Artois et de Normandie.

• **REMARQUE** Il y a une zone de poils frisés à l'articulation de chaque hanche.

aille 25-36 cm	Poids 15 kg	Tempérament Actif, doux

Pays d'origine France	Premier usage Courre du chevreuil	Ancienneté XIXe s.

Grand gascon-saintongeois

Comparé à d'autres chiens courants, le grand gascon-saintongeois est un animal de belle taille, aux oreilles excessivement longues. Il a des replis de peau à la tête et à l'encolure. Des mouchetures apparaissent sur sa robe blanche à poil fin et ras. Tête et masque noirs, le noir s'étendant souvent jusqu'aux épaules. Une version réduite, le petit gascon-saintongeois, est identique en tout point sauf la hauteur au garrot.

• **Historique** Cette race a été créée par le baron de Virelade en croisant des bleus de Gascogne avec des saintongeois et des ariégeois.

• **Remarque** Chien de meute populaire en France mais inconnu dans d'autres pays.

• **Autre nom** Virelade.

bosse occipitale très prononcée

longues oreilles pendantes et coniques

marques feu clair limitées à la tête

dos long et fort

poitrail profond

taches noires dans la région de la selle

antérieurs longs, droits, à bonne ossature

Taille 63-71 cm	Poids 30-32 kg	Tempérament Affectueux, doux

Pays d'origine France	Premier usage Petite vénerie	Ancienneté XVIIIe s.

BASSET GRIFFON VENDÉEN

Ce basset et son parent, le petit basset griffon vendéen, ne diffèrent que par la taille. Le blanc prédomine souvent chez les formes bicolores et tricolores. Chiens actifs, ils sont appréciés pour la chasse, le premier au lièvre et le second au lapin.

• **HISTORIQUE** Les deux formes de bassets descendent du grand griffon vendéen (voir p. 176).

• **REMARQUE** Les bassets griffons vendéens, bien que d'un naturel indépendant, peuvent être très affectueux.

Taille 38-42 cm	Poids 18-20 kg	Tempérament Affectueux, indépendant

Pays d'origine France	Premier usage Vautrait	Ancienneté XVe s.

Grand griffon vendéen

Il est blanc ou grisâtre avec diverses combinaisons d'autres couleurs. Il court la bête noire sur terrain sec comme dans l'eau grâce à son pelage double, composé d'une bourre épaisse sous un poil dur et gros. La tête est légèrement allongée et la truffe développée. Moustache de longs poils par-dessus les babines.

• **Historique** Chien originaire de Vendée, dont les ancêtres sont le saint-hubert français (voir pp. 184-185), le braque italien (voir p. 101) et le griffon nivernais (voir p. 177).

• **Remarque** Excitable au découpler, peut se fatiguer avant que le sanglier soit aux abois. Convient au veneur qui ne suit qu'une partie de la chasse.

Taille 60-66 cm	Poids 30-35 kg	Tempérament Vif, aimable

ays d'origine France	Premier usage Petite vénerie	Ancienneté XVIIe s.

BRIQUET GRIFFON VENDÉEN

Ce parent, plus petit, du grand griffon vendéen (page de gauche) a la tête courte, les oreilles attachées bas et un double pelage broussailleux, de couleur unie ou composée.

• **HISTORIQUE** Le briquet a un ancêtre commun avec le grand griffon vendéen, bien qu'il préfère s'attaquer aux lapins plutôt qu'aux sangliers et aux loups.

• **REMARQUE** Travaille en meute ou en solitaire.

aille 48-56 cm	Poids 24 kg	Tempérament Énergique, vif

ays d'origine France	Premier usage Grande vénerie	Ancienneté XIIIe s.

GRIFFON NIVERNAIS

Grand chien de structure légère, un peu comme le spinone (voir p. 100) et l'otterhound (voir p. 149). Aspect broussailleux, pour ne pas dire hirsute. Poil long et dur, généralement gris ou fauve.

• **HISTORIQUE** Race ancienne, descendant du chien gris de Saint-Louis, éteint.

• **REMARQUE** Chien sélectionné particulièrement pour la chasse au sanglier et à l'ours.

• **AUTRE NOM** Chien de pays.

aille 53-62 cm	Poids 23-25 kg	Tempérament Actif, vif

Pays d'origine France	Premier usage Chasse au lapin	Ancienneté XVIe s.

Petit bleu de Gascogne

En dépit de son nom, le petit bleu de Gascogne est un chien assez grand. Parent du petit griffon bleu de Gascogne (page de droite), il s'en distingue par les oreilles, plus plissées et plus grandes. Il a aussi les membres un peu plus longs, une structure plus lourde ainsi qu'une robe rase et lisse.

• **Historique** Race due à l'élevage sélectif à partir du grand bleu de Gascogne (voir pp. 170-171), dont la taille a été réduite. L'origine du petit bleu est effectivement gasconne.

• **Remarque** Chien très prisé pour son habileté à courre le lapin et le lièvre.

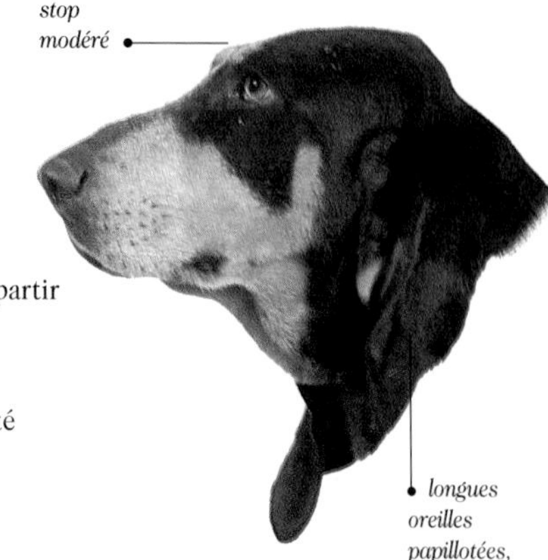

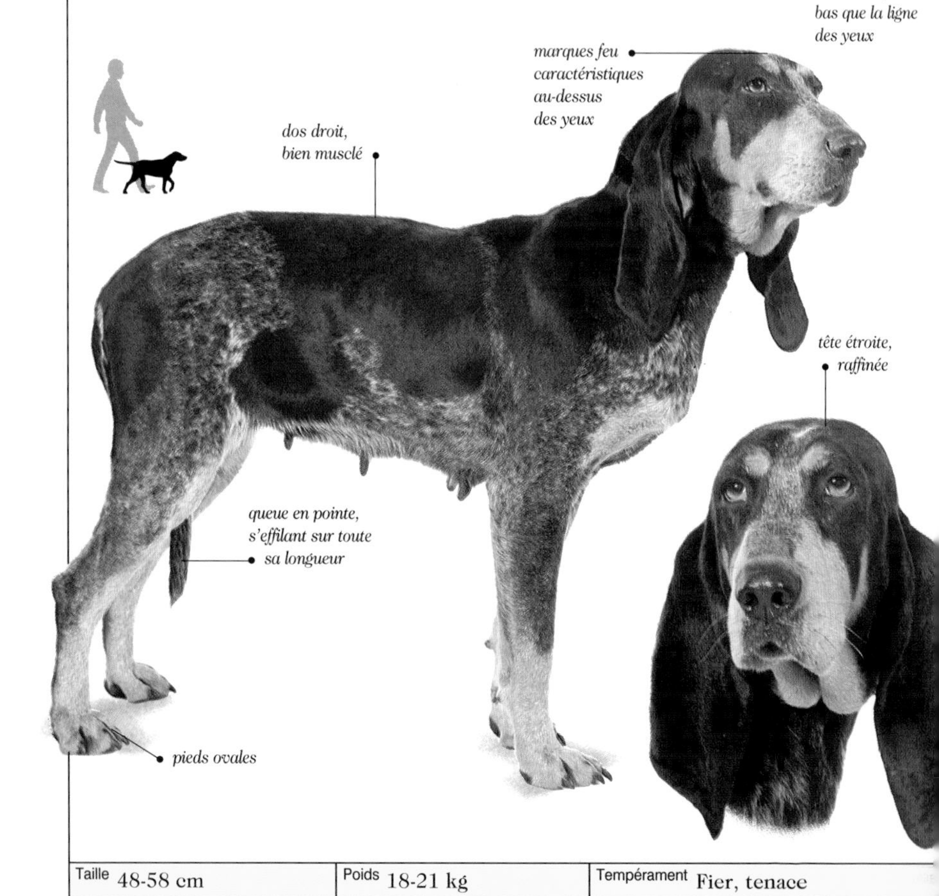

Taille 48-58 cm	Poids 18-21 kg	Tempérament Fier, tenace

ays d'origine France	Premier usage Courre du lièvre	Ancienneté XVIIIe s

PETIT GRIFFON BLEU DE GASCOGNE

Sa robe grossière et dure différencie cette race des autres bleus de Gascogne. Elle garde cependant la coloration typique de ce groupe, avec les zones feu confinées principalement à la tête et les grandes taches de noir uni, le reste du corps devant idéalement paraître bleuâtre, en raison du mélange de poils blancs et noirs.

• **HISTORIQUE** D'origine incertaine. Cependant l'aspect rustique du petit griffon bleu de Gascogne reflète une ascendance mêlant d'autres bleus de Gascogne à des griffons à poil dur.

• **REMARQUE** Cette race d'un bon naturel doit être considérée aujourd'hui comme l'une des plus rares parmi les chiens courants français.

aille 43-52 cm	Poids 18-19 kg	Tempérament Diligent, aimable

Pays d'origine France	Premier usage Petite vénerie	Ancienneté Après 1970

Anglo-français de petite vénerie

C'est la plus petite des trois races d'anglo-français. Généralement, la robe de ce chien courant est feu et blanc, noir et blanc ou tricolore. Le corps est trapu mais athlétique et bien musclé, la tête un peu petite par rapport à la taille, les oreilles attachées bas et la truffe bien développée.

• **Historique** Il s'agit d'un chien « en train de se faire » et la lignée n'en est donc pas fixée. Les influences dominantes sont celles des chiens courants français et du beagle (voir p. 146). Un standard préliminaire a été rédigé en 1978.

• **Remarque** De tous les anglo-français, c'est celui-ci qui fait le meilleur animal familier.

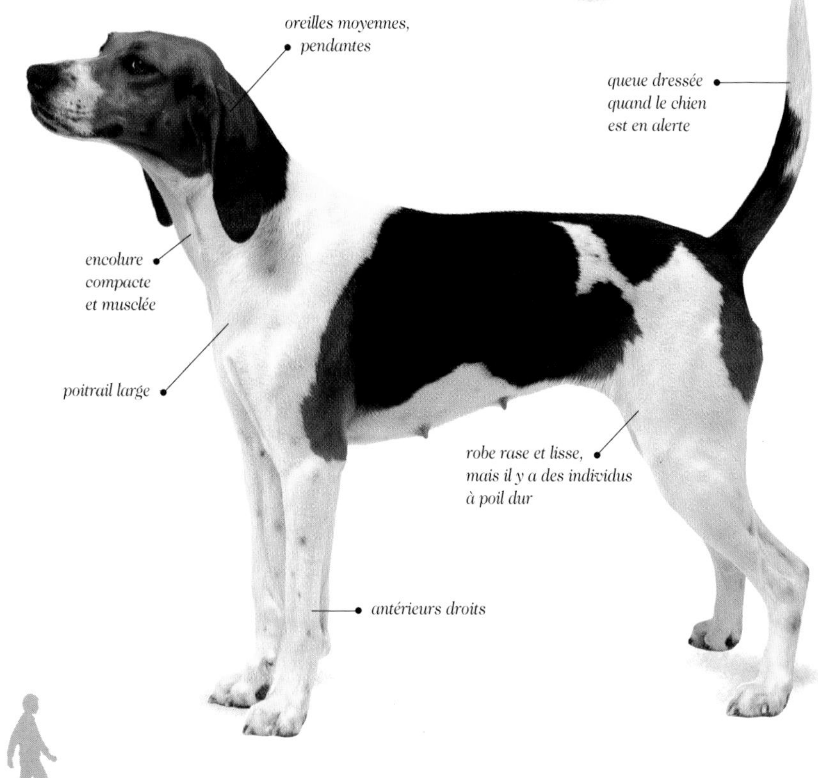

Taille 46-56 cm	Poids 16-20 kg	Tempérament Réservé, volontaire

Pays d'origine France	Premier usage Louveterie	Ancienneté XIIIe s.

Griffon fauve de Bretagne

Il se reconnaît essentiellement à sa robe, de texture très rude mais pas trop longue. La coloration varie des nuances fauves au brun-rouge. Le noir n'est pas autorisé. Ce chien bien musclé a le museau quelque peu allongé, la truffe noire ou brune et de longues oreilles pendantes, qui se terminent en pointe. Excellent chien de meute, pourtant presque inconnu hors de France.

• **Historique** Race ancienne, réputée en France au Moyen Âge. Elle a atteint le sommet de sa popularité au XIXe siècle.

• **Remarque** Il y a quelques années, la crainte s'est exprimée que le standard de la race ne s'altère. Des spécifications très strictes sont aujourd'hui appliquées dans toutes les expositions.

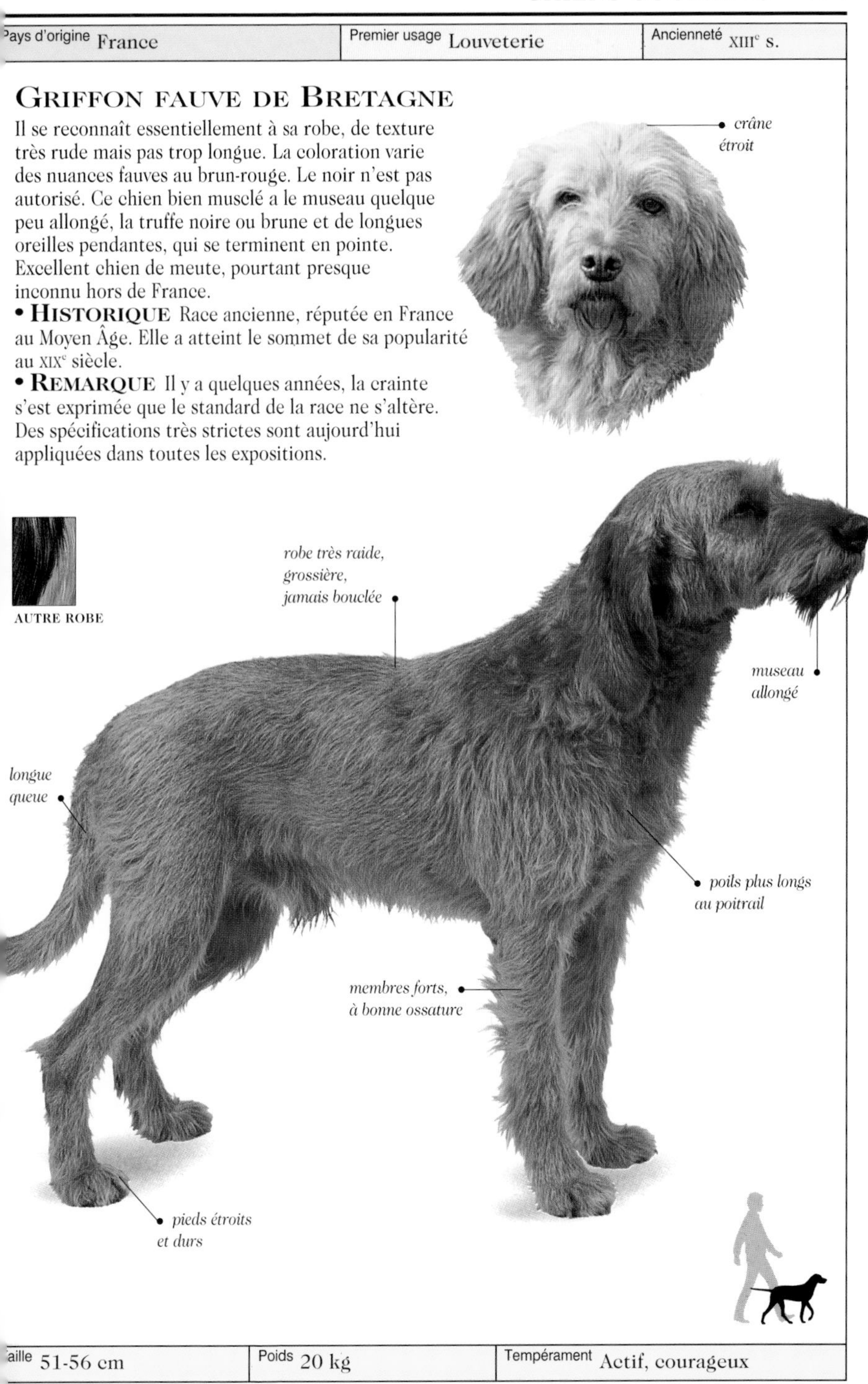

Taille 51-56 cm	Poids 20 kg	Tempérament Actif, courageux

Pays d'origine France	Premier usage Courre du cerf et du lièvre	Ancienneté XVIIe s.

PORCELAINE

Le nom de cette race vient de sa magnifique robe blanche, laquelle consiste en poils très ras, de texture fine. Des marques orange peuvent toutefois être présentes, surtout aux oreilles. La tête est délicatement dessinée, les oreilles sont longues. Le chien est bâti en légèreté mais bien musclé.

• **HISTORIQUE** On pense que c'est le plus ancien chien courant français, dans la mesure où il représenterait une évolution du Montaimbœuf, aujourd'hui éteint. Le porcelaine s'éteignit d'ailleurs, lui aussi, pendant la Révolution, mais des amateurs suisses le recréèrent au milieu du XIXe siècle.

• **REMARQUE** Nez très fin et belle voix musicale.

• **AUTRE NOM** Chien de Franche-Comté.

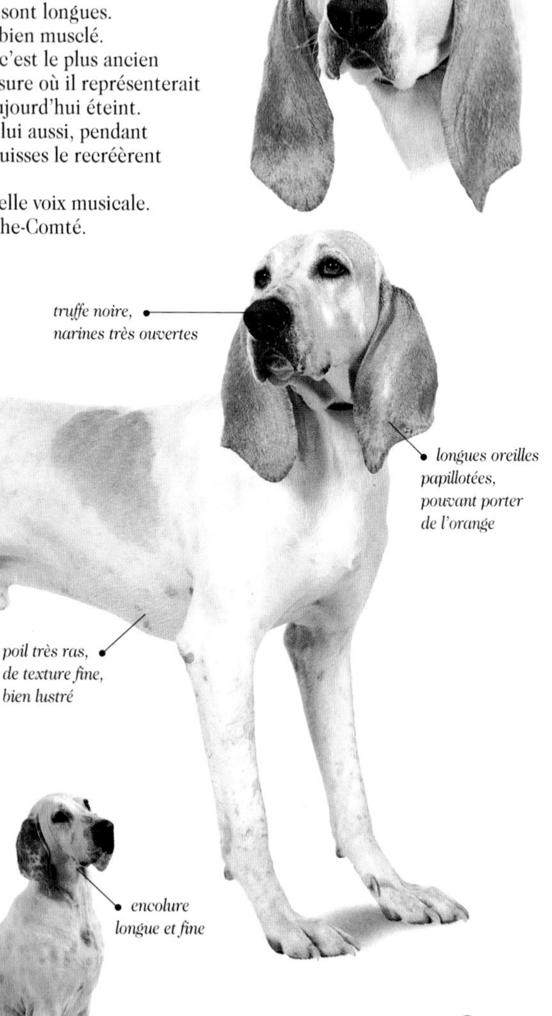

Taille 56-58 cm	Poids 25-28kg	Tempérament Actif, aimable

Pays d'origine Suisse	Premier usage Petite vénerie	Ancienneté XVIe s.

BRUNO DU JURA

Ce chien du Jura suisse se caractérise par l'absence de marques blanches sur la robe. À part cela, il ressemble aux chiens courants de Suisse alémanique. Il se distingue sans hésitation du type saint-hubert (voir pp. 184-185) par sa tête moins massive et son allure générale plus fine.

• **HISTORIQUE** On pense qu'il descend d'anciennes races françaises, plus lourdes, dont ne survivent que des formes à poil ras.

• **REMARQUE** Cette race conserve un puissant instinct de chasse et demande beaucoup d'exercice pour rester en bonne condition.

• **AUTRE NOM** Chien du Jura.

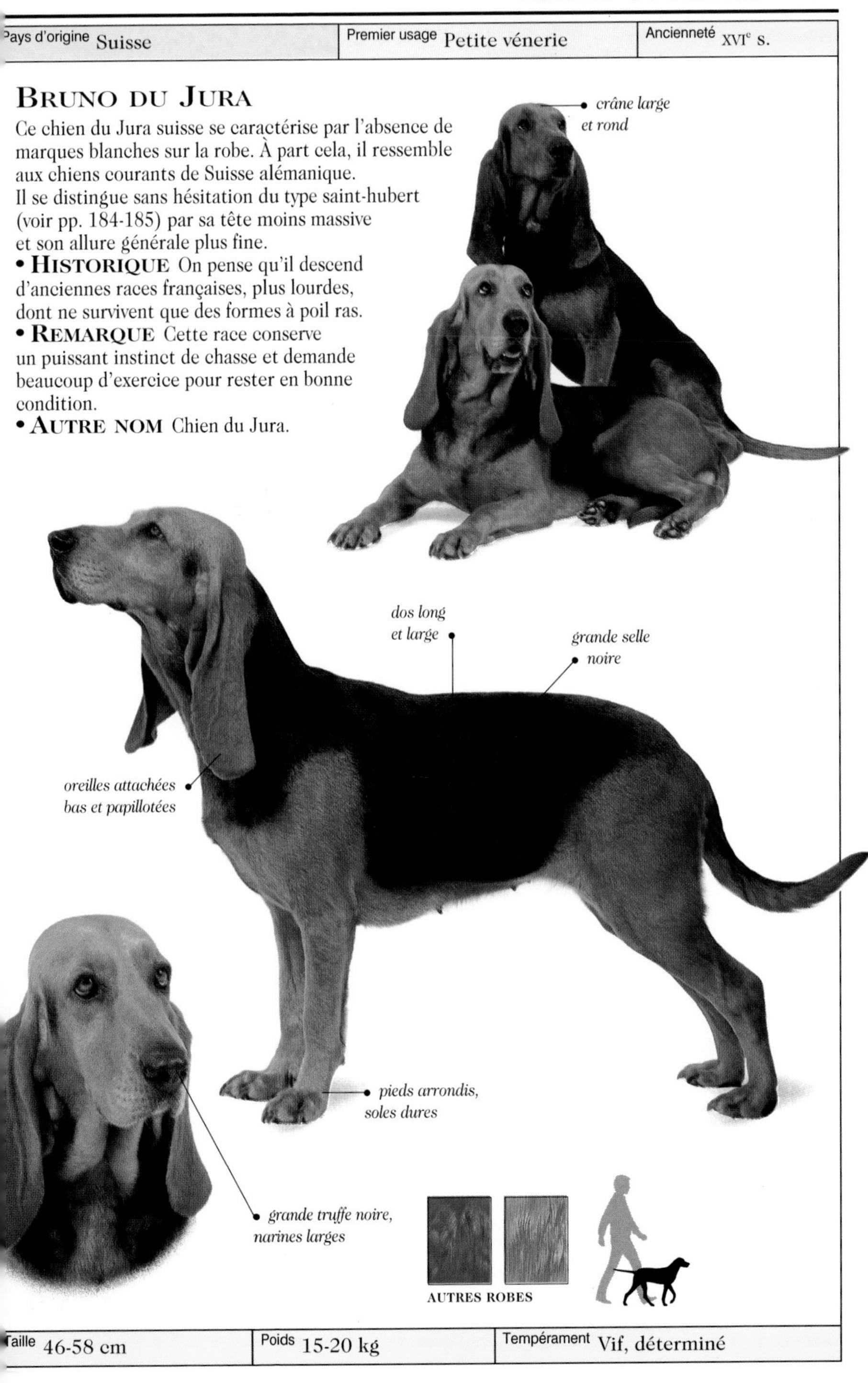

Taille 46-58 cm	Poids 15-20 kg	Tempérament Vif, déterminé

Pays d'origine Suisse	Premier usage Vénerie	Ancienneté XVIe s.

BRUNO DU JURA TYPE SAINT-HUBERT

Bien que la coloration noir et feu de ce chien montre son étroite affinité avec le bruno du Jura proprement dit (voir p. 183), il est d'aspect assez différent. Il tend à être plus lourdement bâti, et ses rides sur le front rappellent le vrai saint-hubert. Les taches noires peuvent prendre l'aspect d'une selle ou s'étendre plus largement, surtout vers la tête et les membres, en contraste avec les zones feu.

• **HISTORIQUE** On pense que ce type doit être mis en relation étroite avec la variété française, maintenant éteinte, de l'ancien chien de Saint-Hubert. En tout cas, cette race suisse descend sûrement d'une souche française.

• **REMARQUE** Chien de nez, le bruno du Jura type saint-hubert aboie fort quand il prend la voie. Il est plein d'énergie et on l'utilise pour quantité de gibiers, du lièvre et du renard à de grands animaux comme le cerf.

Taille 46-58 cm	Poids 15-20 kg	Tempérament Actif, aimable

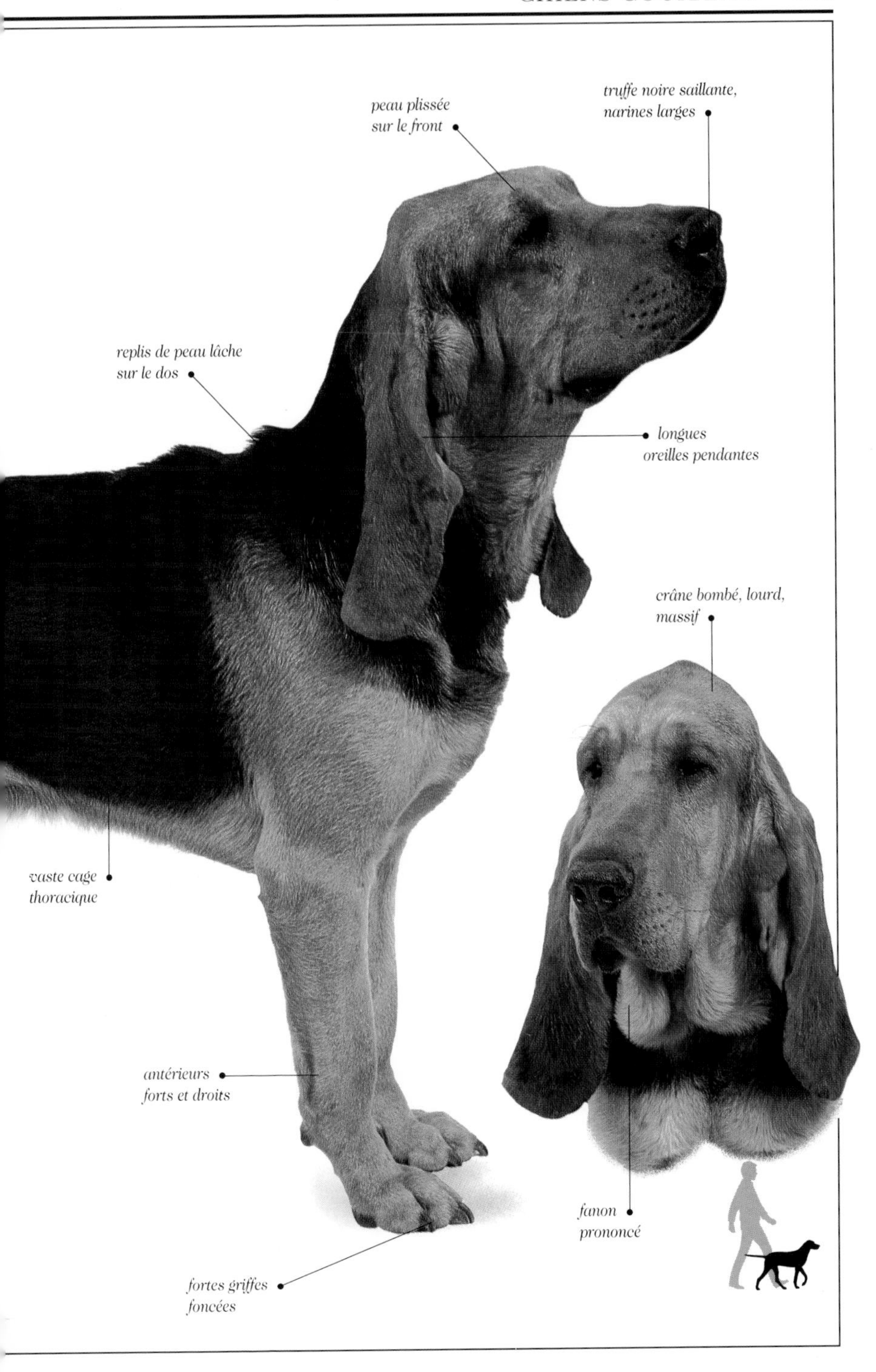
peau plissée
sur le front
truffe noire saillante,
narines larges
replis de peau lâche
sur le dos
longues
oreilles pendantes
crâne bombé, lourd,
massif
vaste cage
thoracique
antérieurs
forts et droits
fanon
prononcé
fortes griffes
foncées

Pays d'origine Hongrie	Premier usage Chasse au petit gibier	Ancienneté IXe s.

LÉVRIER HONGROIS

Cette race de lévrier aux longues jambes est élancée, élégante, et elle ressemble beaucoup au lévrier anglais (voir p. 150), bien qu'elle soit un peu plus petite. La tête et le museau sont larges pour un chien qui se fie à sa vue plus qu'à son flair. La robe est rase et rêche, les couleurs unies et bringées acceptables.

• **HISTORIQUE** Race ancienne, qui accompagnait l'invasion magyare en Europe centrale au Xe siècle.

• **REMARQUE** Race peu connue hors de Hongrie et rarement présentée aux expositions.

• **AUTRE NOM** Magyar agár.

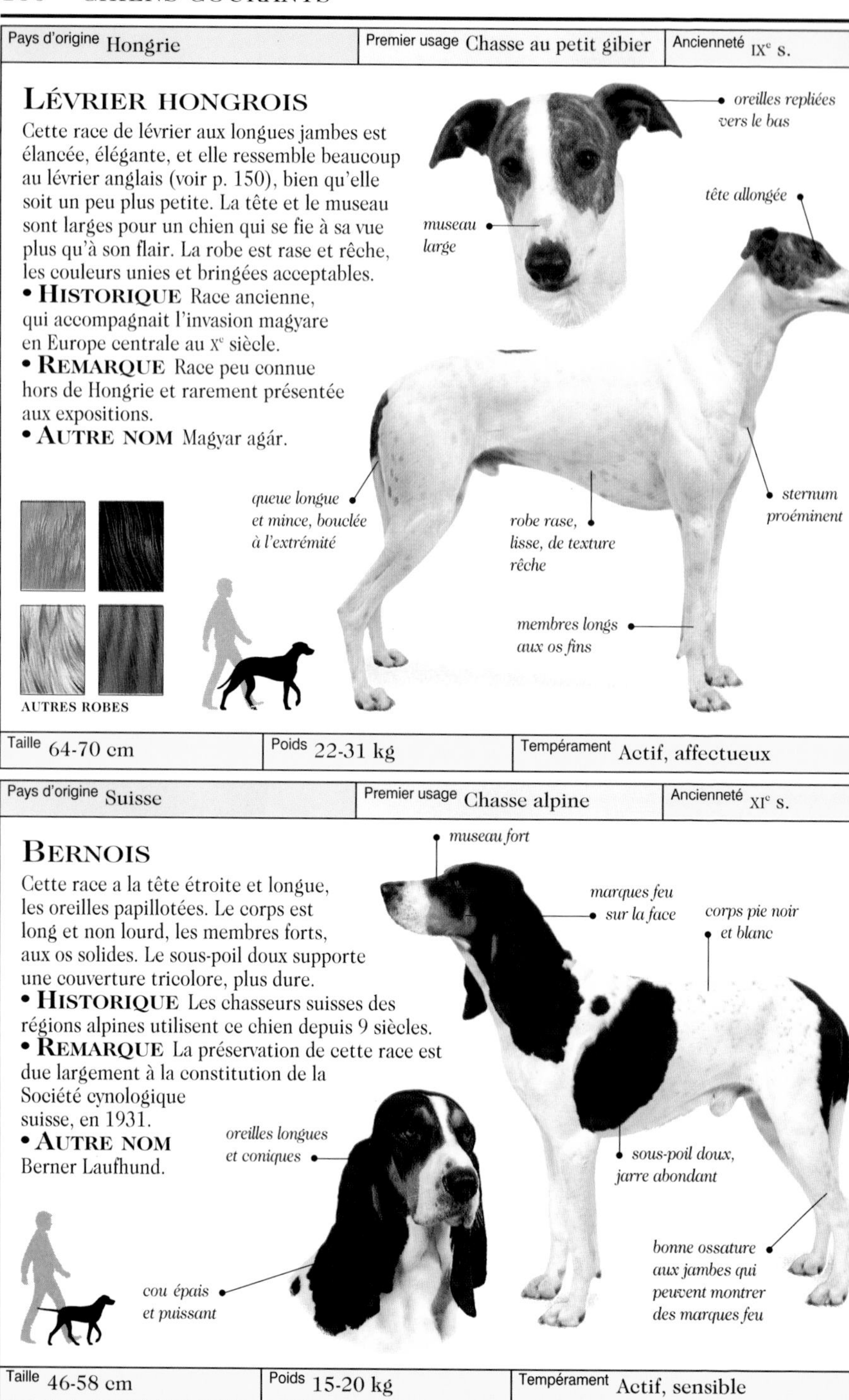

Taille 64-70 cm	Poids 22-31 kg	Tempérament Actif, affectueux

Pays d'origine Suisse	Premier usage Chasse alpine	Ancienneté XIe s.

BERNOIS

Cette race a la tête étroite et longue, les oreilles papillotées. Le corps est long et non lourd, les membres forts, aux os solides. Le sous-poil doux supporte une couverture tricolore, plus dure.

• **HISTORIQUE** Les chasseurs suisses des régions alpines utilisent ce chien depuis 9 siècles.

• **REMARQUE** La préservation de cette race est due largement à la constitution de la Société cynologique suisse, en 1931.

• **AUTRE NOM** Berner Laufhund.

Taille 46-58 cm	Poids 15-20 kg	Tempérament Actif, sensible

Pays d'origine Suisse	Premier usage Petite vénerie	Ancienneté XVIe s.

SUISSE BLANC ET ORANGE

Sa robe bicolore le distingue des races suisses apparentées. Le blanc prédomine mais il alterne avec de grandes taches jaune orange, orange ou même rougeâtres ; on ne pénalise pas dans les expositions la présence éventuelle de marques de couleur plus petites. Le suisse blanc et orange est un quêteur talentueux et il a une voix puissante, qui se fait invariablement entendre dès que la voie est prise.

• **HISTORIQUE** Originaire de Suisse centrale et occidentale, il est apparenté à des races françaises dont le berceau est proche de la frontière.

• **REMARQUE** Il en existe une version basset (appelée en allemand *schweizer Niederlaufhund*), de coloration identique.

• **AUTRES NOMS** Schwyzerois, schweizer Laufhund.

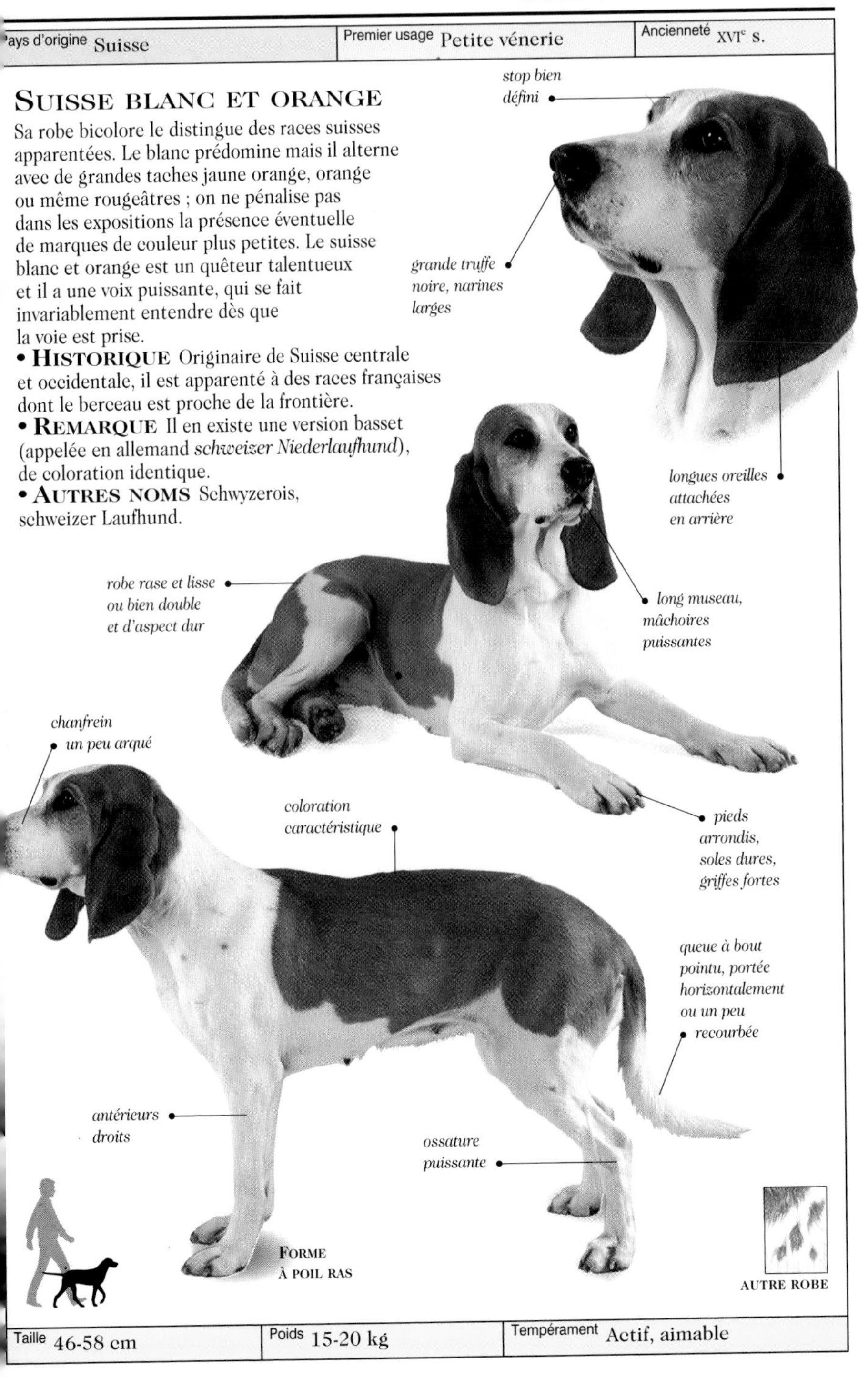

Taille 46-58 cm	Poids 15-20 kg	Tempérament Actif, aimable

Pays d'origine Suisse	Premier usage Grande vénerie	Ancienneté XVIe s.

LUCERNOIS

Il est globalement similaire aux quatre autres races de chiens courants suisses. Sa robe tricolore est toutefois bien typique. Les mouchetures noires et serrées sur les régions à fond blanc donnent l'impression d'une couleur bleue. Il y a une forme basset (connue des Alémaniques sous le nom de *luzerner Niederlaufhund*), qui ne mesure pas plus de 42 cm au garrot.

• **HISTORIQUE** La similarité comme la proximité géographique de certaines races françaises indiquent une relation ancienne entre ce chien et elles. Ses origines précises sont toutefois inconnues.

• **REMARQUE** Nez excellent. Quand le chien est sur la voie, il aboie de façon très caractéristique.

• **AUTRE NOM** Luzerner Laufhund.

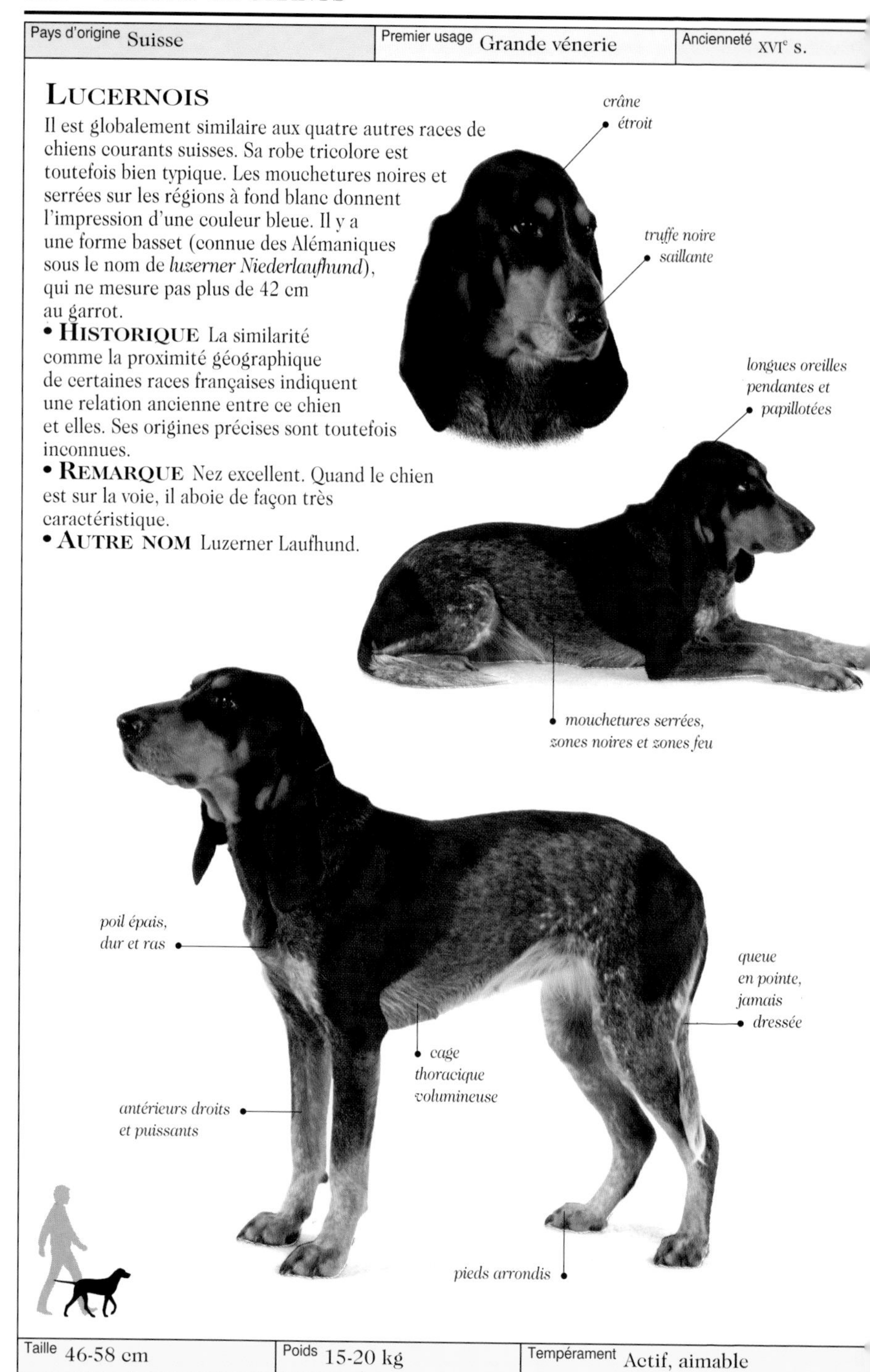

Taille 46-58 cm	Poids 15-20 kg	Tempérament Actif, aimable

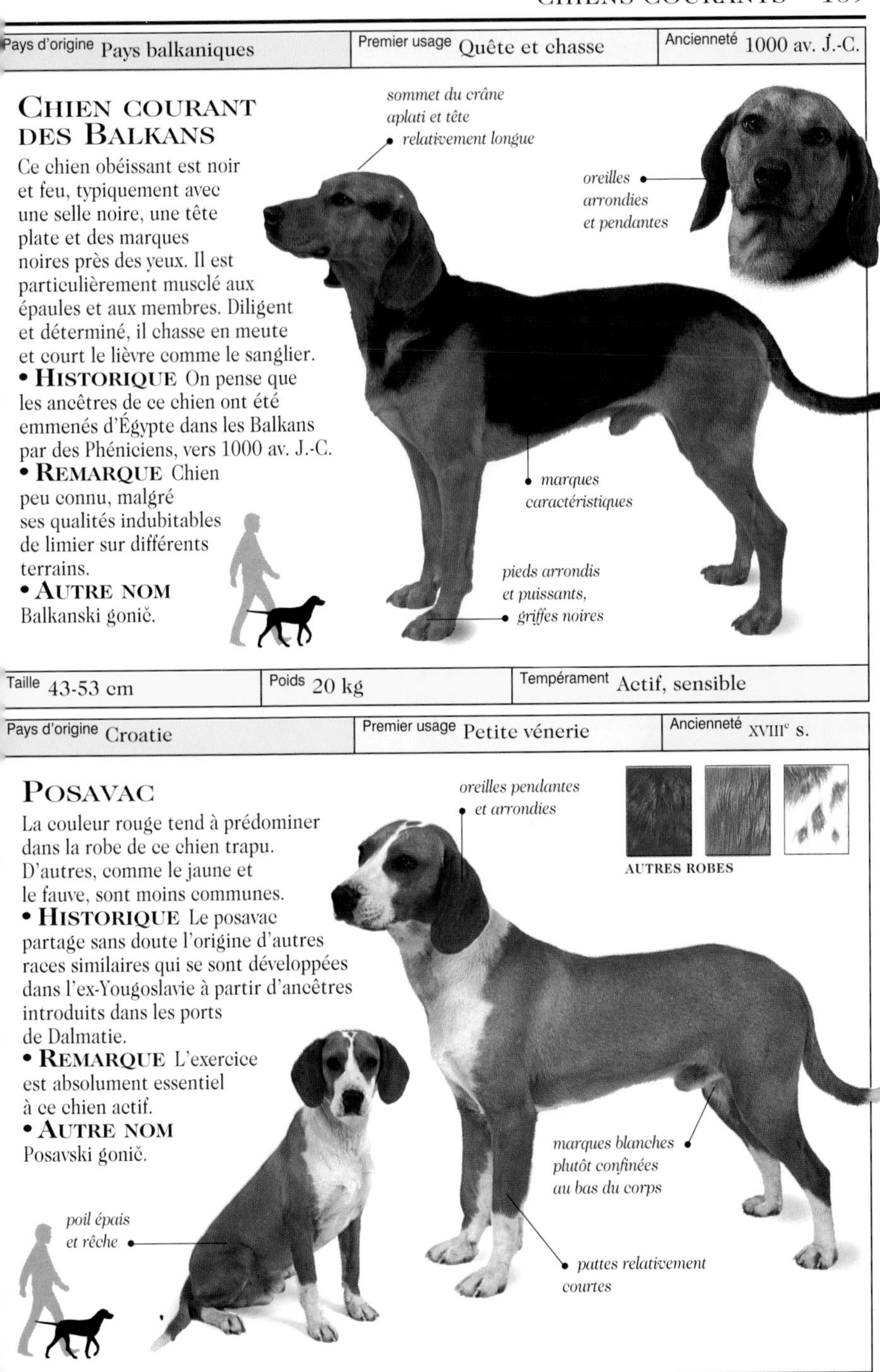

Pays d'origine Pays balkaniques	Premier usage Quête et chasse	Ancienneté 1000 av. J.-C.

Chien courant des Balkans

Ce chien obéissant est noir et feu, typiquement avec une selle noire, une tête plate et des marques noires près des yeux. Il est particulièrement musclé aux épaules et aux membres. Diligent et déterminé, il chasse en meute et court le lièvre comme le sanglier.

• **Historique** On pense que les ancêtres de ce chien ont été emmenés d'Égypte dans les Balkans par des Phéniciens, vers 1000 av. J.-C.

• **Remarque** Chien peu connu, malgré ses qualités indubitables de limier sur différents terrains.

• **Autre nom** Balkanski gonič.

Taille 43-53 cm	Poids 20 kg	Tempérament Actif, sensible

Pays d'origine Croatie	Premier usage Petite vénerie	Ancienneté XVIIIe s.

Posavac

La couleur rouge tend à prédominer dans la robe de ce chien trapu. D'autres, comme le jaune et le fauve, sont moins communes.

• **Historique** Le posavac partage sans doute l'origine d'autres races similaires qui se sont développées dans l'ex-Yougoslavie à partir d'ancêtres introduits dans les ports de Dalmatie.

• **Remarque** L'exercice est absolument essentiel à ce chien actif.

• **Autre nom** Posavski gonič.

Taille 43-59 cm	Poids 16-20 kg	Tempérament Actif, alerte

Pays d'origine Pays balkaniques	Premier usage Vénerie	Ancienneté XVIIIe s.

Planinski

Cette race de chiens courants – l'une de celles qui sont originaires des pays balkaniques et adriatiques – se reconnaît à sa coloration noir et feu. Le poil est épais, de texture grossière, le sous-poil très abondant : c'est l'idéal pour les rudes terrains montagneux et les maquis touffus de la région.

• **Historique** Il s'agit certainement d'une race ancienne, dont les ancêtres peuvent avoir été amenés en Adriatique par les Phéniciens. L'élevage sélectif en différents lieux a donné la diversité de chiens que l'on voit aujourd'hui dans la région.

• **Remarque** Son nez fin, sa structure athlétique et sa bonne voix font du planinski un excellent chien de chasse.

• **Autre nom** Chien de montagne yougoslave.

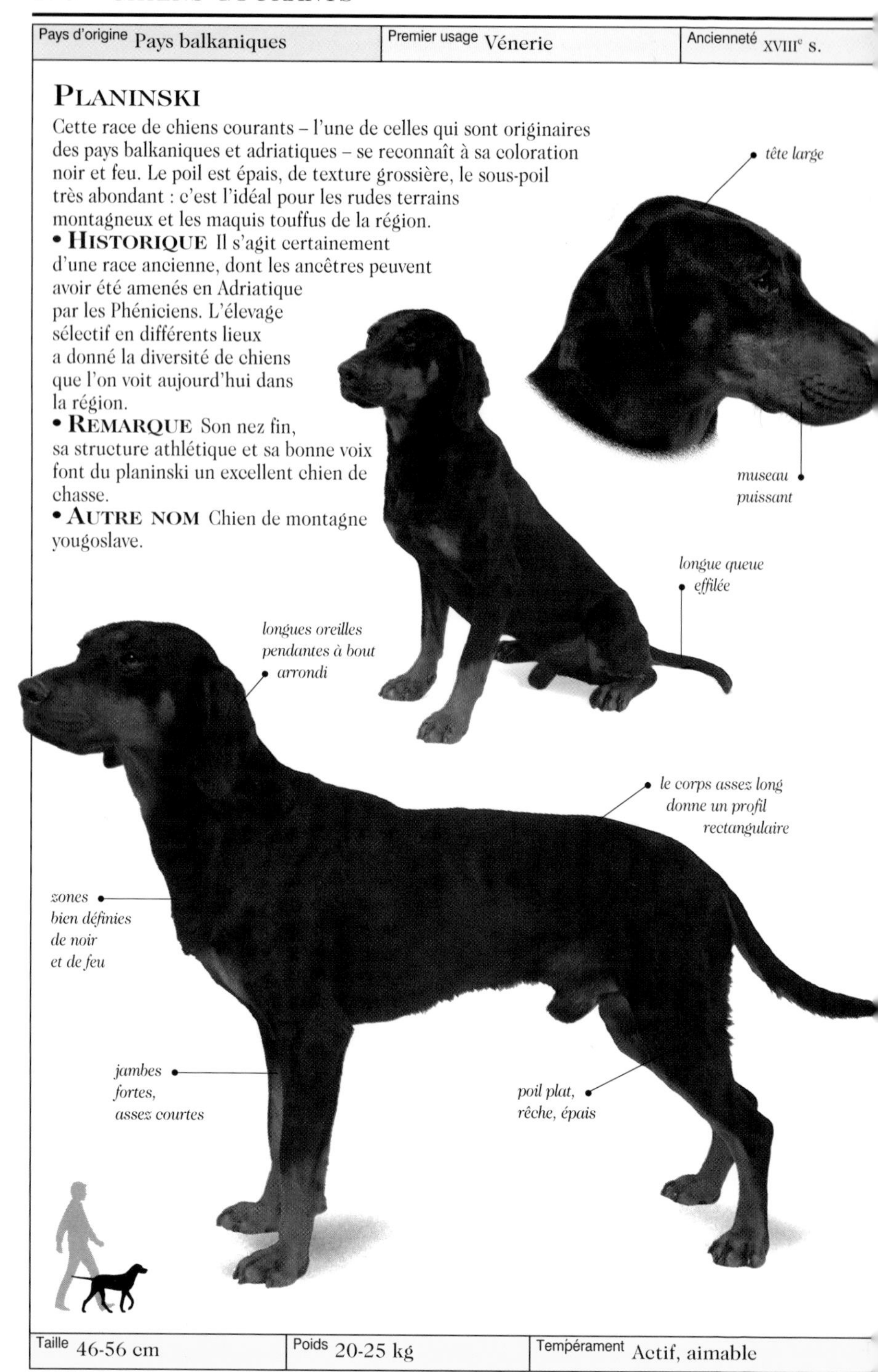

Taille 46-56 cm	Poids 20-25 kg	Tempérament Actif, aimable

Pays d'origine Kosovo, Macédoine	Premier usage Petite vénerie	Ancienneté XIXe s.

YOUGOSLAVE TRICOLORE

La coloration de cette race de chiens courants à poil ras la distingue du planinski (page de gauche). Le feu prédomine ici, en contraste avec le noir ; une zone blanche apparaît à l'avant et s'étend parfois vers le dessous. Cette race est distribuée très localement ; elle est commune surtout au Kosovo et en Macédoine. Même là, cependant, elle ne se voit plus que rarement depuis quelques années.

• **HISTORIQUE** Comme chez d'autres chiens courants balkaniques, une combinaison de chasseurs à vue et de limiers sous-tend l'histoire de cette race.

• **REMARQUE** Bien que grand chasseur, ce chien est très adaptable et aime la compagnie de l'homme.

• **AUTRE NOM** Jugoslavenski tribarvni gonič.

liste blanche en face

truffe noire saillante

oreilles musclées, pendant le long de la face

le noir tend à dominer sur le dos

extrémité de la queue blanche

importante zone blanche sur le devant

cuisses puissantes

du blanc aux pieds et aux pattes

soles épaisses et résistantes

Taille 46-56 cm	Poids 20-25 kg	Tempérament Actif, obéissant

Pays d'origine Italie	Premier usage Chasse	Ancienneté IIᵉ s.

CHIEN COURANT ITALIEN

Fort et puissamment bâti, ce chien a un long museau effilé, au chanfrein convexe et descendant en oblique vers la truffe. Les babines ont les bords noirs.

• **HISTORIQUE** Cette race descend à la fois de chasseurs à vue archaïques, probablement introduits en Italie par les Phéniciens, et de chiens courants européens. C'était un chien de chasse populaire à la Renaissance et il a connu récemment un regain d'intérêt en Italie.

• **REMARQUE** Une forme à poil dur, appelée en italien *segugio italiano a pelo forte*, est identique à celle-ci, hormis la robe.

• **AUTRE NOM** Segugio italiano.

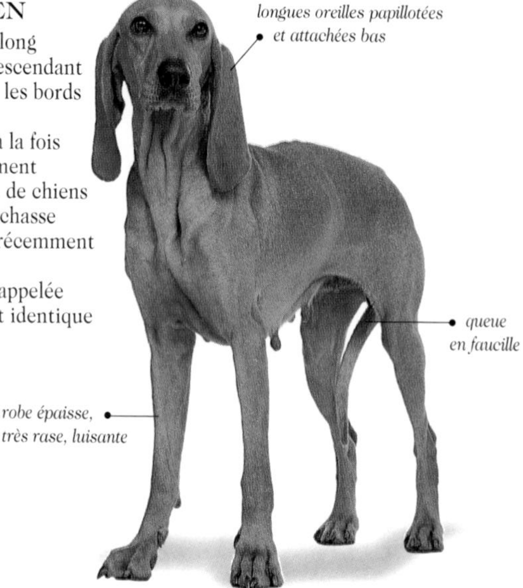

AUTRE ROBE

Taille 52-58 cm	Poids 18-28 kg	Tempérament Docile, actif

Pays d'origine Italie	Premier usage Chasse au petit gibier	Ancienneté 1000 av. J.-C.

LÉVRIER SICILIEN

Ce chasseur à vue, élégant et athlétique, peut aussi suivre le gibier au flair. Il est plus petit que d'autres races semblables des îles méditerranéennes.

• **HISTORIQUE** Descend probablement d'anciennes souches de lévriers acquises en Égypte et diffusées en Méditerranée par les Phéniciens.

• **REMARQUE** Curieusement, cette race est moins connue internationalement que le chien d'Ibiza (voir p. 194) ou le chien des pharaons (voir p. 193).

• **AUTRE NOM** Cirneco dell'Etna.

Taille 42-50 cm	Poids 8-12 kg	Tempérament Aimable, alerte

Pays d'origine Malte	Premier usage Chasse au lapin	Ancienneté 1000 av. J.-C.

CHIEN DES PHARAONS

Ses grandes oreilles dressées et sa couleur feu attirent aussitôt l'attention. La ressemblance est frappante avec les représentations antiques du dieu Anubis, dont la tâche était de conduire les âmes vers le séjour des morts. C'est un chasseur à vue qui peut aussi quêter le gibier au flair.

• **HISTORIQUE** On pense que ses ancêtres ont été introduits à Malte par des marchands phéniciens. La race, restée assez pure, s'est fait connaître à l'étranger peu avant 1970.

• **REMARQUE** Sans exercice suffisant, ces chiens deviennent rapidement obèses.

• **AUTRES NOMS** Lévrier des pharaons, kelb tal-fennek.

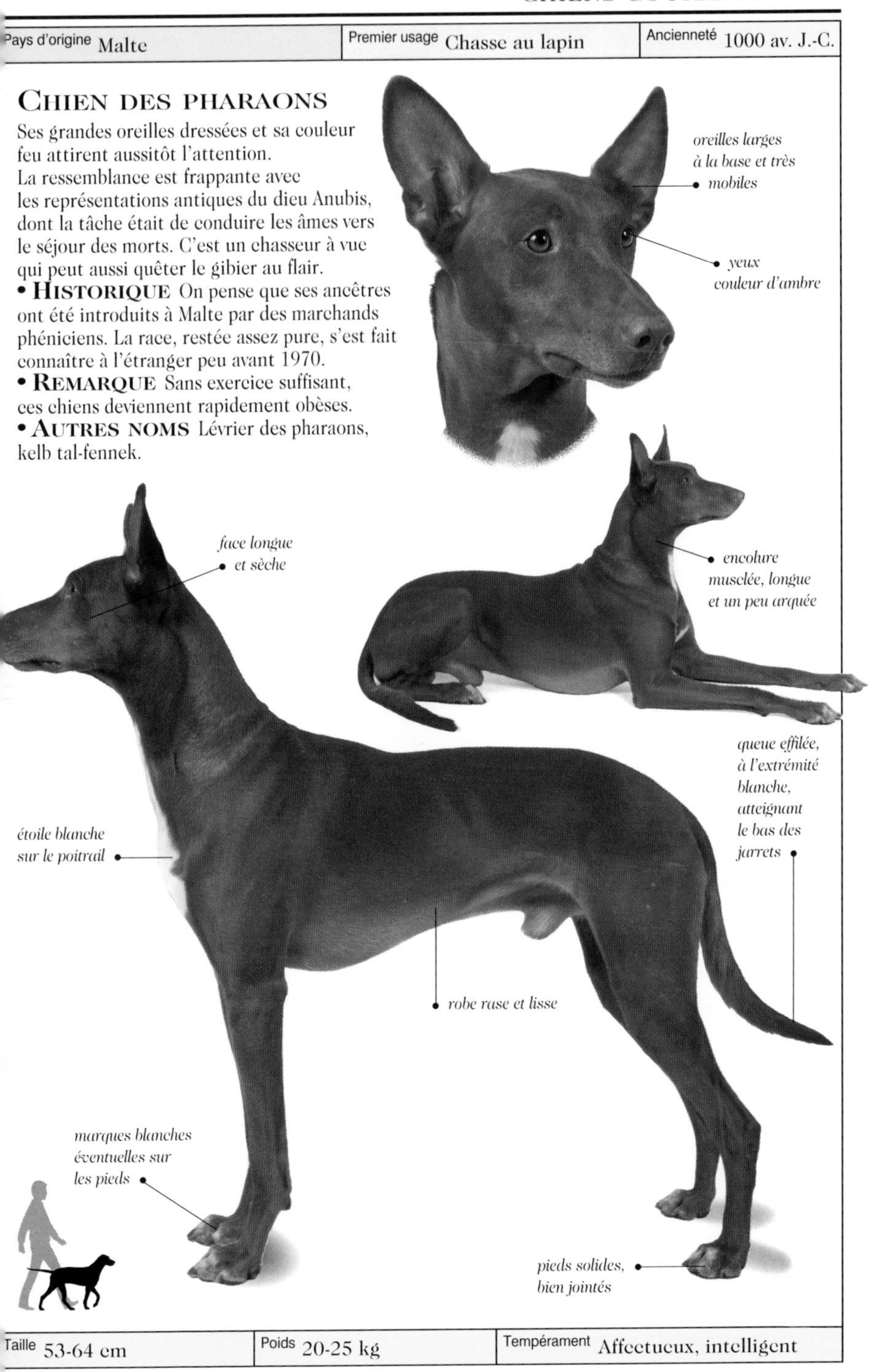

Taille 53-64 cm	Poids 20-25 kg	Tempérament Affectueux, intelligent

Pays d'origine Espagne	Premier usage Chasse au lapin	Ancienneté 3000 av. J.-C

CHIEN D'IBIZA

Grâce à ses grandes oreilles, il chasse à l'ouïe autant qu'à la vue. Il est de bonne taille et, en comparaison d'autres chiens de chasse rapides, relativement massif. Sa coloration variable le distingue du chien des pharaons (voir p. 193).

• **HISTORIQUE** Des figurations de chiens semblables à celui d'Ibiza ont été trouvées en Égypte, et elles datent d'il y a environ 5 000 ans. Ses ancêtres viennent donc sans doute de cette région.

• **REMARQUE** Chien impressionnable et fidèle.

• **AUTRES NOMS** Lévrier d'Ibiza, podenco Ibicenco, charnigue.

Taille 57-70 cm	Poids 19-25 kg	Tempérament Alerte, adaptable

Pays d'origine Espagne	Premier usage Quête	Ancienneté VIe s.

SABUESO

La ressemblance entre ce chien et les mâtins montre que c'est une race ancienne. Elle connaît deux formes : le *sabueso de monte* (représenté ici) pèse environ 25 kg, mesure 56 cm au garrot et possède une robe rêche, de couleur blanche à taches rouges ou noires ; le *lebrero* est plus petit, ne dépassant pas 51 cm au garrot, et généralement d'un rouge plus uniforme.

• **HISTORIQUE** On pense qu'il a été introduit par les Phéniciens dans la péninsule Ibérique, où il s'est peu modifié.

• **REMARQUE** Sert toujours de chien de chasse, et ne fait pas un bon animal de compagnie ou d'agrément.

• **AUTRE NOM** Chien courant espagnol.

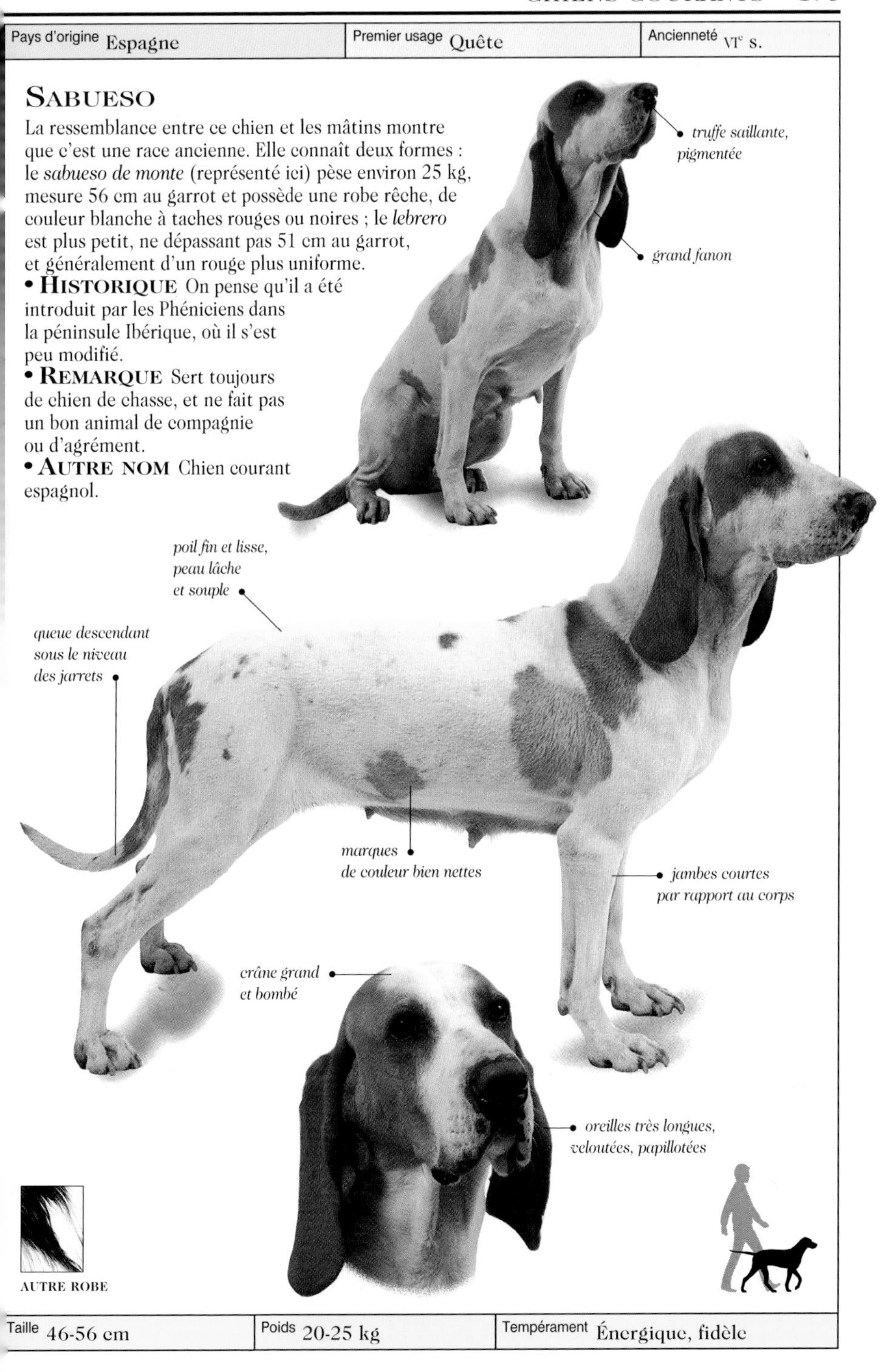

Taille 46-56 cm	Poids 20-25 kg	Tempérament Énergique, fidèle

Pays d'origine Espagne	Premier usage Chasse et course	Ancienneté 600 av. J.-C.

GALGO

Avec sa silhouette typique de lévrier, ce chien est bâti pour la vitesse. Il est plus petit que le lévrier anglais (voir p. 150), auquel il ressemble par ailleurs. Il a toutefois un stop plus prononcé et il est de structure plus robuste. Des croisements avec le lévrier anglais ont produit une race connue localement sous le nom de *galgo Inglés-Español* et utilisée pour les courses.

• **HISTORIQUE** Les origines lointaines de ce lévrier espagnol ne sont pas claires, mais il s'agit d'une lignée ancienne, déjà attestée à l'époque romaine.

• **REMARQUE** En tant que chien de course, n'égale pas le lévrier anglais.

• **AUTRE NOM** Lévrier espagnol.

FORME À POIL RAS

yeux foncés, ovales, expressifs

FORME À POIL DUR

oreilles demi-tombantes vers l'arrière

tête longue, étroite

reins puissants, un peu arqués

encolure longue, musclée, élégamment arquée

antérieurs hauts et droits

grasset bien courbe

queue très longue, assez mince et portée bas

AUTRES ROBES

Taille 66-71 cm	Poids 27-30 kg	Tempérament Actif, aimable

Pays d'origine Portugal	Premier usage Leveur de gibier, ratier	Ancienneté XIXe s.

PETIT PODENGO PORTUGAIS

Il ressemble un peu à un chihuahua (voir p. 41) rustique, mais il n'y a pas de lien entre les deux races. Le petit podengo est en fait un lévrier en miniature. Bien proportionné, il n'a pas le corps plus long que haut. Il se signale aussi par son crâne bombé, son museau droit et son expression intelligente.

• **HISTORIQUE** Race apparemment dérivée du podengo moyen et, comme celui-ci, présentant des formes à poil dur et à poil ras.

• **REMARQUE** Chien enthousiaste, travaillant parfois avec ses cousins plus grands. Il entre dans les terriers pour en déloger les lapins, qu'il laisse capturer par les autres. C'est aussi un ratier de talent et un affectueux animal de compagnie.

• **AUTRES NOMS** Petit lévrier portugais, podengo português pequeno.

FORME À POIL RAS

FORME À POIL DUR

AUTRES ROBES

Taille 20-31 cm	Poids 5-6 kg	Tempérament Vif, affectueux

Pays d'origine Portugal	Premier usage Chasse au petit gibier	Ancienneté XVIIᵉ s.

PODENGO PORTUGAIS MOYEN

On élève des formes à poil ras et à poil dur. Les couleurs fauve et blanche tendent à prédominer, bien qu'on voie aussi du jaune et du noir marqués de blanc. Chien puissant pour sa taille, musclé, agile, chasseur très efficace de petit gibier, que ce soit en solitaire ou collectivement.

• **HISTORIQUE** Les chiens de chasse à vue du nord de l'Afrique ont sans doute été utilisés pour développer les podengos ; d'aucuns pensent toutefois que la forme moyenne descendrait directement du grand podengo et serait donc d'origine plus récente.

• **REMARQUE** Au Portugal, c'est le plus populaire des podengos ; ni trop grand ni trop petit, il s'adapte à un mode de vie familial, plus tranquille que celui du chien de chasse.

• **AUTRES NOMS** Lévrier portugais moyen, podengo portugês medio.

oreilles naturellement dressées et dirigées vers l'avant

FORME À POIL DUR

encolure puissante et musclée

queue dressée quand le chien est en alerte

sourcils arqués

museau droit

robe de texture rêche dans les deux formes

FORME À POIL RAS

AUTRE ROBE

Taille 39-56 cm	Poids 16-20 kg	Tempérament Vif, alerte

Pays d'origine Iran	Premier usage Chasse à la gazelle	Ancienneté 3000 av. J.-C.

SALUKI

L'aspect de ce lévrier est inimitable : mince, haut perché, plein d'élégance. La robe est relativement courte, avec des poils nettement plus longs aux oreilles et à la queue.
On trouve aussi des franges sur les cuisses et à l'arrière des membres. Capable d'accélérations foudroyantes : dans son pays d'origine, elles lui permettent de rattraper des gazelles, qui sont parmi les plus rapides des antilopes.

• **HISTORIQUE** Des figurations de chiens semblables ont été trouvées dans des tombes égyptiennes datant d'il y a plus de 5 000 ans, mais le nom de la race vient de la ville de Saluk, aujourd'hui au Yémen.

• **REMARQUE** Il faut bien surveiller un saluki dans les lieux où il pourrait rencontrer des chats ou de petits chiens.

• **AUTRES NOMS** Lévrier persan, salouki.

Taille 56-71 cm	Poids 20-30 kg	Tempérament Actif, aimable

Pays d'origine Russie	Premier usage Chasse au loup	Ancienneté XIIIᵉ s.

BARZOÏ

Gracieux, bâti pour la vitesse, ce beau chasseur à vue était traditionnellement utilisé pour courir les loups, ce qui exige de la rapidité, de l'intelligence et beaucoup d'audace. Ces qualités se reflètent dans l'attitude fière et aristocratique du barzoï. Susceptible et distant, il se montre toutefois fidèle et protecteur envers son maître.

• **HISTORIQUE** Ses origines sont étroitement liées à l'histoire de la monarchie russe. Des exemplaires en furent envoyés en Angleterre en 1842, comme cadeaux pour la princesse Alexandra, et l'on en exposa au premier Cruft's Dog Show, en 1891.

• **REMARQUE** Le nom vient de l'adjectif russe *borzyi*, qui signifie « fougueux ».

• **AUTRE NOM** Lévrier russe.

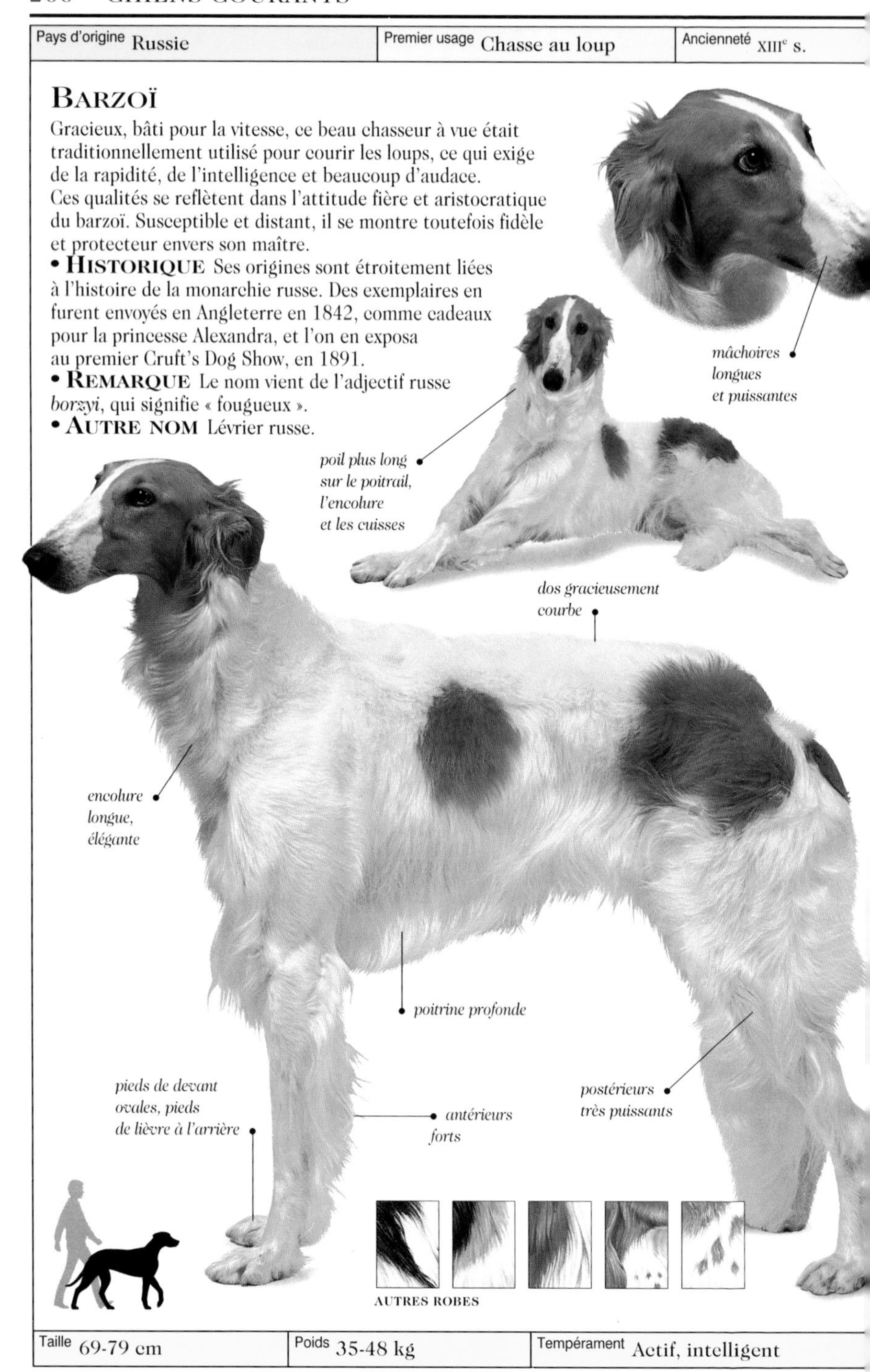

Taille 69-79 cm	Poids 35-48 kg	Tempérament Actif, intelligent

Pays d'origine Mali	Premier usage Chasse à la gazelle	Ancienneté XIe s.

AZAWAKH

D'aspect très athlétique, il est exceptionnellement rapide : il peut atteindre la vitesse de 65 km/h ; de plus, il montre beaucoup d'endurance. La tête est sèche et se caractérise par la présence de grosseurs sur les côtés.

• **HISTORIQUE** L'azawakh a été développé par les Touareg du Sahara méridional, pour faire trébucher des gazelles et d'autres proies, de sorte que les cavaliers puissent les rattraper.

• **REMARQUE** Cette race trouve lentement des amateurs dans le monde entier.

• **AUTRE NOM** Sloughi touareg.

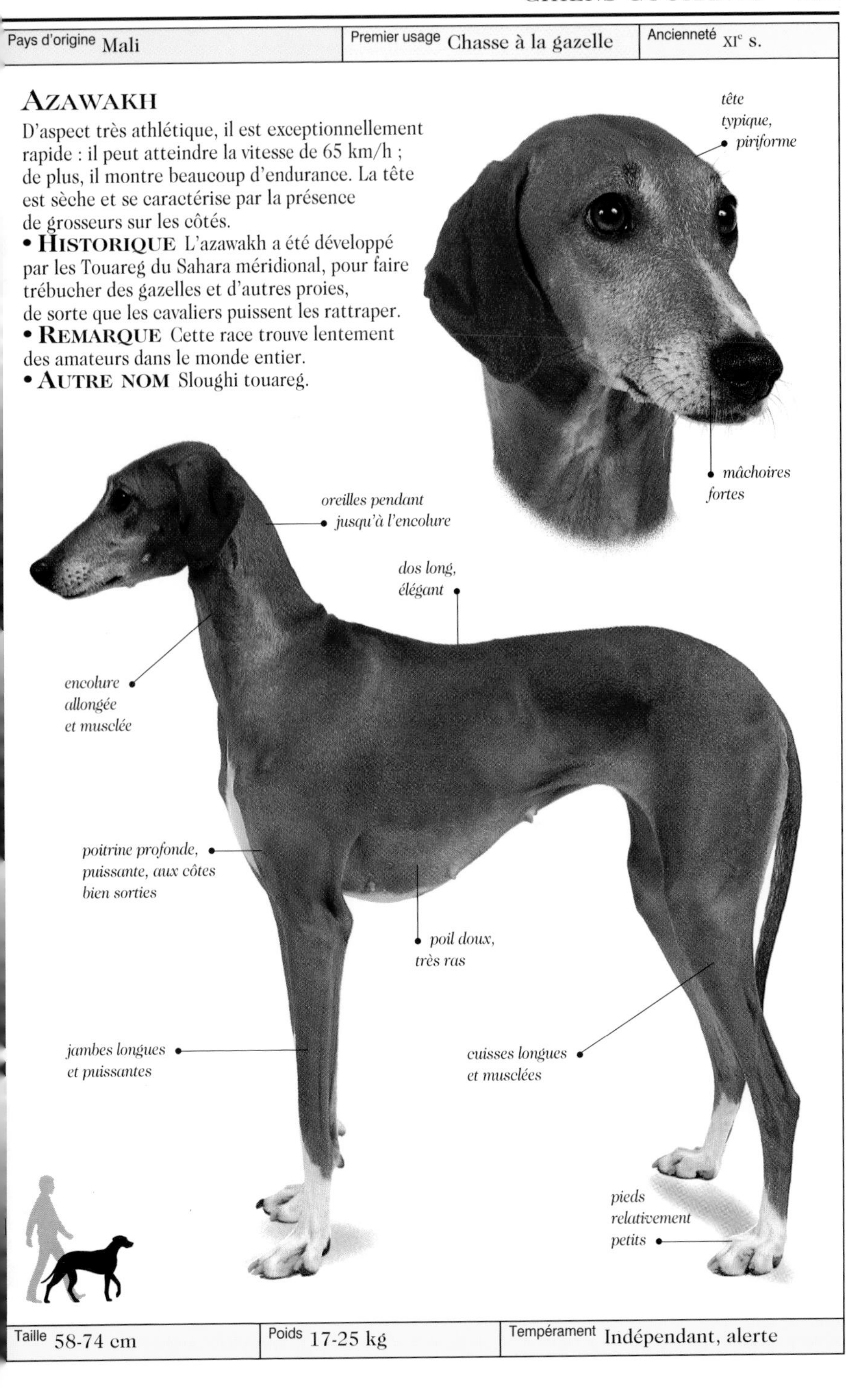

Taille 58-74 cm	Poids 17-25 kg	Tempérament Indépendant, alerte

Pays d'origine Afghanistan	Premier usage Chasse à la gazelle et au loup	Ancienneté XVIIe s.

LÉVRIER AFGHAN

Son élégance, en particulier sa longue robe soyeuse, lui a attiré beaucoup d'amateurs. Il ne garde toutefois son style que moyennant des soins attentifs. Ce dernier demi-siècle, l'élevage sélectif a considérablement augmenté la longueur des poils. En mouvement, l'afghan est bondissant et sa robe donne l'impression de flotter autour de lui.

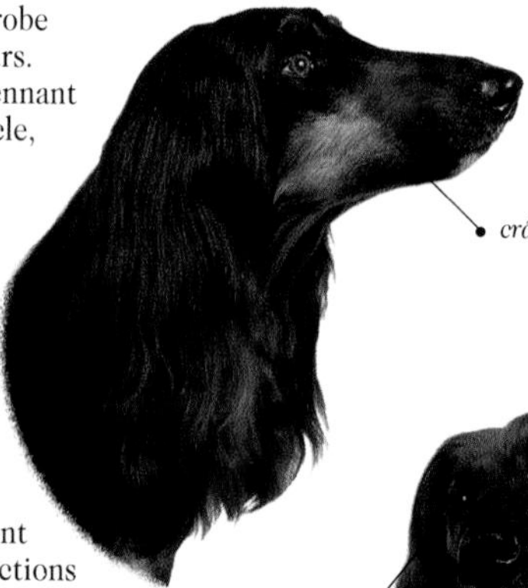

• **HISTORIQUE** Ce chien a été vu pour la première fois en Europe à la fin du XIXe siècle, lorsque des soldats britanniques l'ont ramené de la seconde guerre afghane. Il y avait à l'époque plusieurs formes locales – dont certaines plus grandes – mais ces distinctions ont disparu des lignées contemporaines.

• **REMARQUE** Ce chien athlétique exige beaucoup d'exercice. Il peut avoir tendance à s'enfuir ; cela vient peut-être de son passé cynégétique.

• **AUTRE NOM** Tazi.

crâne long

longs poils soyeux recouvrant les yeux

os iliaque saillant

couverture dense de longs poils sur les pieds

jambes longues et droites

pieds de devant grands et forts

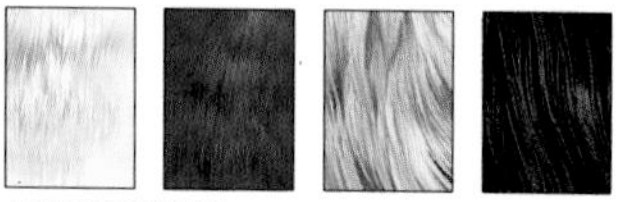

AUTRES ROBES

Taille 64-74 cm	Poids 23-27 kg	Tempérament Vif, actif

Pays d'origine Maroc	Premier usage Chien de berger	Ancienneté 6000 av. J.-C.

SLOUGHI

On se demande, vu sa structure, s'il ne s'agit pas simplement d'une forme à poil ras du saluki, modifiée par croisement avec des races semblables. Cela dit, le sloughi est un chien remarquable, élancé, à la musculature fine mais bien sculptée, aux yeux sombres, un peu tristes.

• **HISTORIQUE** L'origine de la race se trouve en Afrique du Nord, où des peintures et gravures antiques montrent des chiens similaires. Plus anciennement, ses ancêtres sont probablement venus de la péninsule Arabique.

• **REMARQUE** Utilisé chez lui comme gardien de troupeau et comme chien de chasse, il paraît occasionnellement dans les expositions européennes et américaines.

• **AUTRE NOM** Lévrier arabe.

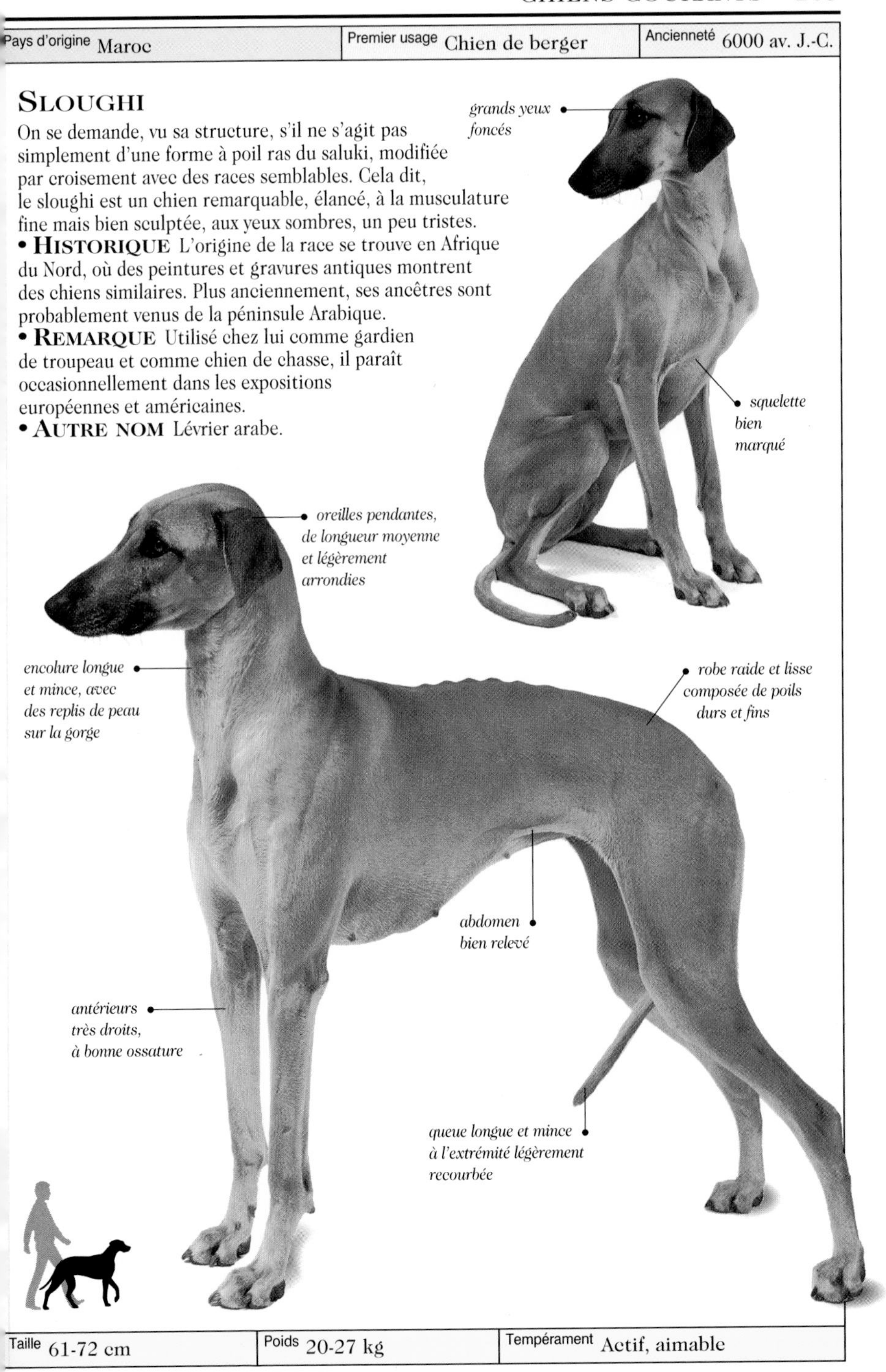

Taille 61-72 cm	Poids 20-27 kg	Tempérament Actif, aimable

Pays d'origine Japon	Premier usage Chasse au sanglier et au cerf	Ancienneté XVIIIe s.

TORA

Indéfectiblement dévoué, le tora, ou kaï, est un chien puissamment bâti, d'une force dans les membres qui convient à la chasse dans les régions montagneuses du Japon. La forme rouge s'appelle *aka-tora*, l'intermédiaire *chu-tora* et la noire bringée *kuro-tora*.

• **HISTORIQUE** Race originaire de la région de Kaï, au Japon central, aujourd'hui dans la préfecture de Yamanashi. Vue pour la première fois aux États-Unis en 1951, elle ne s'est pas encore imposée hors de son pays.

• **REMARQUE** Les chiots de kuro-tora naissent généralement tout noirs. Les marques bringées ne se développent qu'avec la croissance.

• **AUTRE NOM** Kaï.

oreilles triangulaires et dressées, dirigées un peu vers l'avant

queue épaisse, attachée haut et enroulée sur le dos

encolure épaisse et musclée

oreilles plus grandes que chez les autres races japonaises de taille moyenne

poitrine profonde et musclée

antérieurs droits et bien musclés

petits yeux brun foncé

doigts serrés et bien arqués

poil rude et raide, sous-poil doux et épais

AUTRE ROBE

Taille 46-58 cm	Poids 16-18 kg	Tempérament Déterminé, indépendant

Pays d'origine Afrique du Sud	Premier usage Chasse au lion	Ancienneté XIXe s.

RHODESIAN RIDGEBACK

D'aspect digne et redoutable, le ridgeback doit son nom à la crête *(ridge)* de poils qui lui pousse à contresens au milieu du dos, en une raie s'effilant vers l'arrière. Il a la couleur et le courage du lion, qu'il chassait autrefois.

• **HISTORIQUE** Race développée par les Boers à la fin du XIXe siècle et dont le standard a été fixé en Rhodésie (aujourd'hui Zimbabwe) en 1922. À la chasse au lion, ce chien était renommé pour sa grande endurance et sa surprenante agilité. On l'utilise maintenant comme chien de garde et, en famille, il se montre fidèle et affectueux.

• **REMARQUE** Sa crête caractéristique vient sans doute du chien hottentot, éteint.

• **AUTRE NOM** African lion hound.

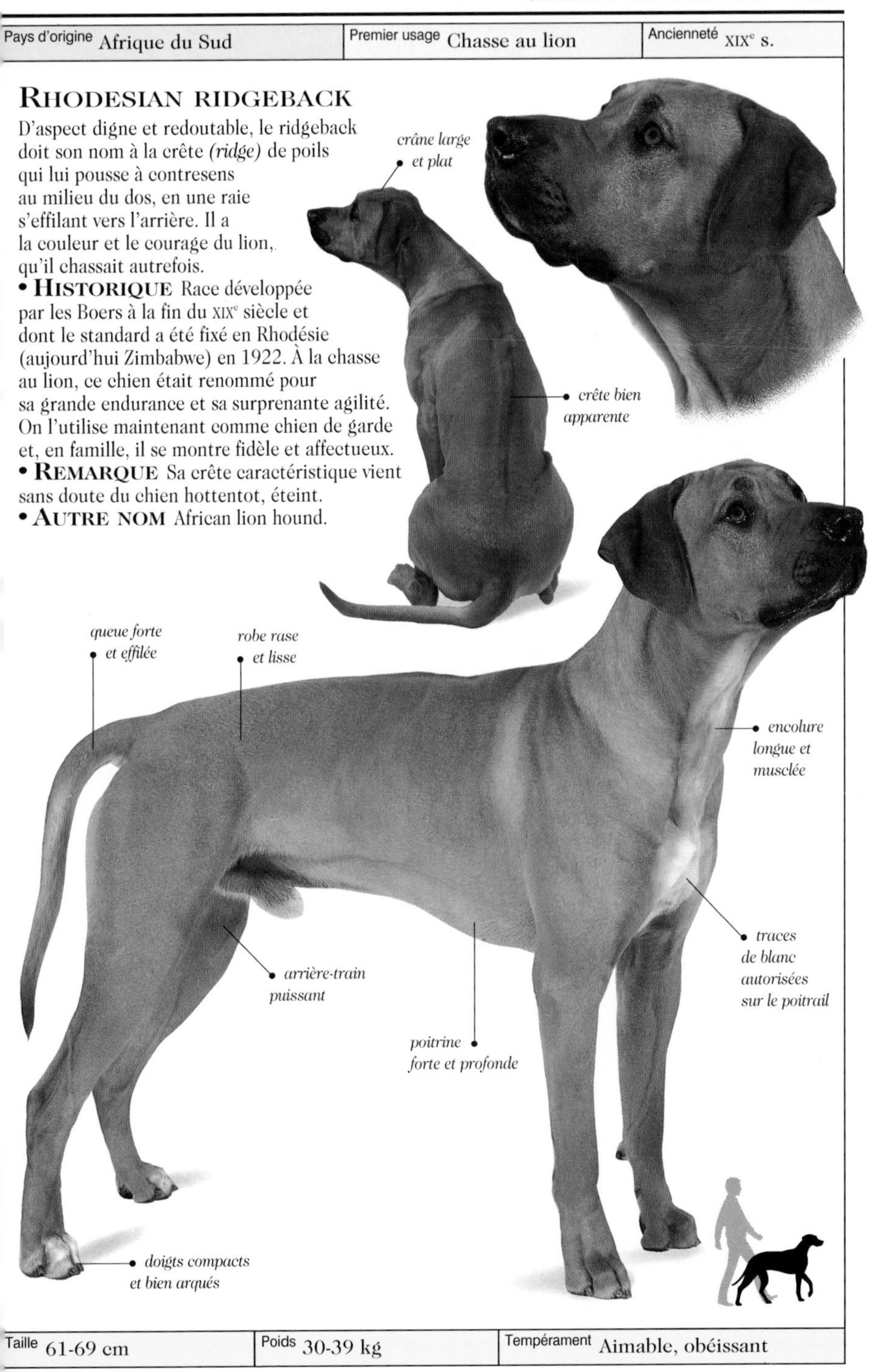

Taille 61-69 cm	Poids 30-39 kg	Tempérament Aimable, obéissant

LES TERRIERS

LA PLUPART des chiens de ce groupe sont assez petits ; malgré cela, ils peuvent se montrer très fougueux et indépendants. Bien qu'à l'origine beaucoup fussent hébergés dans des fermes, surtout comme ratiers, ils se sont convertis sans peine en animaux d'agrément, au point qu'un certain nombre de ces races figurent aujourd'hui parmi les plus connues au monde. Leur nature active et curieuse, ainsi que leur tendance à explorer le sous-sol, les rendent plu enclins que d'autres chiens à creuse voire à disparaître dans un terrier de la pin au cours d'une promenade. Ce n sont donc pas précisément des chiens d salon, même s'ils font des compagnon fidèles. Ils sont généralement vifs alertes et extrêmement crânes. Cepen dant ils ne s'entendent pas toujours ave leurs congénères et restent volontier sur leur quant-à-soi.

Pays d'origine États-Unis	Premier usage Ratier	Ancienneté Années 30

TOY TERRIER AMÉRICAIN

Petit et charmant, ce terrier présente une parenté bien nette avec le fox-terrier (voir p. 216). La forme tricolore à prédominance blanche est la mieux reçue dans les expositions. Une raison du succès de ce chien tient à son pelage ras et lisse, très aisé à entretenir et à toiletter.

• **HISTORIQUE** Le Kennel Club américain a reconnu la race en 1936. Des croisements avec des toy terriers anglais et des chihuahuas en ont affiné les traits.

• **REMARQUE** Des toy terriers américains ont été dressés à aider à domicile les handicapés.

• **AUTRES NOMS** Toy fox-terrier, amertoy.

Taille 25 cm	Poids 2-3 kg	Tempérament Vif, alerte

Pays d'origine États-Unis	Premier usage Combats de chiens	Ancienneté XIXe s.

Pitbull américain

Chien redouté, il est celui contre lequel on a le plus légiféré. Il respire la puissance, avec sa tête large et massive, ses mâchoires d'une force immense, son encolure et son corps épais et musclés. Pour abriter ses terribles mâchoires, la face du pitbull est particulièrement large entre les bajoues.

• **Historique** Ce terrier a été créé pour les combats de chiens, et on l'utilise encore à cet usage, souvent illégalement. La race descend de Staffordshire bull-terriers croisés avec des bouledogues anglais.

• **Remarque** Dans plusieurs pays européens, la possession de ce chien est interdite ou restreinte à des individus enregistrés et châtrés.

• **Autres noms** Pitbull terrier, american pitbull.

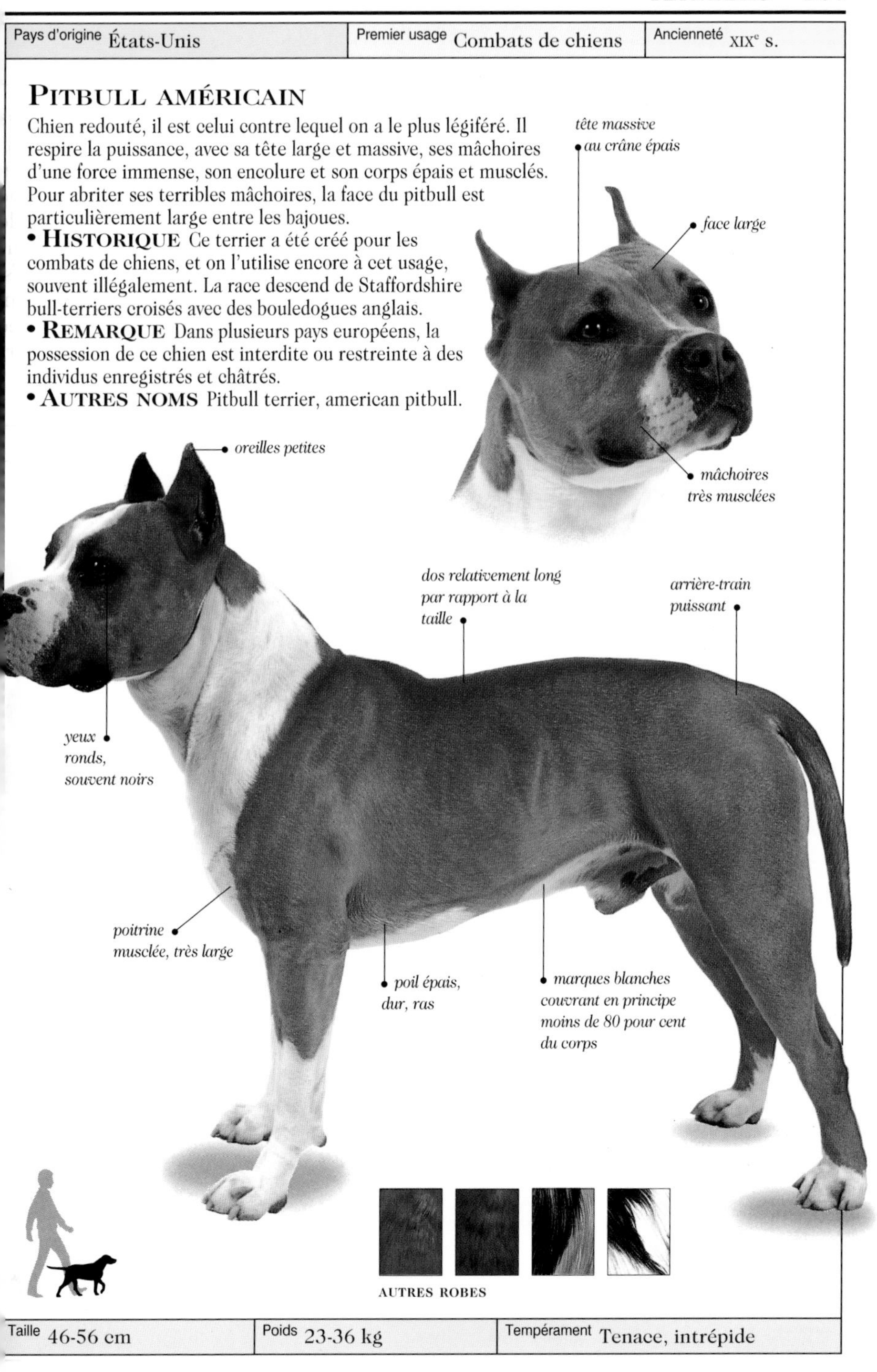

Taille 46-56 cm	Poids 23-36 kg	Tempérament Tenace, intrépide

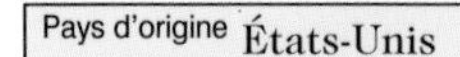

Pays d'origine États-Unis	Premier usage Tauromachie	Ancienneté XIXᵉ s.

Staffordshire terrier américain

Il ressemble à son ancêtre, le staffordshire bull-terrier (voir p. 212), mais il est plus grand, plus lourd et, d'une manière générale, plus solide. Très puissant, il ne montre cependant pas de mauvaises dispositions envers les gens.

• **Historique** Le Kennel Club des États-Unis a reconnu le staffordshire terrier américain comme race séparée, en 1936.

• **Remarque** Sa ressemblance avec le trop fameux pitbull américain (voir p. 207) a desservi sa réputation ces derniers temps.

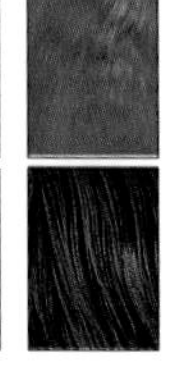

AUTRES ROBES

Taille 43-48 cm	Poids 18-23 kg	Tempérament Intelligent, déterminé

Pays d'origine États-Unis	Premier usage Tauromachie, ratier	Ancienneté XIXᵉ s.

Terrier de Boston

Ses ancêtres combattaient les taureaux, mais le boston actuel, avec sa tête large et plate sans rides, ses grands yeux ronds et son expression douce, est un chien de compagnie patient et de bon caractère. Les couleurs préférées sont le blanc et le bringé. La race se subdivise en trois catégories de poids.

• **Historique** On peut faire remonter l'origine de ce terrier à des croisements opérés entre bouledogues anglais et terriers, dans la ville de Boston, au XIXᵉ siècle.

• **Remarque** La largeur de la tête peut causer des difficultés à la naissance.

AUTRES ROBES

Taille 38-43 cm	Poids 4,5-11,5 kg	Tempérament Intelligent, vif

Pays d'origine Grande-Bretagne	Premier usage Chasse au blaireau, loutrier	Ancienneté XIXᵉ s.

AIREDALE

Le plus grand de tous les terriers. Combinaison typique de noir et de feu. Robe dure, dense et imperméable.

• **HISTORIQUE** Cette race robuste a évolué dans le sud du Yorkshire. Elle descend d'un type ancien de terrier, croisé avec un otterhound.

• **REMARQUE** La robe mue deux fois par an et doit alors être épilée.

• **AUTRES NOMS** Airedale terrier, waterside terrier, bingley terrier.

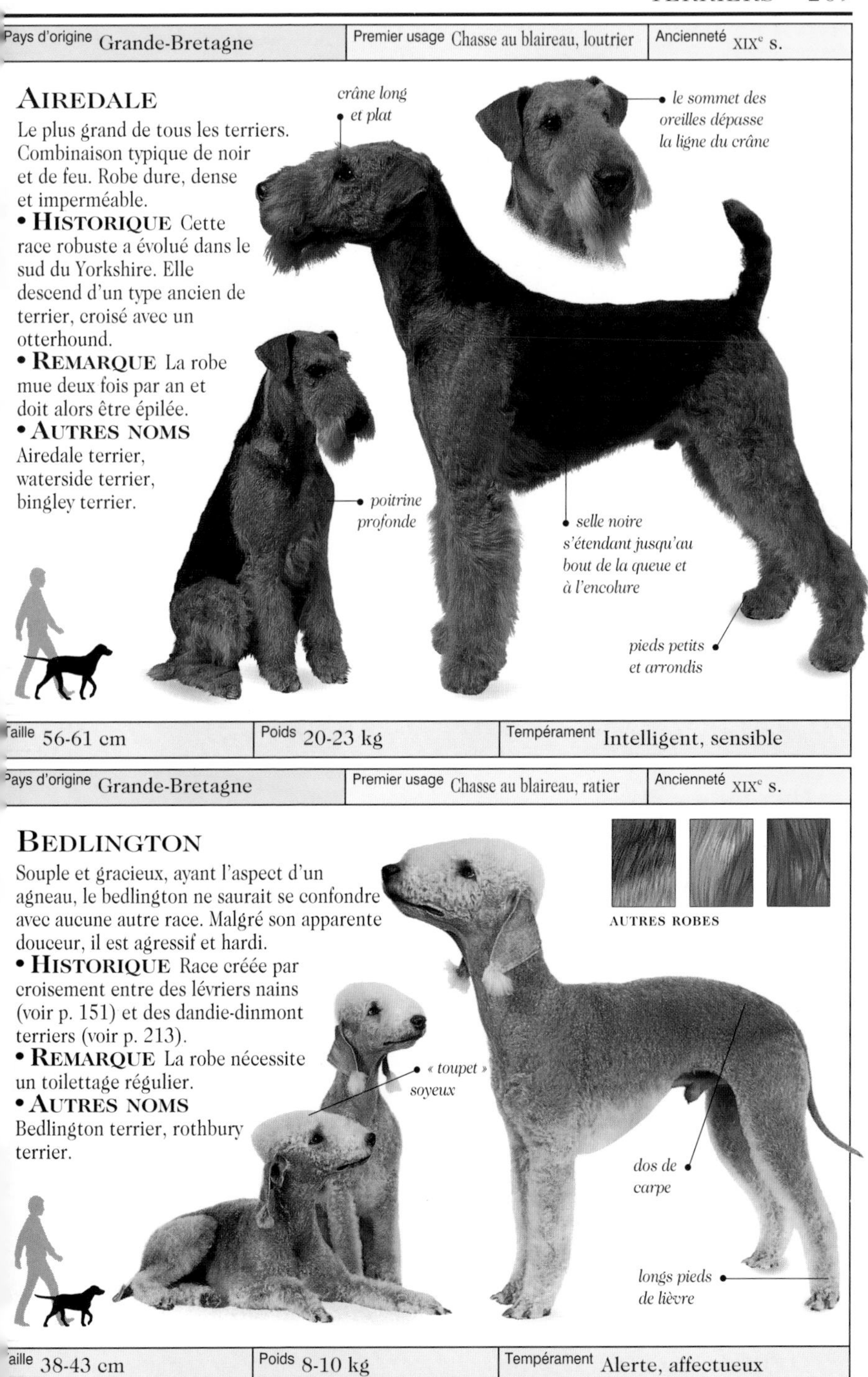

Taille 56-61 cm	Poids 20-23 kg	Tempérament Intelligent, sensible

Pays d'origine Grande-Bretagne	Premier usage Chasse au blaireau, ratier	Ancienneté XIXᵉ s.

BEDLINGTON

Souple et gracieux, ayant l'aspect d'un agneau, le bedlington ne saurait se confondre avec aucune autre race. Malgré son apparente douceur, il est agressif et hardi.

• **HISTORIQUE** Race créée par croisement entre des lévriers nains (voir p. 151) et des dandie-dinmont terriers (voir p. 213).

• **REMARQUE** La robe nécessite un toilettage régulier.

• **AUTRES NOMS** Bedlington terrier, rothbury terrier.

Taille 38-43 cm	Poids 8-10 kg	Tempérament Alerte, affectueux

Pays d'origine Grande-Bretagne	Premier usage Ratier, chasse au lapin	Ancienneté XIXe s.

PETIT TERRIER ANGLAIS

Modèle réduit du terrier de Manchester (ci-dessous), se distinguant surtout par la taille et le port érigé des oreilles. La coloration est un trait primordial de la race : noir de jais, marques marron ; « traits de crayon » noirs sur les doigts et les paturons.

• **HISTORIQUE** Race développée par croisement du terrier noir et feu, éteint, et de la levrette d'Italie (voir p. 50).

• **REMARQUE** On n'essorille jamais.

• **AUTRES NOMS** Toy terrier anglais, toy Manchester terrier, toy black and tan terrier.

Taille 25-30 cm	Poids 3-4 kg	Tempérament Vif, alerte

Pays d'origine Grande-Bretagne	Premier usage Ratier, chasse au lapin	Ancienneté XVIe s.

TERRIER DE MANCHESTER

L'influence du lévrier nain (voir p. 151) se remarque chez cette race élégante au dos de carpe et au chanfrein relativement étroit.

• **HISTORIQUE** Ce terrier a fort varié en taille, et des versions naines sont devenues populaires à la fin du siècle dernier, lors de l'introduction de la race en Amérique du Nord.

• **REMARQUE** À la fin du XIXe siècle, un manchester nommé Billy n'a mis, lors d'un concours, que 6 minutes 13 secondes à tuer 100 rats.

• **AUTRES NOMS** Manchester terrier, black and tan terrier.

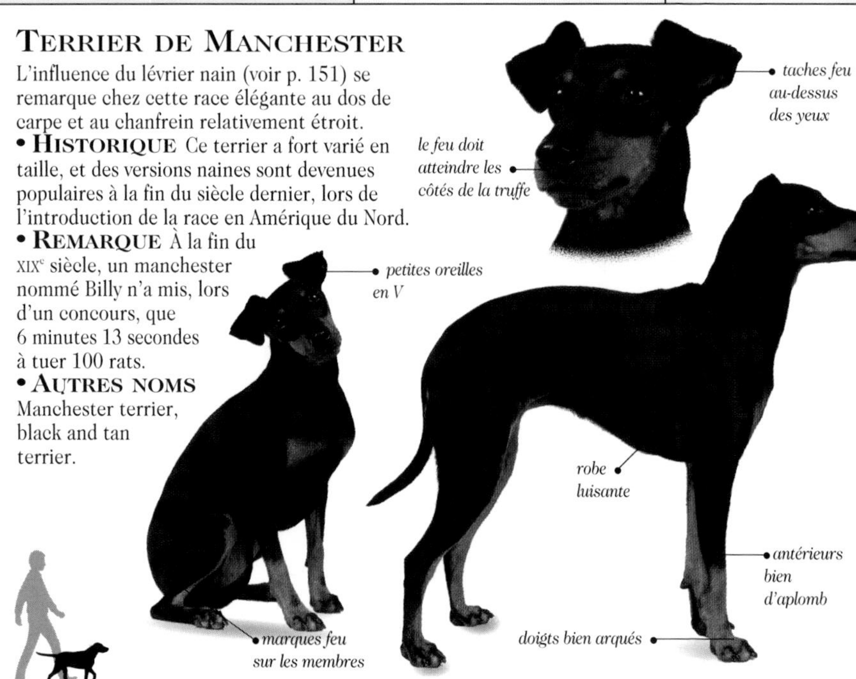

Taille 38-41 cm	Poids 5-10 kg	Tempérament Vif, attentif

Pays d'origine Grande-Bretagne	Premier usage Ratier	Ancienneté XVIIIe s.

Border terrier

L'un des terriers les plus petits (25 cm au garrot). Il peut cependant tenir la cadence des chevaux à la chasse au renard, tandis que son corps étroit lui permet d'entrer sous terre sans difficulté. Le poil est assez durable pour résister au climat de la frontière *(border)* entre l'Écosse et l'Angleterre. Capable d'affronter le renard ou même le blaireau, beaucoup plus agressif.

• **Historique** Des chiens semblables au border terrier sont attestés au XVIIIe siècle. On pense que le nom vient de celui du border hunt, alors fameux.

• **Remarque** Un club du border terrier a été fondé en 1921 et la race est aujourd'hui largement distribuée dans le monde.

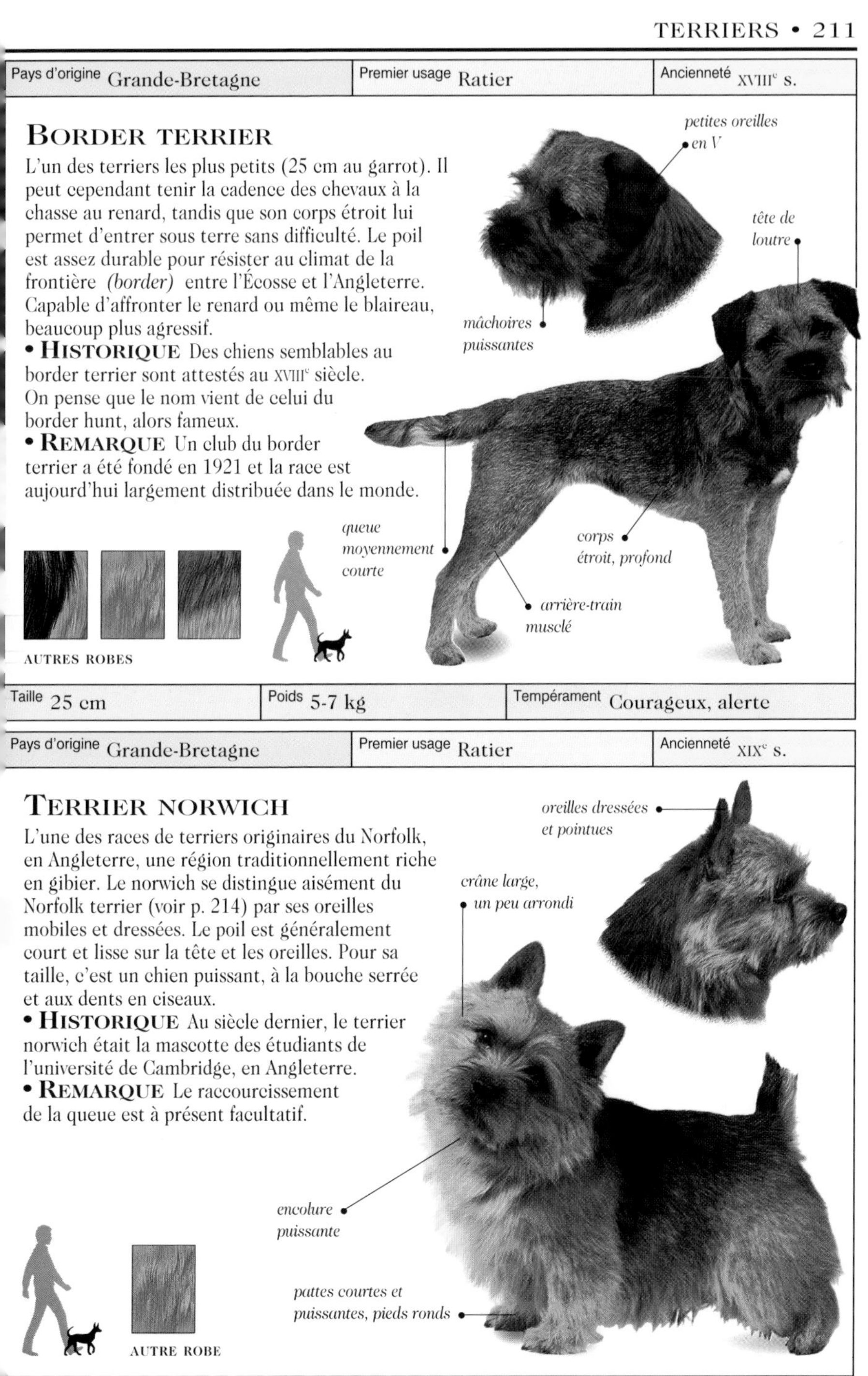

Taille 25 cm	Poids 5-7 kg	Tempérament Courageux, alerte

Pays d'origine Grande-Bretagne	Premier usage Ratier	Ancienneté XIXe s.

Terrier norwich

L'une des races de terriers originaires du Norfolk, en Angleterre, une région traditionnellement riche en gibier. Le norwich se distingue aisément du Norfolk terrier (voir p. 214) par ses oreilles mobiles et dressées. Le poil est généralement court et lisse sur la tête et les oreilles. Pour sa taille, c'est un chien puissant, à la bouche serrée et aux dents en ciseaux.

• **Historique** Au siècle dernier, le terrier norwich était la mascotte des étudiants de l'université de Cambridge, en Angleterre.

• **Remarque** Le raccourcissement de la queue est à présent facultatif.

Taille 25 cm	Poids 5-5,5 kg	Tempérament Alerte, aimable

Pays d'origine Grande-Bretagne	Premier usage Tauromachie, ratier	Ancienneté XIXe s.

Bull-terrier nain

Cette race est la plus petite des versions survivantes du bull-terrier (voir p. 239) et elle rappelle fortement sa parente de grande taille. Le sommet du crâne est presque plat et le chanfrein s'incurve jusqu'à l'extrémité du museau puissant.

• **Historique** Race répandue au siècle dernier, moins populaire aujourd'hui.

• **Remarque** Aime la compagnie de l'homme mais tend à l'intolérance envers les autres chiens.

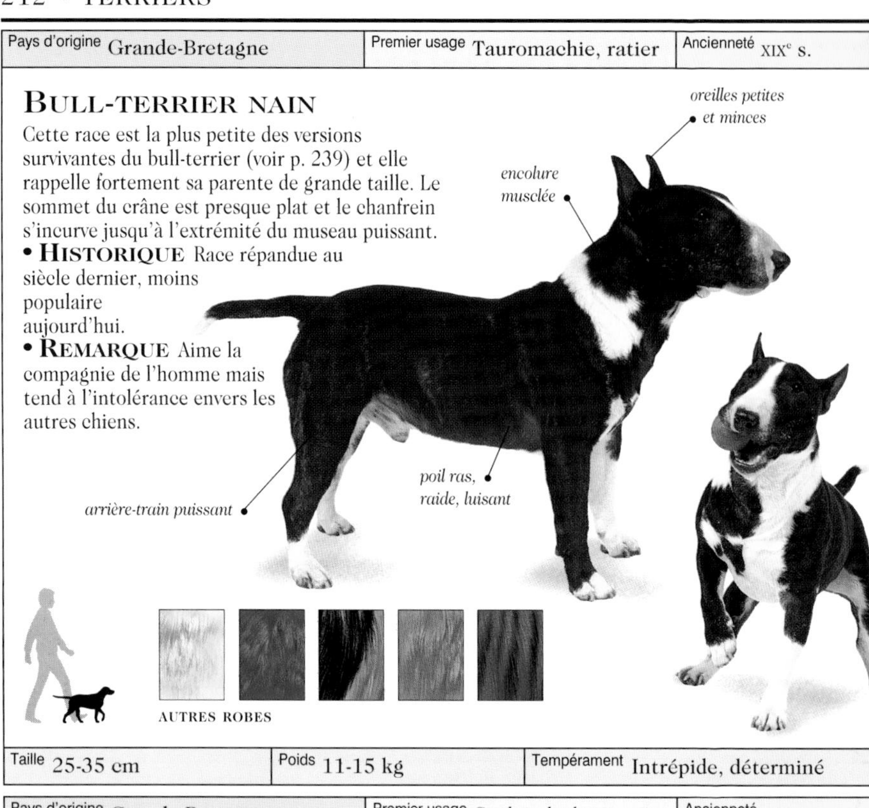

Taille 25-35 cm	Poids 11-15 kg	Tempérament Intrépide, déterminé

Pays d'origine Grande-Bretagne	Premier usage Combats de chiens, ratier	Ancienneté XIXe s.

Staffordshire bull-terrier

Cette race à poil ras donne une impression de puissance et de force alliées à l'agilité et à la souplesse. Robes très variées.

• **Historique** Originaire du comté de Staffordshire, en Angleterre. Ses ancêtres impliquent des croisements entre le bouledogue anglais et divers terriers.

• **Remarque** Bien que créé pour le combat, montre une fidélité et un dévouement légendaires.

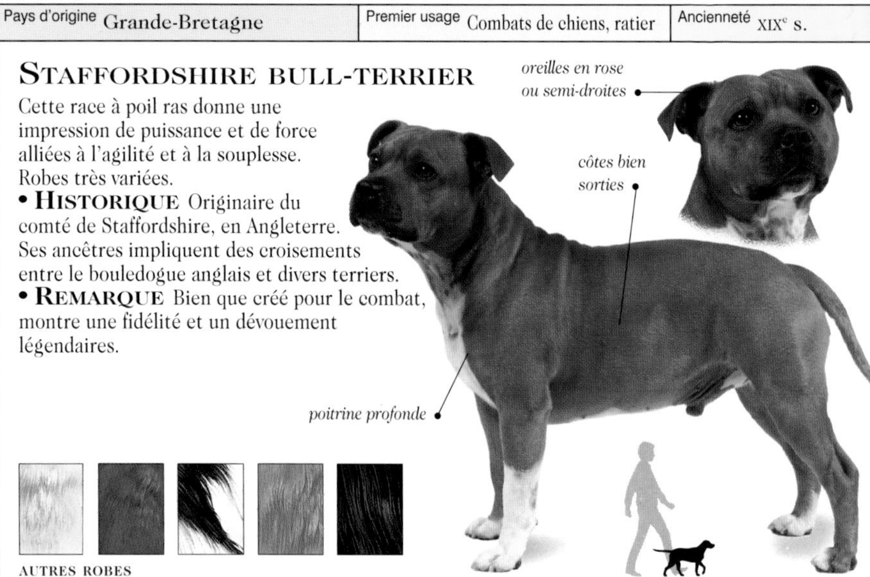

Taille 36-41 cm	Poids 11-17 kg	Tempérament Courageux, volontaire

Pays d'origine Grande-Bretagne	Premier usage Chasse au blaireau, ratier	Ancienneté XVIIe s.

Dandie-dinmont terrier

Se distinguant par son toupet, ce petit terrier a aussi une robe de texture inhabituelle. Cela tient à un mélange de poils durs et doux, qui donne un aspect crépu à presque tout le corps. Le dessous toutefois est à prédominance de poils doux.

• **Historique** Race très ancienne, probablement développée par croisement entre aberdeens et skye terriers.

• **Remarque** Chien nommé d'après un personnage du roman de Walter Scott *Guy Mannering*.

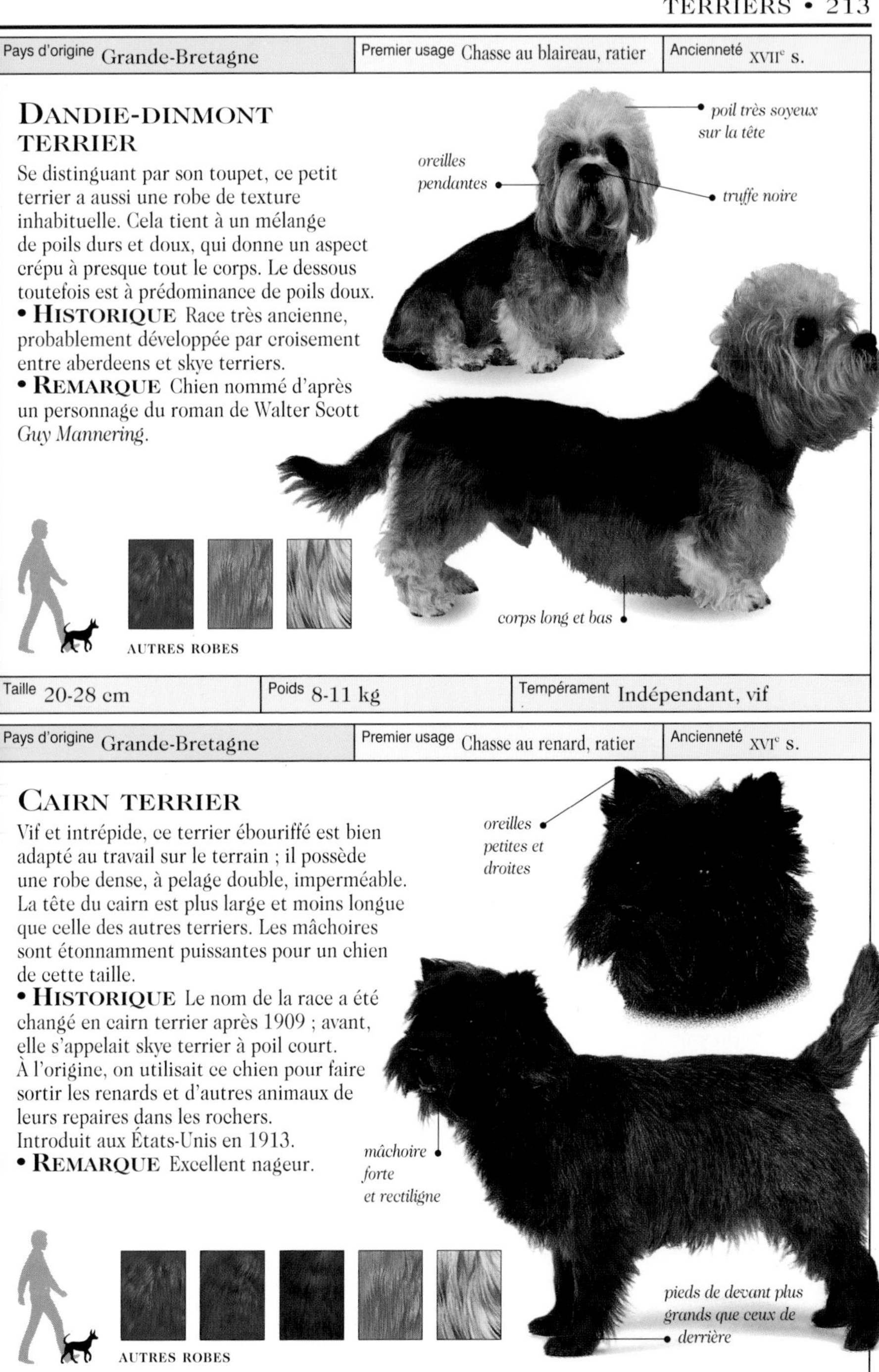

Taille 20-28 cm	Poids 8-11 kg	Tempérament Indépendant, vif

Pays d'origine Grande-Bretagne	Premier usage Chasse au renard, ratier	Ancienneté XVIe s.

Cairn terrier

Vif et intrépide, ce terrier ébouriffé est bien adapté au travail sur le terrain ; il possède une robe dense, à pelage double, imperméable. La tête du cairn est plus large et moins longue que celle des autres terriers. Les mâchoires sont étonnamment puissantes pour un chien de cette taille.

• **Historique** Le nom de la race a été changé en cairn terrier après 1909 ; avant, elle s'appelait skye terrier à poil court. À l'origine, on utilisait ce chien pour faire sortir les renards et d'autres animaux de leurs repaires dans les rochers. Introduit aux États-Unis en 1913.

• **Remarque** Excellent nageur.

Taille 25-30 cm	Poids 6-7,5 kg	Tempérament Franc, alerte

Pays d'origine Grande-Bretagne	Premier usage Ratier, tueur de nuisibles	Ancienneté XVIIIe s.

LAKELAND TERRIER

Trapu et robuste, avec un pelage double et imperméable, ce terrier se sent aussi à l'aise au bord des lacs de son terroir ancestral, dans le nord de l'Angleterre, qu'au sein du foyer familial.

• **HISTORIQUE** Il y avait plusieurs lignées de ce terrier, connues sous différents noms. On les a regroupées en 1920.

• **REMARQUE** Le lakeland terrier Stingray of Derrybach a été le vainqueur du Cruft's Show en 1967 et du National Westminster Show, à New York, en 1968.

Taille 33-38 cm	Poids 7-8 kg	Tempérament Brave, hardi

Pays d'origine Grande-Bretagne	Premier usage Ratier	Ancienneté XIXe s.

NORFOLK TERRIER

Il se distingue de son proche parent, le norwich (voir p. 211), par ses oreilles tombantes et papillotées à l'avant. Le poil, dur et raide, recouvre une bourre épaisse. Les marques blanches sur la robe sont considérées comme indésirables.

• **HISTORIQUE** Les races norfolk et norwich sont inextricablement liées jusqu'en 1964, année où toutes deux obtiennent une reconnaissance officielle. L'une et l'autre semblent provenir des fermes de leur terroir d'origine, le comté d'East-Anglie, en Angleterre.

• **REMARQUE** Le Kennel Club britannique accepte dans le standard les cicatrices dues à un « usage normal ».

Taille 25-26 cm	Poids 5-5,5 kg	Tempérament Alerte, aimable

Pays d'origine Grande-Bretagne	Premier usage Travail sous terre, ratier	Ancienneté XIXᵉ s.

Parson Jack Russel terrier

Actif et robuste. Sa robe, principalement blanche, présente trois formes : poil ras, mi-long et dur. Il ressemble au fox-terrier (voir p. 216).

• **Historique** Le révérend Jack Russell, surnommé « le pasteur *(parson)* chasseur », est réputé avoir développé cette race dans le Devon (Angleterre).

• **Remarque** Ce terrier travaille souvent avec les chiens courants, en faisant sauter les renards hors de leur repaire.

Taille 23-38 cm	Poids 5-8 kg	Tempérament Alerte, vif

Pays d'origine Grande-Bretagne	Premier usage Chasse au renard	Ancienneté XVIIIᵉ s.

Fox à poil dur

Semblable au fox-terrier à poil lisse (voir p. 216), sauf pour la robe, ce chien doit avoir le poil d'une texture dense et dure, sans trace de boucles. Pelage double, au sous-poil plus doux.

• **Historique** Des races éteintes, comme le terrier à poil dur, ont contribué au développement de ce chien.

• **Remarque** Le toilettage en vue d'une exposition est long.

• **Autre nom** Fox-terrier à poil dur.

Taille 39 cm	Poids 7-8 kg	Tempérament Alerte, déterminé

Pays d'origine Grande-Bretagne	Premier usage Chasse au renard	Ancienneté XVIIIe s.

FOX-TERRIER

Beaucoup moins connu que son cousin à poil dur (voir p. 215), le fox-terrier à poil lisse est aisé à reconnaître, avec son dos court et son long museau en pointe. Caractéristique, sa queue courte est attachée haut et portée gaiement. Ce chien vif et alerte a besoin de beaucoup d'exercice.

• **HISTORIQUE** Ses origines ne sont pas claires, mais il en est question pour la première fois quelque 20 ans après l'apparition de la forme à poil dur. Le standard n'a guère changé depuis 1876, sauf que les chiens actuels sont un peu plus légers.

• **REMARQUE** Le blanc doit toujours prédominer.

• **AUTRE NOM** Fox à poil lisse.

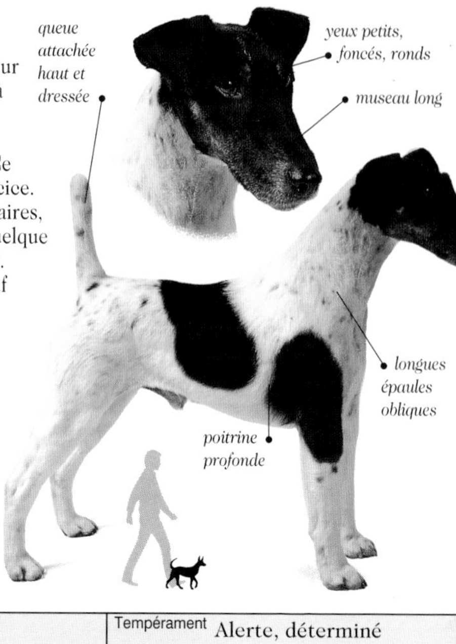

AUTRES ROBES

Taille 39 cm	Poids 7-8 kg	Tempérament Alerte, déterminé

Pays d'origine Grande-Bretagne	Premier usage Ratier	Ancienneté XIXe s.

TERRIER GALLOIS

Souvent confondu avec le lakeland terrier (voir p. 214), il est reconnaissable à sa tête plus large et à sa coloration. On préfère le noir et feu mais le noir, gris et feu est permis aussi, pourvu qu'il n'y ait pas de « traits de crayon » noirs sur les doigts.

• **HISTORIQUE** L'ancien terrier noir et feu a contribué à la naissance de cette race. Celle-ci a été reconnue par le Kennel Club britannique en 1886.

• **REMARQUE** Pour les expositions, ce chien doit être épilé à la main deux fois par an.

• **AUTRE NOM** Welsh terrier.

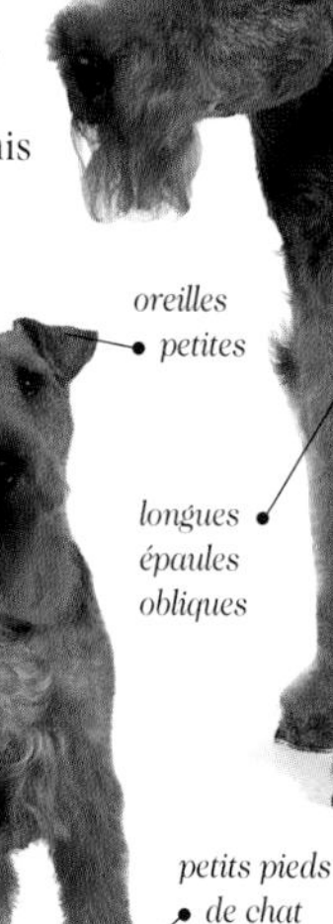

AUTRES ROBES

Taille 36-39 cm	Poids 9-10 kg	Tempérament Actif, joueur

Pays d'origine Grande-Bretagne	Premier usage Travail sous terre	Ancienneté XIXe s.

ABERDEEN

Ce terrier énergique doit son aspect particulier à la longueur de sa tête. De plus, il a de longs poils sur le front, qui font l'effet de gros sourcils.

• **HISTORIQUE** Bien que la race remontât à bien des années plus tôt, un standard officiel ne fut établi qu'en 1882.

• **REMARQUE** Les poils de ce terrier atteignent presque le sol. Les projections de boue peuvent être brossées très aisément une fois qu'elles sont sèches.

• **AUTRES NOMS** Terrier écossais, scottish terrier.

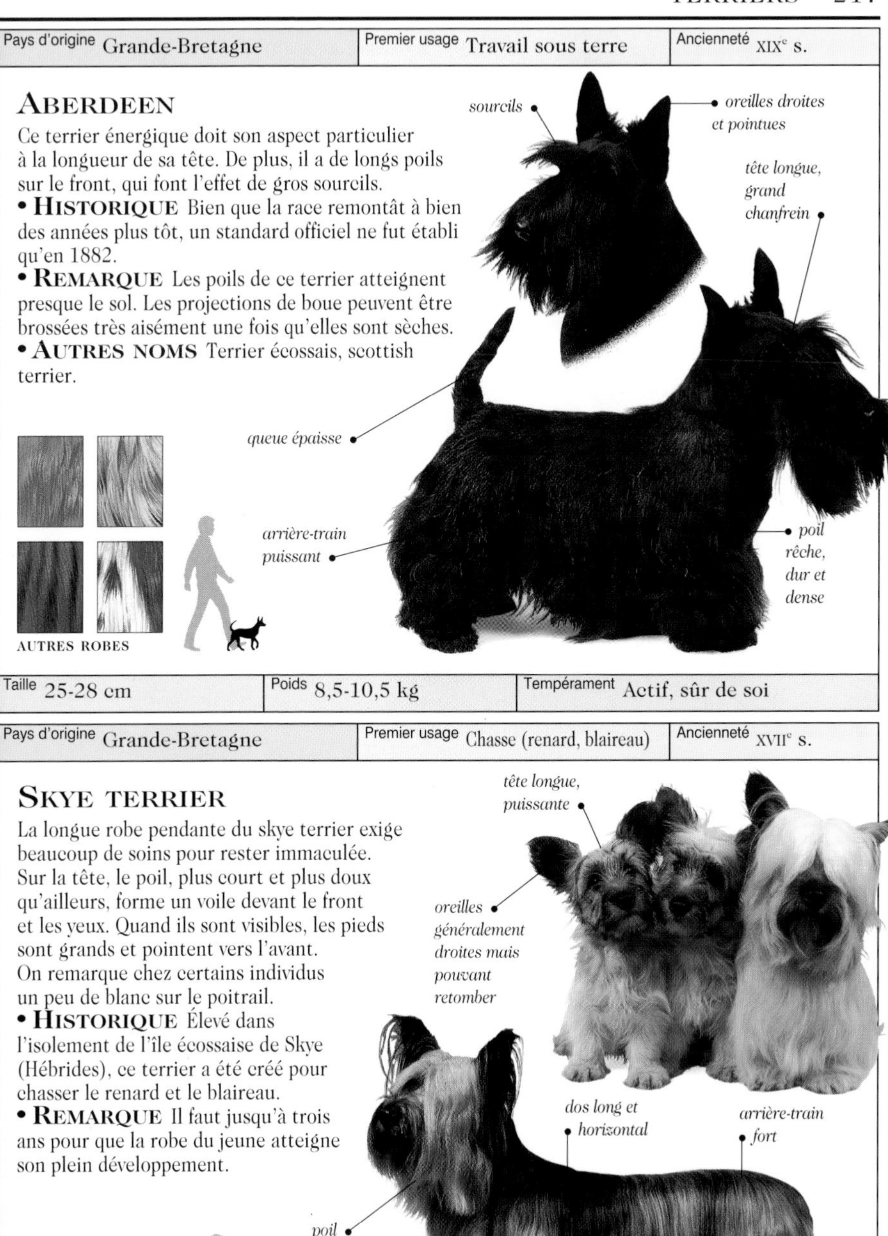

Taille 25-28 cm	Poids 8,5-10,5 kg	Tempérament Actif, sûr de soi

Pays d'origine Grande-Bretagne	Premier usage Chasse (renard, blaireau)	Ancienneté XVIIe s.

SKYE TERRIER

La longue robe pendante du skye terrier exige beaucoup de soins pour rester immaculée. Sur la tête, le poil, plus court et plus doux qu'ailleurs, forme un voile devant le front et les yeux. Quand ils sont visibles, les pieds sont grands et pointent vers l'avant. On remarque chez certains individus un peu de blanc sur le poitrail.

• **HISTORIQUE** Élevé dans l'isolement de l'île écossaise de Skye (Hébrides), ce terrier a été créé pour chasser le renard et le blaireau.

• **REMARQUE** Il faut jusqu'à trois ans pour que la robe du jeune atteigne son plein développement.

Taille 23-25 cm	Poids 8,5-10,5 kg	Tempérament Fidèle, vif

Pays d'origine Grande-Bretagne	Premier usage Chasse au lapin	Ancienneté XVIIIe s.

PATTERDALE TERRIER

Bien que petit, ce terrier est brave et tenace au travail. Son poil ras, grossier, imperméable est de couleur noire, noir et feu, brune ou rouge. Trapu mais bien bâti, il a conservé le goût des chiens terriers pour la chasse.

• **HISTORIQUE** Originaire du nord de l'Angleterre, la race doit son nom au village de Patterdale (Cumberland), où il était populaire.

• **REMARQUE** Ce chien très vivant a besoin de beaucoup d'exercice.

Taille 30 cm	Poids 5-6 kg	Tempérament Brave, enthousiaste

Pays d'origine Grande-Bretagne	Premier usage Ratier	Ancienneté XIXe s.

WEST HIGHLAND WHITE TERRIER

Comme son nom l'indique, ce terrier de couleur purement blanche est originaire des Highlands occidentaux, en Écosse. Il a quelque peu la face de renard, avec un stop très prononcé sur le chanfrein.

• **HISTORIQUE** Tous les terriers écossais ont sans doute le même ancêtre. Ces chiens ont été exposés pour la première fois par un certain colonel Malcolm sous le nom de Poltalloch terriers, d'après celui du village où sa famille en élevait depuis plus de soixante ans.

• **REMARQUE** Le pelage épais demande beaucoup de soins.

Taille 25-28 cm	Poids 7-10 kg	Tempérament Actif, sûr de soi

Pays d'origine Grande-Bretagne	Premier usage Ratier	Ancienneté XIXᵉ s.

YORKSHIRE TERRIER

En dehors de sa taille minuscule, le trait le plus caractéristique de ce remuant petit terrier est sa robe, bleu acier avec à la tête une région feu doré, de texture soyeuse et assez longue pour traîner à terre. Quand on le voit marcher, le yorkshire peut donner l'impression d'être monté sur roulettes car on ne voit pas toujours ses pieds.

• **HISTORIQUE** Développé par les mineurs des environs de West Riding, dans le Yorkshire, ce terrier résulte de croisements assez récents entre skye, dandie-dinmont et bichon maltais.

• **REMARQUE** Les nouveau-nés sont noirs.

Taille 23 cm	Poids Moins de 3 kg	Tempérament Intelligent, confiant

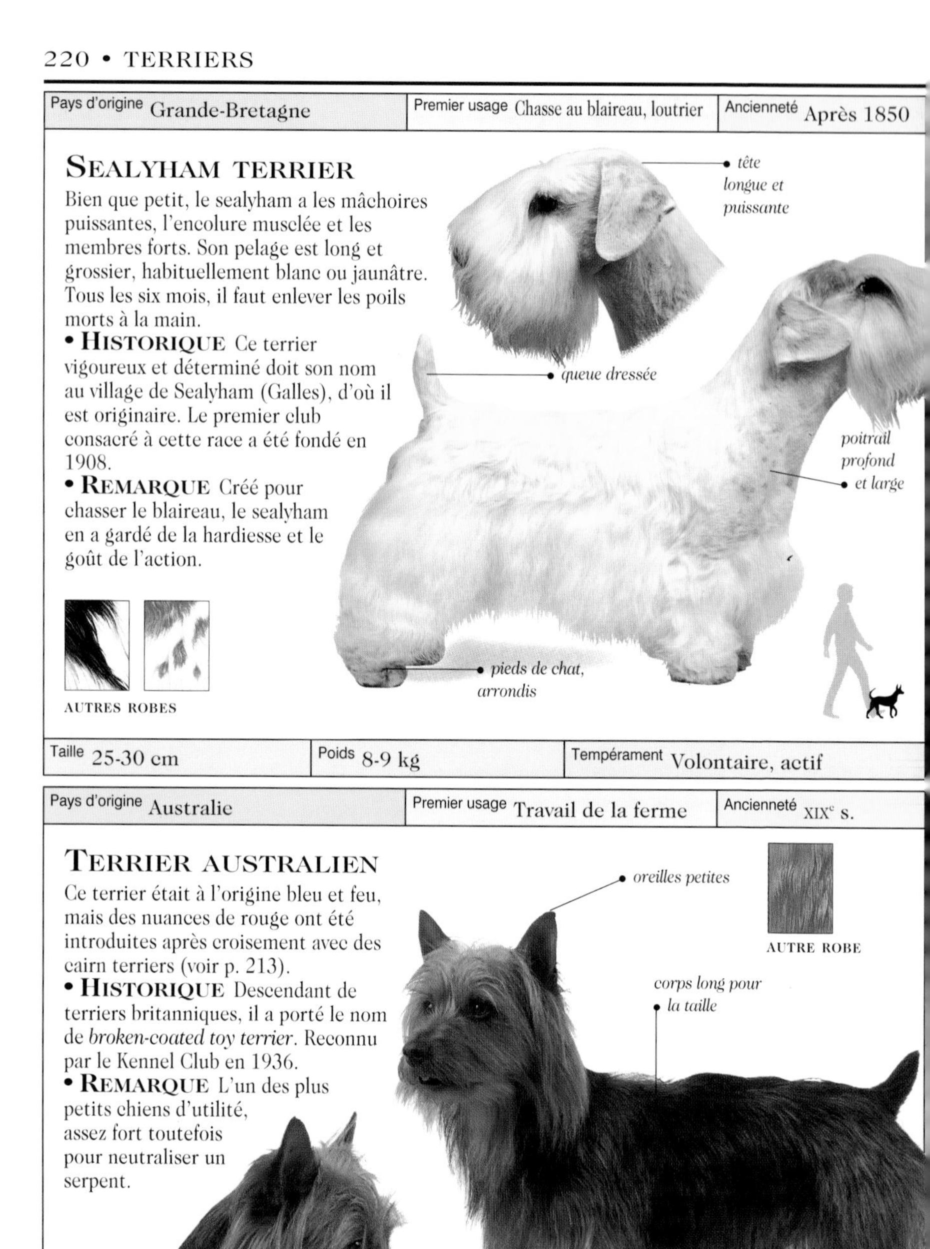

Pays d'origine Grande-Bretagne	Premier usage Chasse au blaireau, loutrier	Ancienneté Après 1850

Sealyham terrier

Bien que petit, le sealyham a les mâchoires puissantes, l'encolure musclée et les membres forts. Son pelage est long et grossier, habituellement blanc ou jaunâtre. Tous les six mois, il faut enlever les poils morts à la main.

• **Historique** Ce terrier vigoureux et déterminé doit son nom au village de Sealyham (Galles), d'où il est originaire. Le premier club consacré à cette race a été fondé en 1908.

• **Remarque** Créé pour chasser le blaireau, le sealyham en a gardé de la hardiesse et le goût de l'action.

Taille 25-30 cm	Poids 8-9 kg	Tempérament Volontaire, actif

Pays d'origine Australie	Premier usage Travail de la ferme	Ancienneté XIXe s.

Terrier australien

Ce terrier était à l'origine bleu et feu, mais des nuances de rouge ont été introduites après croisement avec des cairn terriers (voir p. 213).

• **Historique** Descendant de terriers britanniques, il a porté le nom de *broken-coated toy terrier*. Reconnu par le Kennel Club en 1936.

• **Remarque** L'un des plus petits chiens d'utilité, assez fort toutefois pour neutraliser un serpent.

Taille 25,5 cm	Poids 4-7 kg	Tempérament Gai, soumis

Pays d'origine Australie	Premier usage Compagnie	Ancienneté XIXe s.

TERRIER DE SOIE

Chien compact et bâti en légèreté, possédant les caractéristiques typiques d'un terrier. Poil long et soyeux, se divisant sur le dos, qui est droit et de dimension moyenne. Oreilles dressées et mobiles.
• **HISTORIQUE** Développé au siècle dernier à partir de terriers britanniques, dont le yorkshire (voir p. 219), et du terrier australien (voir p. 220).
• **REMARQUE** Créé exclusivement comme chien de compagnie.
• **AUTRES NOMS** Australian silky terrier, silky terrier, Sydney silky.

Taille 23 cm	Poids 4-5 kg	Tempérament Fougueux, aimable

Pays d'origine Allemagne	Premier usage Ratier, chasse (petit gibier)	Ancienneté XIXe s.

JAGDTERRIER

Les joues de ce terrier relativement grand sont pleines, les mâchoires puissantes, les dents fortes. Le poil, dense, est habituellement noir ou chocolat à marques feu, ou parfois rouge uni. On trouve des formes à poil dur et à poil ras.
• **HISTORIQUE** Bien que développé en Bavière, ce chien n'a comme ancêtres que des terriers britanniques, dont le gallois et le fox.
• **REMARQUE** Reste exclusivement un chien de chasse, renommé pour son nez.
• **AUTRE NOM** Terrier allemand.

Taille 41 cm	Poids 9-10 kg	Tempérament Ardent, tenace

Pays d'origine Allemagne	Premier usage Ratier	Ancienneté XIXe s.

PINSCHER

S'il porte souvent la livrée noir et feu de son cousin le doberman (voir p. 250), on le voit aussi en brun foncé ou dans différentes nuances de fauve. Il possède la même élégance et la même pureté de ligne, sans toutefois la musculature ni l'air de puissance à peine contenue qui font le prestige du doberman.

• **HISTORIQUE** Ce chien allemand pourrait remonter au terrier noir et feu, tout comme le doberman et le pinscher nain (voir p. 223), deux races dont il n'a jamais égalé la popularité internationale.

• **REMARQUE** Il est grand pour un terrier et on l'emploie le plus souvent comme auxiliaire à la ferme.

• **AUTRE NOM** Pinscher moyen.

Taille 41-48 cm	Poids 11-16 kg	Tempérament Alerte, intelligent

Pays d'origine Allemagne	Premier usage Destruction des rongeurs	Ancienneté XVIIe s.

Griffon-singe

Museau court, stop prononcé, grands yeux ronds, tête fuyante, poils sur la face concourent à donner à ce terrier son aspect de petit diable. Poil de longueur variable selon les parties du corps.

• **Historique** On ne sait rien de précis sur les origines du griffon-singe mais il aurait contribué au développement du griffon bruxellois, mieux connu.

• **Remarque** Bien que petit, c'est un excellent chien de garde.

• **Autre nom** Affenpinscher.

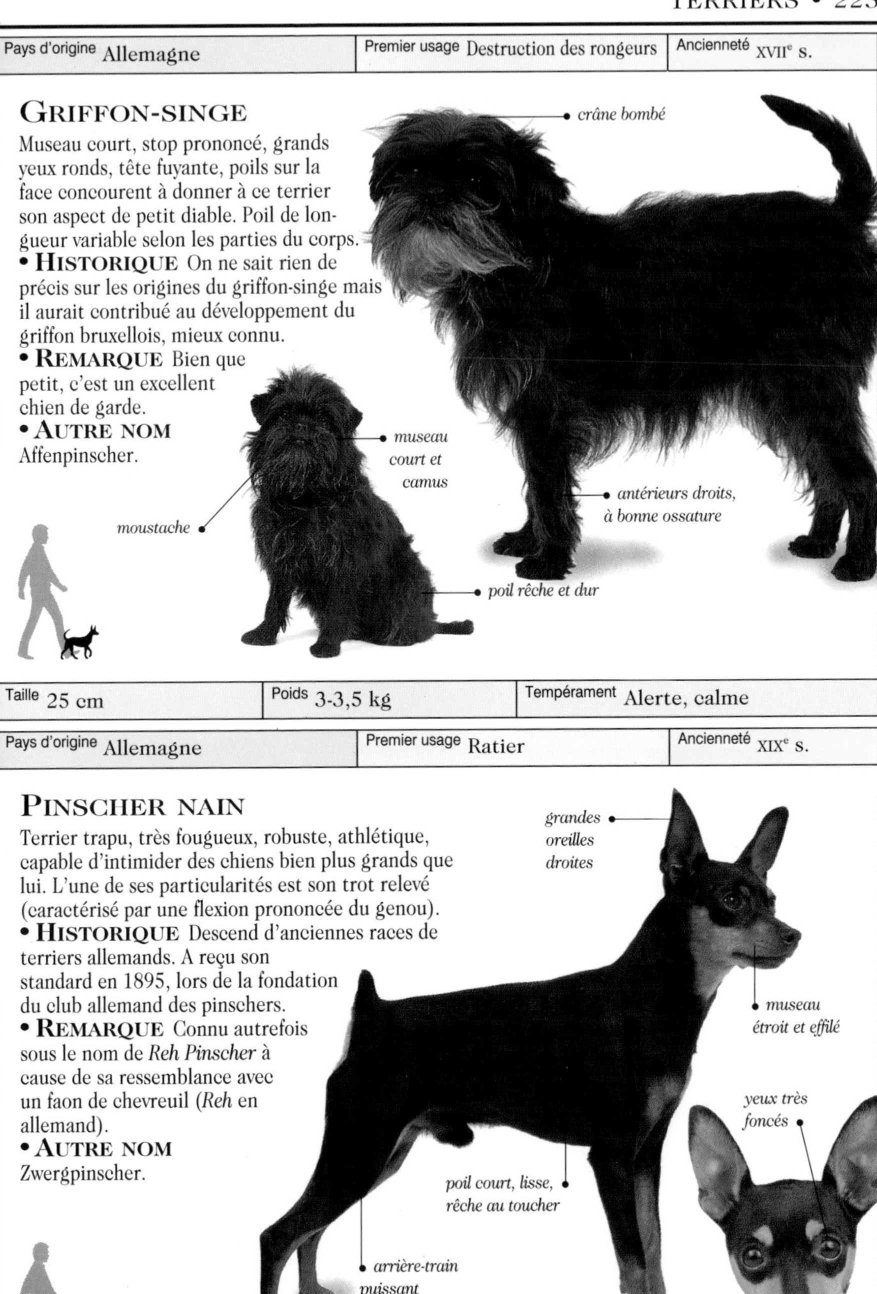

Taille 25 cm	Poids 3-3,5 kg	Tempérament Alerte, calme

Pays d'origine Allemagne	Premier usage Ratier	Ancienneté XIXe s.

Pinscher nain

Terrier trapu, très fougueux, robuste, athlétique, capable d'intimider des chiens bien plus grands que lui. L'une de ses particularités est son trot relevé (caractérisé par une flexion prononcée du genou).

• **Historique** Descend d'anciennes races de terriers allemands. A reçu son standard en 1895, lors de la fondation du club allemand des pinschers.

• **Remarque** Connu autrefois sous le nom de *Reh Pinscher* à cause de sa ressemblance avec un faon de chevreuil (*Reh* en allemand).

• **Autre nom** Zwergpinscher.

Taille 25-30 cm	Poids 4-5 kg	Tempérament Vif, alerte

Pays d'origine Allemagne	Premier usage Ratier	Ancienneté XVe s.

SCHNAUZER NAIN

Ce chien a l'aspect général et toutes les particularités de ses « grands frères » (voir p. 122) : sourcils broussailleux, moustache hérissée, favoris. Il est de profil presque carré, avec le dos droit, horizontal, et des cuisses bien développées. On peut l'essoriller, sauf en Grande-Bretagne. Sa taille en fait un excellent ratier.

• **HISTORIQUE** On pense que cette forme naine provient de croisements entre des schnauzers moyens et des griffons-singes.

• **REMARQUE** Il faut éclaircir la robe au moins deux fois par an et la toiletter régulièrement pour en ôter les poils morts. Les longs poils faciaux doivent être peignés tous les jours.

• **AUTRE NOM** Zwergschnauzer.

Taille 33-36 cm	Poids 6-7 kg	Tempérament Vif, très aimable

Pays d'origine Allemagne	Premier usage Garde et compagnie	Ancienneté 1945

Kromfohrländer

Bâti en puissance, ce joli terrier a été créé sous une forme à poil dur, la plus commune, et sous une forme à poil raide, moins populaire. La coloration est un trait significatif : le blanc s'y combine avec diverses nuances de feu. Il y a souvent du feu sur la tête, ainsi que sur le dos où les taches se disposent plus ou moins en guise de selle.

• **Historique** À la fin de la Seconde Guerre mondiale, des soldats américains entrant dans la ville de Siegen, en Westphalie, y recueillirent un chien roussâtre de type griffon et le donnèrent à une certaine Mme Schleifenbaum. Le chien s'accoupla avec un terrier et cette dame décida de constituer une race à partir de leurs chiots.

• **Remarque** Race reconnue par le Kennel Club allemand en 1953.

on préfère les marques équilibrées

museau s'effilant sur toute sa longueur

Forme à poil raide

oreilles attachées haut

poil de longueur moyenne

yeux foncés, ovales

Forme à poil dur

tête triangulaire

poitrine profonde

antérieurs droits et robustes

postérieurs forts

Taille 38-43 cm	Poids 12 kg	Tempérament Affectueux, alerte

Pays d'origine Irlande	Premier usage Chien de garde	Ancienneté XVIIIᴱ s.

Terrier irlandais

Ce terrier typique, au poil rêche et aux longues pattes, rappelle quelque peu l'airedale (voir p. 209), en plus petit. D'un naturel vif et actif, il s'entend bien avec l'homme mais il est généralement mal disposé envers les autres chiens.

• **Historique** Des croisements comprenant d'anciens terriers noir et feu ainsi que wheaten pourraient avoir jeté les bases de cette race, originaire du comté de Cork, en Irlande. Le standard ne date que de 1879, année où se constitua un club d'éleveurs.

• **Remarque** Un stripping manuel de la robe est nécessaire pour que ce terrier garde l'élégance de sa silhouette.

• **Autres noms** Irish terrier, irish red terrier.

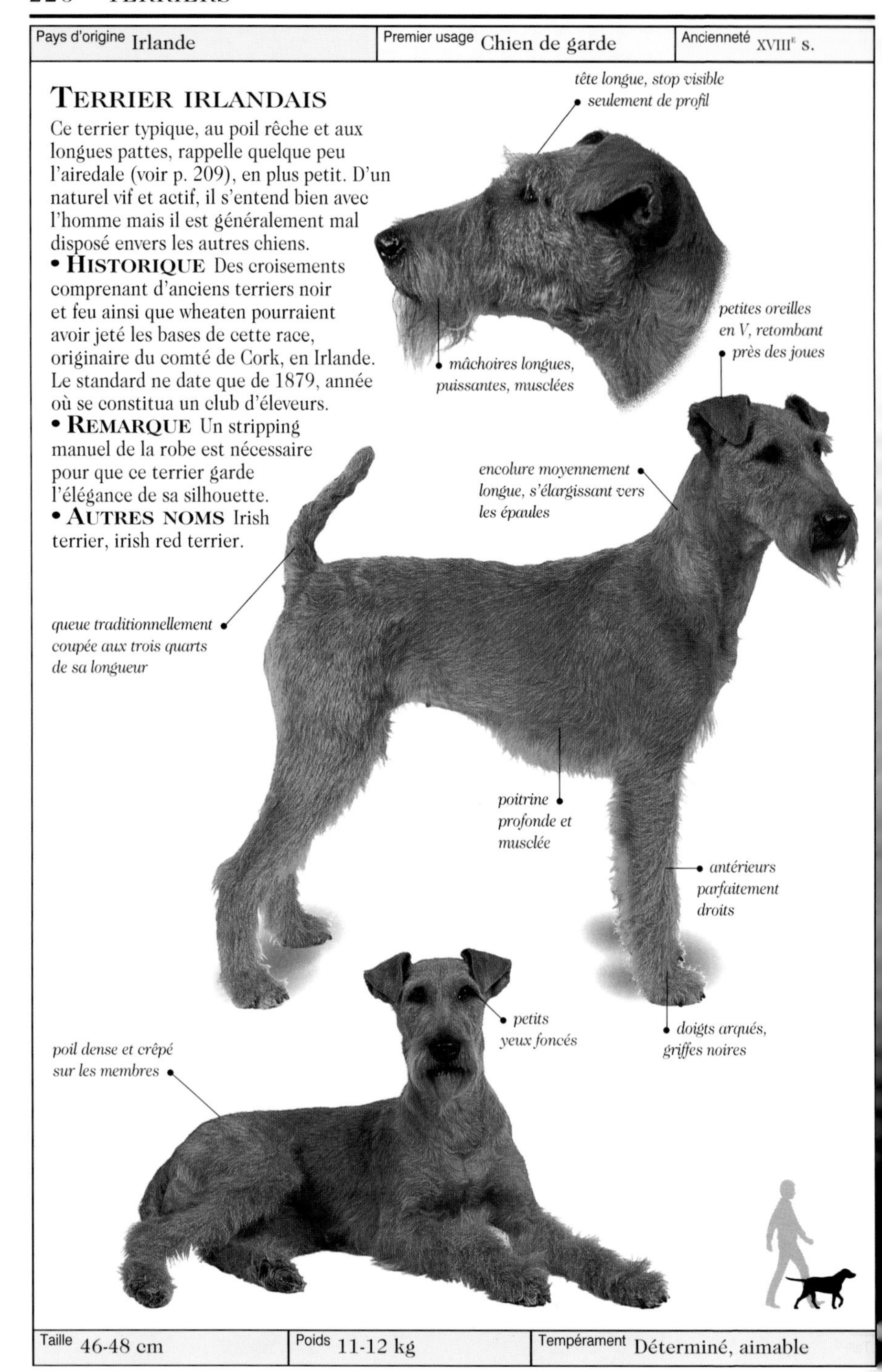

Taille 46-48 cm	Poids 11-12 kg	Tempérament Déterminé, aimable

Pays d'origine Irlande	Premier usage Bouvier, ratier	Ancienneté XVIIIe s.

SOFT-COATED WHEATEN TERRIER

Il a une robe particulière, au poil doux *(soft-coated)* , qui ne mue pas. Celle-ci nécessite des soins quotidiens et consciencieux pour ne pas s'emmêler. Le nom de *wheaten* vient de sa couleur de blé mûr. Les chiots peuvent porter des marques plus foncées mais elles disparaissent à deux ans. Chez l'adulte, les poils ondulent ou forment de grandes boucles lâches.

• **HISTORIQUE** On pense qu'il s'agit de la plus ancienne souche de terriers d'Irlande, commune surtout près de Kerry (où elle a contribué au kerry blue terrier) et de Cork, mais ses origines précises sont inconnues.

• **REMARQUE** Excellent chasseur de blaireaux et de loutres. Son dressage demande quelque effort, mais le résultat en vaut la peine.

Taille 46-48 cm	Poids 16-20 kg	Tempérament Vif, fidèle, énergique

Pays d'origine Irlande	Premier usage Destruction des nuisibles	Ancienneté XVIIIe s.

Glen of Imaal terrier

Son corps est assez long en comparaison de sa taille, et le poil est de longueur moyenne. Chien à la fois agile et silencieux au travail, ce qui lui permet de saisir soudainement sa proie.

• **Historique** Nommé d'après la vallée d'Imaal, dans le comté de Wicklow, en Irlande, où il a été officiellement reconnu en 1933.

• **Remarque** Race d'utilité, rustique, qui s'en prend aux blaireaux aussi bien qu'aux proies plus typiques des terriers, comme les rats.

Taille 36 cm	Poids 16 kg	Tempérament Déterminé, brave

Pays d'origine Irlande	Premier usage Destruction des nuisibles	Ancienneté XIXe s.

Kerry blue terrier

Les chiots de cette race naissent noirs. Il faut jusqu'à 18 mois pour que les jeunes chiens acquièrent leur couleur bleue caractéristique. On peut parfois observer encore des mouchetures noires chez l'adulte.

• **Historique** Originaire du comté de Kerry, dans le sud-ouest de l'Irlande, ce chien descendrait de terriers gallois, de bedlingtons et de soft-coated wheatens.

• **Remarque** Le pelage soyeux de ce terrier ne mue pas, et il exige une attention quotidienne.

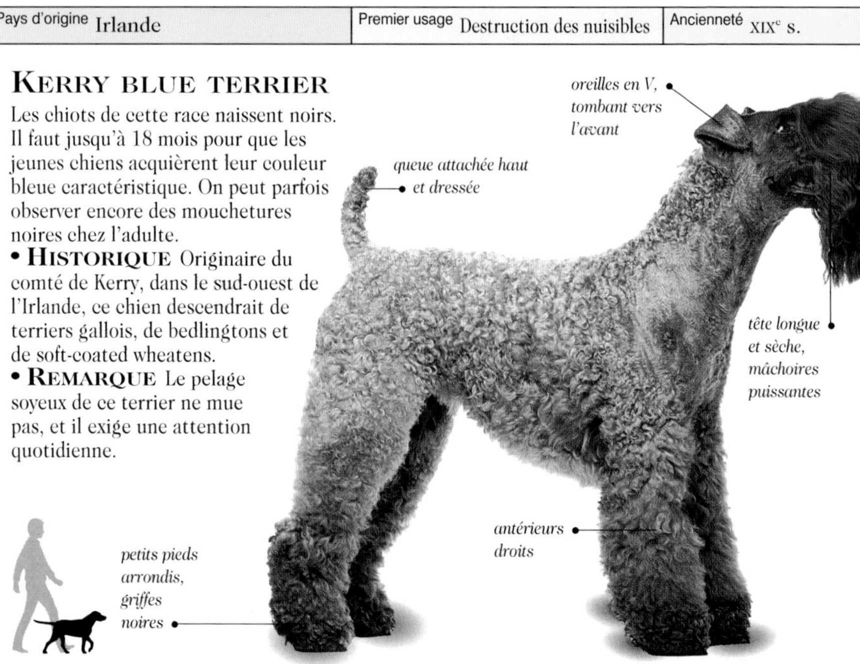

Taille 46-48 cm	Poids 15-17 kg	Tempérament Déterminé, aimable

Pays d'origine Belgique	Premier usage Destruction des nuisibles	Ancienneté XIXe s.

Griffons belges

La confusion règne concernant la dénomination de ces chiens, considérés comme une race unique en Amérique du Nord et en Grande-Bretagne, mais subdivisés en trois sur le continent européen. Le griffon bruxellois peut être distingué du griffon belge proprement dit par sa coloration rousse, mais tous deux ont le poil long. En revanche, le petit brabançon a le poil ras.

• **Historique** On pense que le griffon-singe serait impliqué dans les origines de ces chiens. D'autres races, comme le carlin, peuvent y avoir joué un rôle.

• **Remarque** Habituellement courtaudés.

Taille 18-20 cm	Poids 2,5-5,5 kg	Tempérament Vif, obéissant

Pays d'origine Autriche	Premier usage Ratier, chien de garde	Ancienneté XIXe s.

Pinscher autrichien

Ce petit chien présente les traits typiques du pinscher. Vu de face, il a le poitrail très ample, jusqu'à donner l'impression d'être plus large que haut.

• **Historique** Bien que parent d'autres terriers européens, n'a jamais été commun hors d'Autriche.

• **Remarque** Chien de garde alerte et bruyant, il s'adonne souvent à des aboiements persistants.

• **Autre nom** Österreichischer kurzhaariger Pinscher.

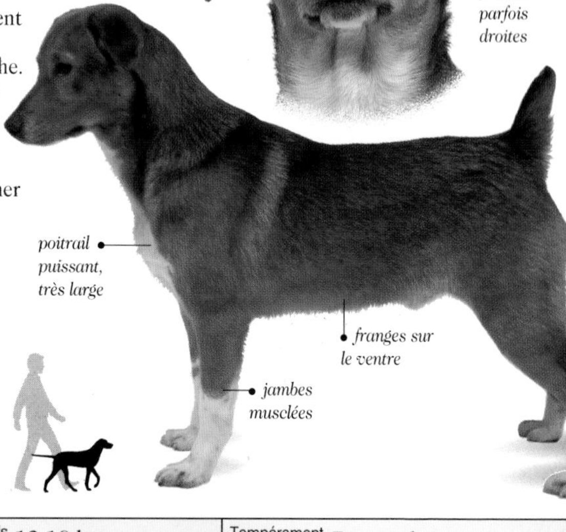

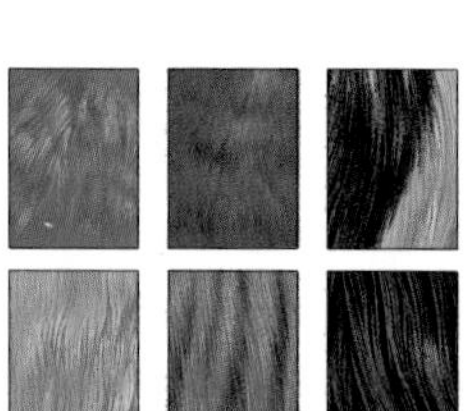
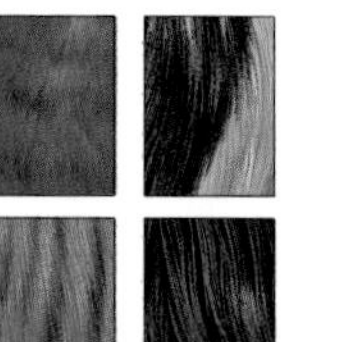

AUTRES ROBES

Taille 36-51 cm	Poids 12-18 kg	Tempérament Franc, alerte

Pays d'origine République tchèque	Premier usage Chien de garde	Ancienneté Années 40

Terrier tchèque

Porteur d'une robe soyeuse bien typique, d'une belle barbe et de longs sourcils, ce gracieux petit terrier est robuste et agile. Il a la tête longue, avec un grand chanfrein.

• **Historique** Ce chien fidèle a été développé par le généticien tchécoslovaque F. Horák. Reconnu officiellement en 1963.

• **Remarque** Bon chien de garde, gentil avec les enfants. Devient populaire aux États-Unis.

• **Autres noms** Česky, terrier de Bohême.

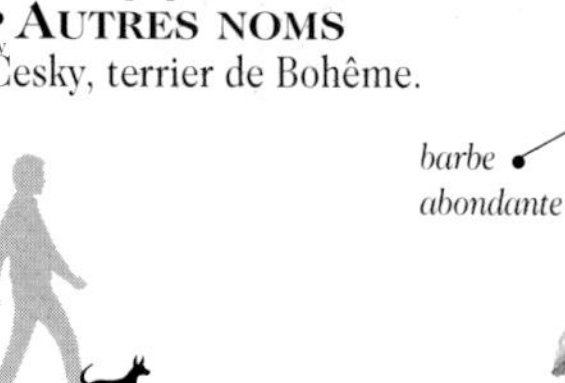

AUTRE ROBE

Taille 25-36 cm	Poids 5,5-8 kg	Tempérament Sympathique, obéissant

LES CHIENS D'UTILITÉ

LA DIVERSITÉ d'aspect des nombreuses races de chiens d'utilité reflète la variété des tâches qu'ils ont accomplies au cours de l'histoire. Depuis des millénaires, l'homme exploite le puissant instinct territorial du chien pour protéger ses biens. Dans la mythologie grecque, Cerbère, le redoutable gardien des portes de l'Hadès, symbolise cette fonction primordiale. Cependant le chien en a d'autres, plus spécialisées : voir pour les aveugles, secourir les blessés, transporter hommes et charges sur les terres arctiques. Avant d'entrer dans l'âge de l'espace, l'homme a envoyé le chien en éclaireur, pour lui ouvrir la voie.

Pays d'origine	Premier usage	Ancienneté
États-Unis	Garde des fermes, combat	XVIIIe s.

BOULEDOGUE AMÉRICAIN

Ce chien puissant est, pense-t-on, semblable à l'ancienne forme du bouledogue anglais, celle du XVIe siècle, qui était utilisée dans les combats de taureaux. Grosse tête, épaules et encolure extrêmement musclées.

• **HISTORIQUE** Des colons emmenèrent de Grande-Bretagne la souche originelle du bulldog. La polyvalence de ces chiens, à la chasse comme à la ferme, assura leur popularité aux États-Unis.

• **REMARQUE** Le bouledogue américain reste, dans une large mesure, un chien d'utilité ; d'où une plus grande variation de taille et de poids que chez son homologue anglais, devenu chien de compagnie et d'exposition.

• **AUTRES NOMS** American bulldog, old country bulldog.

AUTRES ROBES

Taille	Poids	Tempérament
48-71 cm	30-58 kg	Franc, vif

Pays d'origine États-Unis	Premier usage Tauromachie, garde	Ancienneté XXe s.

OLDE ENGLISH BULLDOGGE

Ce chien de type mastiff, puissamment bâti, de taille moyenne, résulte de tentatives accomplies par des éleveurs américains pour reproduire l'image traditionnelle de l'ancien bouledogue anglais, tout en éliminant certaines faiblesses de la race, comme les difficultés respiratoires.

• **HISTORIQUE** Cette forme est, dit-on, le résultat d'un programme mené à bien par David Leavitt en Pennsylvanie, à partir de bullmastiffs (voir p. 238), de bouledogues anglais (voir p. 39) et américains (voir p. 231), ainsi que de pitbulls américains (voir p. 207).

• **REMARQUE** Il a l'air féroce. Le but du programme de sélection a été cependant de produire un animal déterminé et courageux certes, mais non agressif.

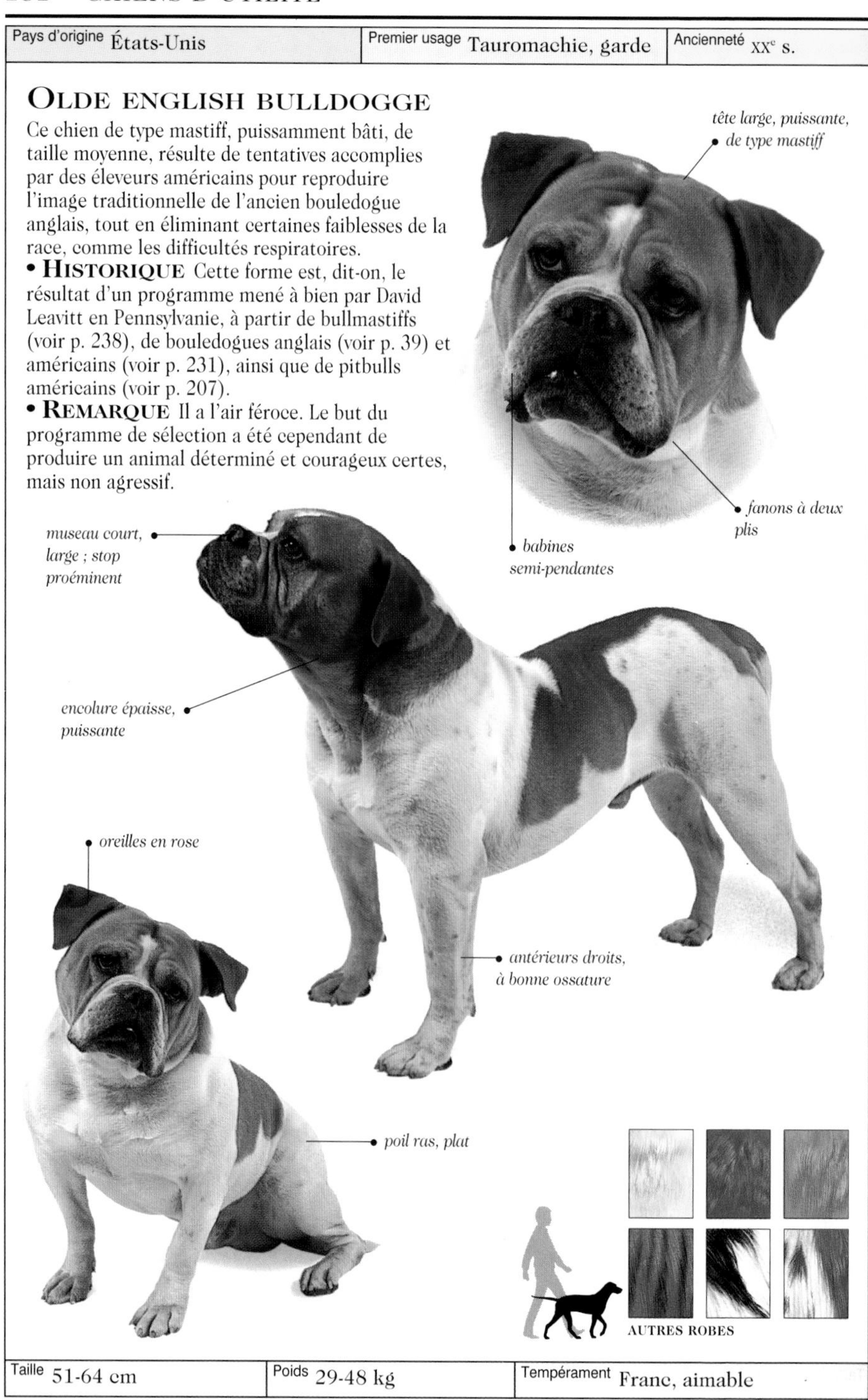

Taille 51-64 cm	Poids 29-48 kg	Tempérament Franc, aimable

Pays d'origine États-Unis	Premier usage Chien de traîneau	Ancienneté XXe s.

CHINOOK

La couleur fauve est caractéristique de cette race. Le profil carré en fait ressortir la grande force. L'épais pelage double s'éclaircit en été.

• **HISTORIQUE** Créé en tant que chien de traîneau par l'éleveur Arthur Walden, le chinook résulte de croisements où sont intervenus l'esquimau (voir p. 239), le saint-bernard à poil ras (voir p. 273) et des bergers belges (voir pp. 126-129).

• **REMARQUE** Cette race compte aujourd'hui moins de 200 individus connus.

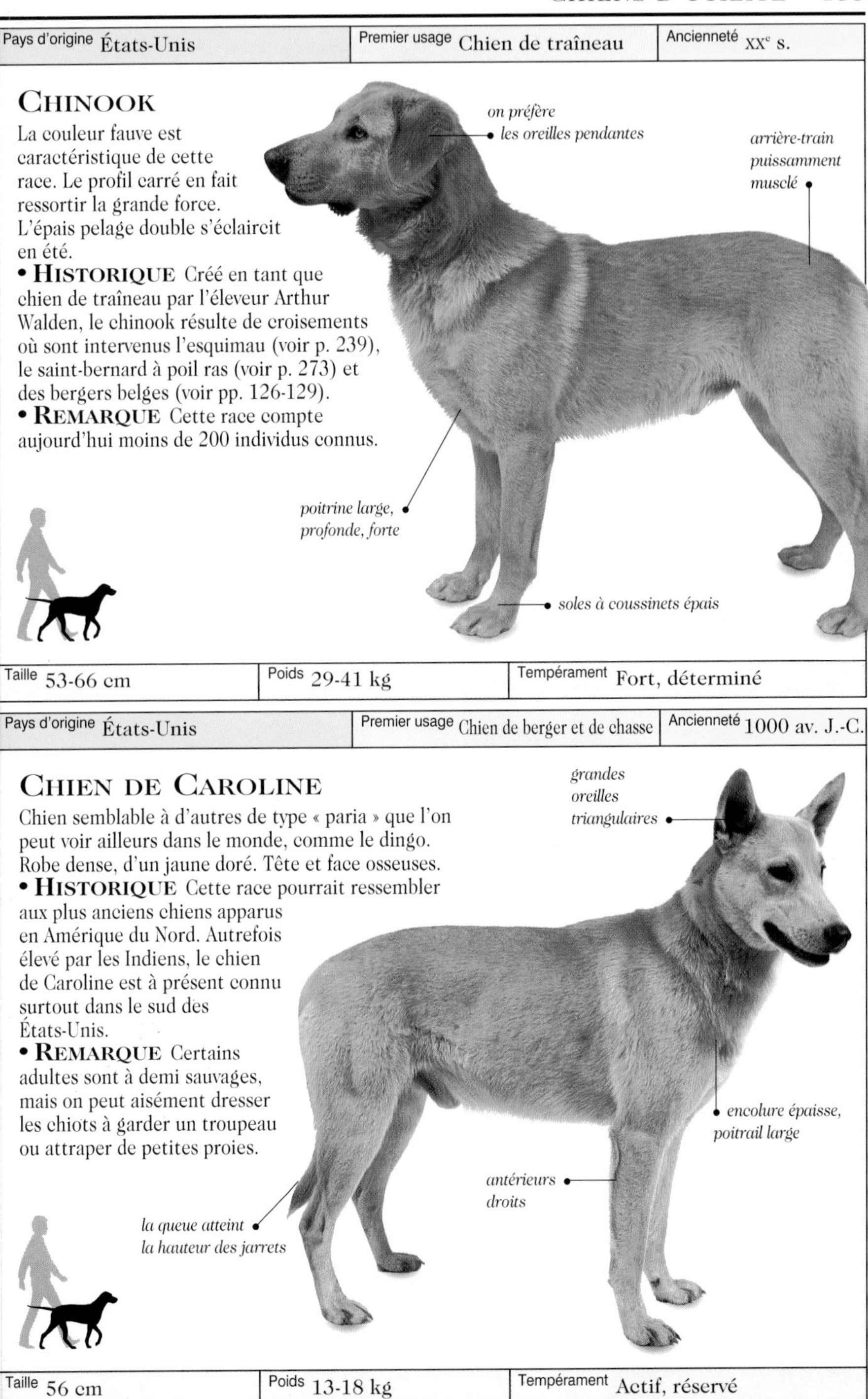

Taille 53-66 cm	Poids 29-41 kg	Tempérament Fort, déterminé

Pays d'origine États-Unis	Premier usage Chien de berger et de chasse	Ancienneté 1000 av. J.-C.

CHIEN DE CAROLINE

Chien semblable à d'autres de type « paria » que l'on peut voir ailleurs dans le monde, comme le dingo. Robe dense, d'un jaune doré. Tête et face osseuses.

• **HISTORIQUE** Cette race pourrait ressembler aux plus anciens chiens apparus en Amérique du Nord. Autrefois élevé par les Indiens, le chien de Caroline est à présent connu surtout dans le sud des États-Unis.

• **REMARQUE** Certains adultes sont à demi sauvages, mais on peut aisément dresser les chiots à garder un troupeau ou attraper de petites proies.

Taille 56 cm	Poids 13-18 kg	Tempérament Actif, réservé

Pays d'origine États-Unis	Premier usage Chien de traîneau	Ancienneté 3000 av. J.-C.

Malamute

Puissant et résistant, ce chien nordique a été développé pour l'endurance plutôt que pour la vitesse, à l'inverse de races plus petites de cette partie du monde. Son pelage dense, double, lui offre une excellente protection contre des conditions climatiques souvent rudes : sous une couverture de poils grossiers, la bourre est épaisse, huileuse et laineuse.
La couverture varie de longueur, le maximum étant atteint sur les épaules, près de l'encolure et à l'arrière du dos. La couleur va du gris clair au noir en passant par des gris intermédiaires, ou du doré au foie en passant par divers roux.

• **Historique** Le nom vient des Malhemut, un peuple inuit vivant dans le nord-ouest de l'Alaska. Nomades, ils utilisaient ce chien pour transporter leurs biens d'un campement à l'autre.

• **Remarque** Vu la taille du chien et sa grande force, un dressage sérieux dès le plus jeune âge est essentiel. Il garde un certain instinct de meute, ce qui peut le conduire à des accès d'agressivité envers d'autres chiens. Avec l'homme, il est d'un naturel aimable et affectueux.

• **Autres noms** Alaskan malamute, malemute d'Alaska.

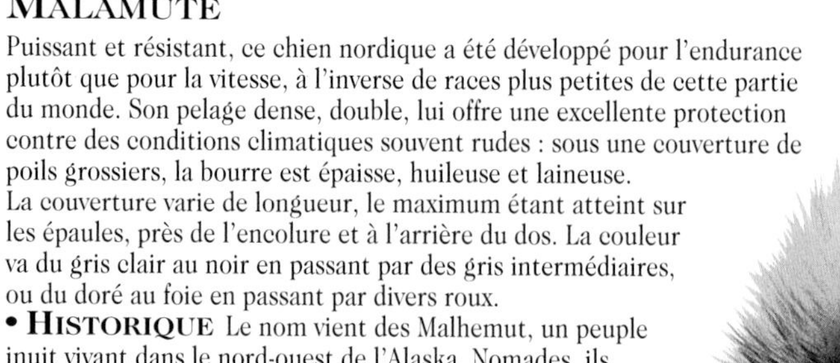

Taille 58-71 cm	Poids 39-57 kg	Tempérament Actif, exubérant

oreilles petites par
rapport aux
dimensions
de la tête
yeux bruns en
amande, parfois plus
clairs chez les chiens
roux ou blancs
encolure puissante
corps parfois
plus long
que haut
mâchoires larges,
grands crocs
poil plus long
autour
des épaules
et de l'encolure
le blanc domine
le dessous
du corps
poitrail fort
et profond
grands
pieds compacts

Pays d'origine Grande-Bretagne	Premier usage Chien de garde	Ancienneté 1000 av. J.-C.

MASTIFF

Cette race ancienne, de grande taille, est bâtie en puissance, avec un bon squelette et une forte musculature. Elle est renommée pour son courage et son instinct territorial. Sa silhouette massive est l'un de ses traits typiques, de même que sa structure symétrique et bien liée. La tête doit paraître carrée sous tous les angles. Le mastiff est sensible et docile malgré son aspect féroce et ses qualités de gardien, fiable et peu enclin à tolérer les intrus.

• **HISTORIQUE** La présence de mastiffs est attestée en Bretagne au temps de l'invasion romaine : César reconnaît leur courage au combat. En 1415, à la bataille d'Azincourt, sir Peers Legh, blessé, fut protégé au cœur de la mêlée par son mastiff. Ce dernier serait l'ancêtre de la fameuse lignée Lyme Hall. La race faillit s'éteindre durant la Seconde Guerre mondiale, mais elle s'est rétablie.

• **REMARQUE** Appréciée pour son intelligence, cette race a besoin de beaucoup de contacts humains. Le futur maître devra consacrer beaucoup de temps à son chien. Le mastiff réclame également de l'espace et de l'exercice.

• **AUTRE NOM** Dogue anglais.

Taille 70-76 cm	Poids 79-86 kg	Tempérament Fidèle, vigilant

arrière-train
très puissant
le front se ride
chez le chien
attentif
oreilles pendant à plat
et près des joues
encolure très musclée
et un peu arquée
la grande profondeur
des flancs accentue
l'impression de puissance
longues jambes
droites
poils noirs sur
le museau, le chanfrein
et le pourtour des yeux,
quelle que soit la couleur
du chien

Pays d'origine Grande-Bretagne	Premier usage Garde des propriétés	Ancienneté XIXe s.

BULLMASTIFF

Puissant et actif, le bullmastiff se distingue du mastiff (voir pp. 236-237) par sa taille plus petite et par sa face plus compacte. Le type américain ressemble plus au mastiff que son homologue anglais. À l'origine, la coloration la plus prisée était le bringé foncé, mais aujourd'hui divers fauves et roux sont populaires.

• **HISTORIQUE** Des croisements entre mastiffs et bouledogues anglais ont donné ce bullmastiff, parfois qualifié de « chien de garde-chasse » : on l'élevait spécialement pour accompagner les gardes-chasse car, capable de suivre une piste, il était assez puissant pour arrêter et terrasser un braconnier.

• **REMARQUE** Comme dans d'autres races de grande taille, les très jeunes chiots peuvent paraître gauches et manquant de coordination. Cela disparaîtra avec la maturité.

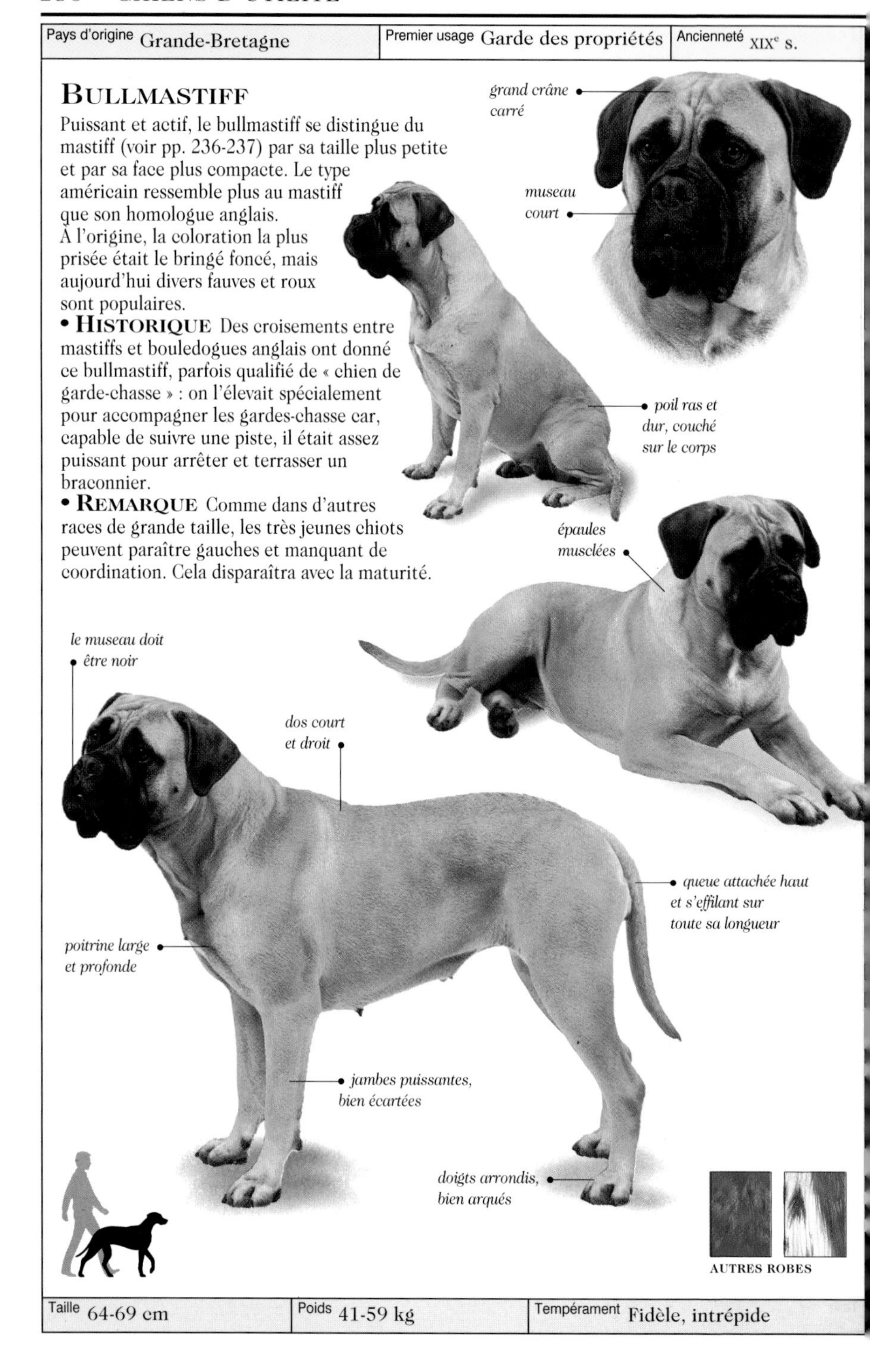

Taille 64-69 cm	Poids 41-59 kg	Tempérament Fidèle, intrépide

Pays d'origine Grande-Bretagne	Premier usage Tauromachie	Ancienneté XIXe s.

BULL-TERRIER

Race puissante caractérisée par sa tête très longue, ovale, sans stop, ses petits yeux triangulaires, ses oreilles minces et dressées, sa robe plaquée sur un corps musclé à l'ossature forte.

• **HISTORIQUE** Développé par croisements où interviennent le bouledogue anglais et un ancien terrier anglais.

• **REMARQUE** Peut ne pas s'entendre avec d'autres chiens.

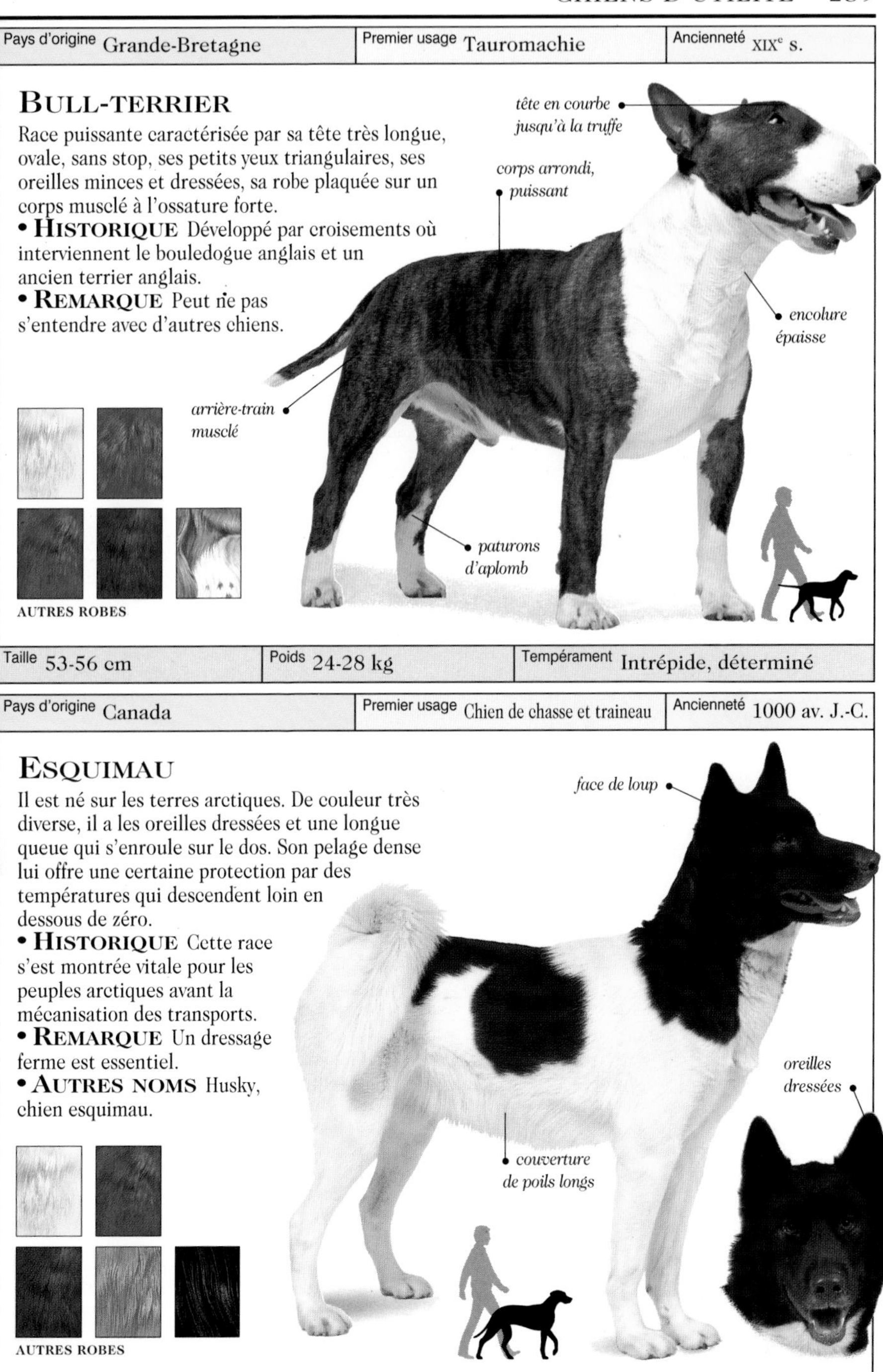

Taille 53-56 cm	Poids 24-28 kg	Tempérament Intrépide, déterminé

Pays d'origine Canada	Premier usage Chien de chasse et traineau	Ancienneté 1000 av. J.-C.

ESQUIMAU

Il est né sur les terres arctiques. De couleur très diverse, il a les oreilles dressées et une longue queue qui s'enroule sur le dos. Son pelage dense lui offre une certaine protection par des températures qui descendent loin en dessous de zéro.

• **HISTORIQUE** Cette race s'est montrée vitale pour les peuples arctiques avant la mécanisation des transports.

• **REMARQUE** Un dressage ferme est essentiel.

• **AUTRES NOMS** Husky, chien esquimau.

Taille 51-69 cm	Poids 27-48 kg	Tempérament Déterminé, aimable

Pays d'origine Canada	Premier usage Aide aux pêcheurs	Ancienneté XVIIIe s.

TERRE-NEUVE

Ce chien massif et imposant ressemble plus à un ourson qu'à un canidé. Malgré sa taille, le terre-neuve adulte est généralement doux et affectueux. Si nécessaire, il peut toutefois se comporter en chien de garde intransigeant. Sa robe typique est huileuse, donc très imperméable ; elle retombe naturellement en place si on la brosse à contre-poil.

• **HISTORIQUE** Les premiers terre-neuve sont apparus dans le nord-est du Canada. On pense qu'ils descendaient de chiens emmenés par des colons européens, bien que les autochtones aient pu posséder des chiens de type mâtin.

• **REMARQUE** Chien utilisé à l'origine pour aider les pêcheurs à haler les filets.

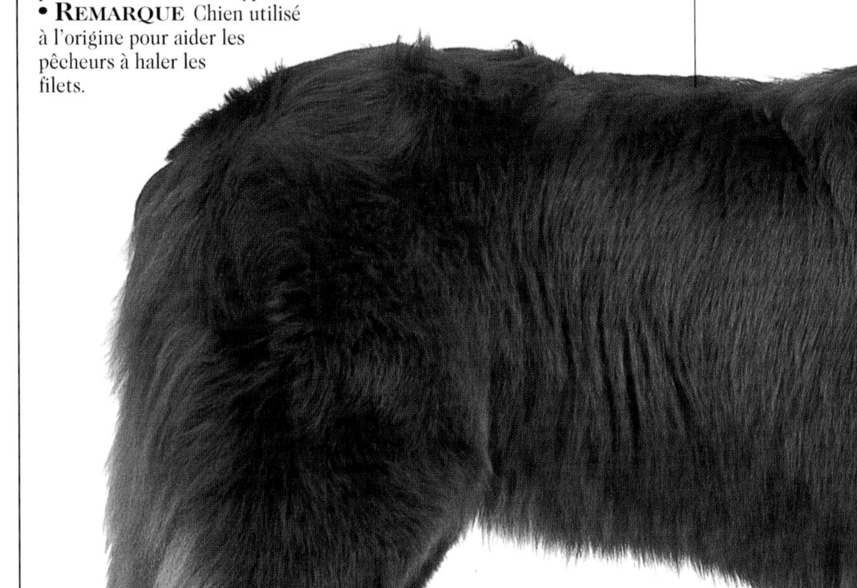

Taille 66-71 cm	Poids 50-68 kg	Tempérament Sensible, docile

petits yeux écartés,
brun foncé
noir mat
museau court
et carré
crâne large
et massif
oreilles
petites et
plaquées
encolure forte

Pays d'origine Argentine	Premier usage Chasse au puma et au jaguar	Ancienneté Années 20

Dogue argentin

L'une des quelques races développées en Amérique du Sud. Chien puissant, invariablement blanc. Tête forte, carrée, de type mâtin. Connu pour son naturel agressif et intrépide, le dogue argentin était originairement destiné à la recherche des félins. On lui prête néanmoins une parfaite correction envers l'homme, et il est exceptionnellement fidèle.

• **Historique** Descend d'une ancienne race espagnole de chiens de combat, croisée avec d'autres, surtout le boxer (voir p. 255), sous le contrôle du Dr Antonio Martínez, créateur du dogue argentin, avec le souci d'obtenir un tempérament plus docile.

• **Remarque** Interdit en Grande-Bretagne.

• **Autre nom** Dogo Argentino.

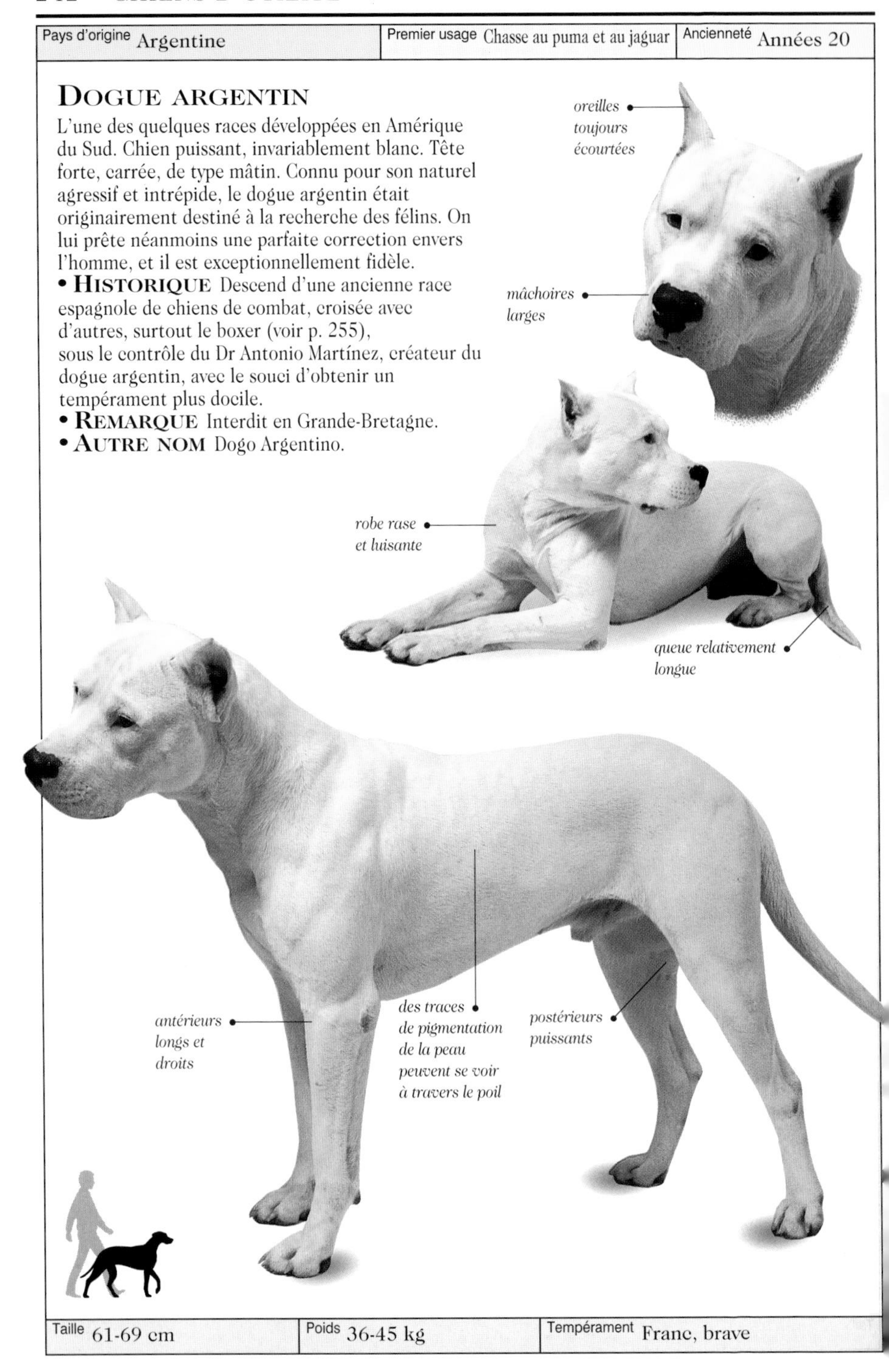

Taille 61-69 cm	Poids 36-45 kg	Tempérament Franc, brave

Pays d'origine Brésil	Premier usage Chasse au gros gibier	Ancienneté XIXe s.

MÂTIN BRÉSILIEN

Résultat d'une combinaison entre une puissante lignée de mâtins et le saint-hubert (voir pp. 166-167), le mâtin brésilien, ou fila, montre sur sa grosse tête de caractéristiques replis de la peau, qui s'étendent jusqu'à l'encolure. Il rappelle encore le saint-hubert par son sens infaillible de l'odorat et par son museau allongé.

• **HISTORIQUE** Chien créé agressif, pour attaquer les félins et garder le bétail.

• **REMARQUE** S'est montré redoutable dans la recherche des esclaves échappés.

• **AUTRE NOM** Fila brasileiro.

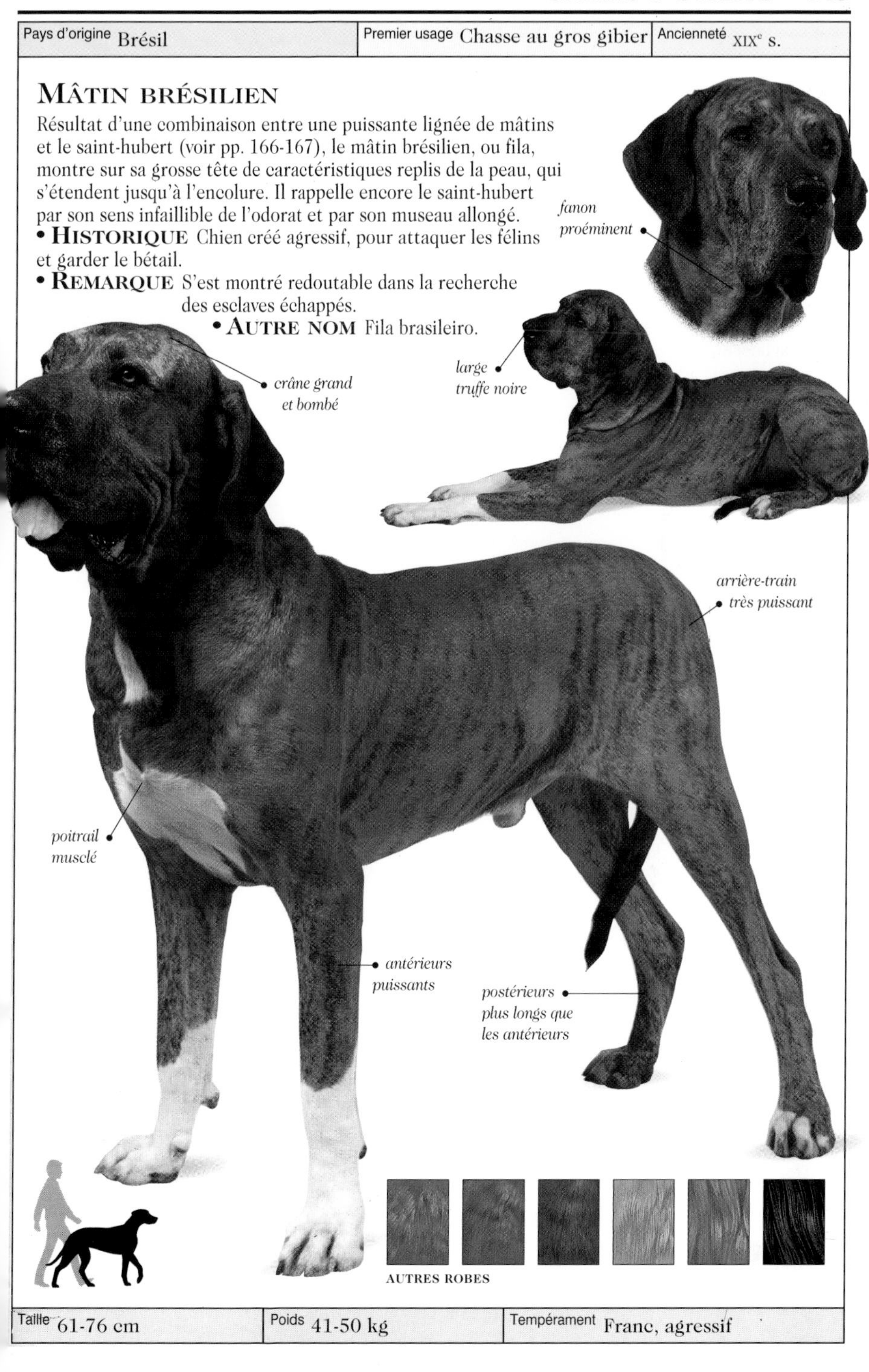

Taille 61-76 cm	Poids 41-50 kg	Tempérament Franc, agressif

Pays d'origine Groenland	Premier usage Chien de traîneau	Ancienneté XVIe s.

Esquimau du Groenland

Chien généralement plus grand que l'esquimau (voir p. 239), mais un peu plus léger, et au dos plus court. Les deux races sont si proches que, dans certains pays, on les juge suivant les mêmes standards.

• **Historique** Certains pensent que ce chien, remarquablement adapté à la survie dans des conditions extrêmes, descend du loup arctique. De nombreuses formes locales en étaient élevées dans le Grand Nord avant la mécanisation des transports.

• **Remarque** À la chasse, le groenland repère les trous que font les phoques dans la glace pour respirer.

• **Autres noms** Chien du Groenland, groenlandais, grœnlandshund.

Taille 56-64 cm	Poids 30-32 kg	Tempérament Affectueux, indépendant

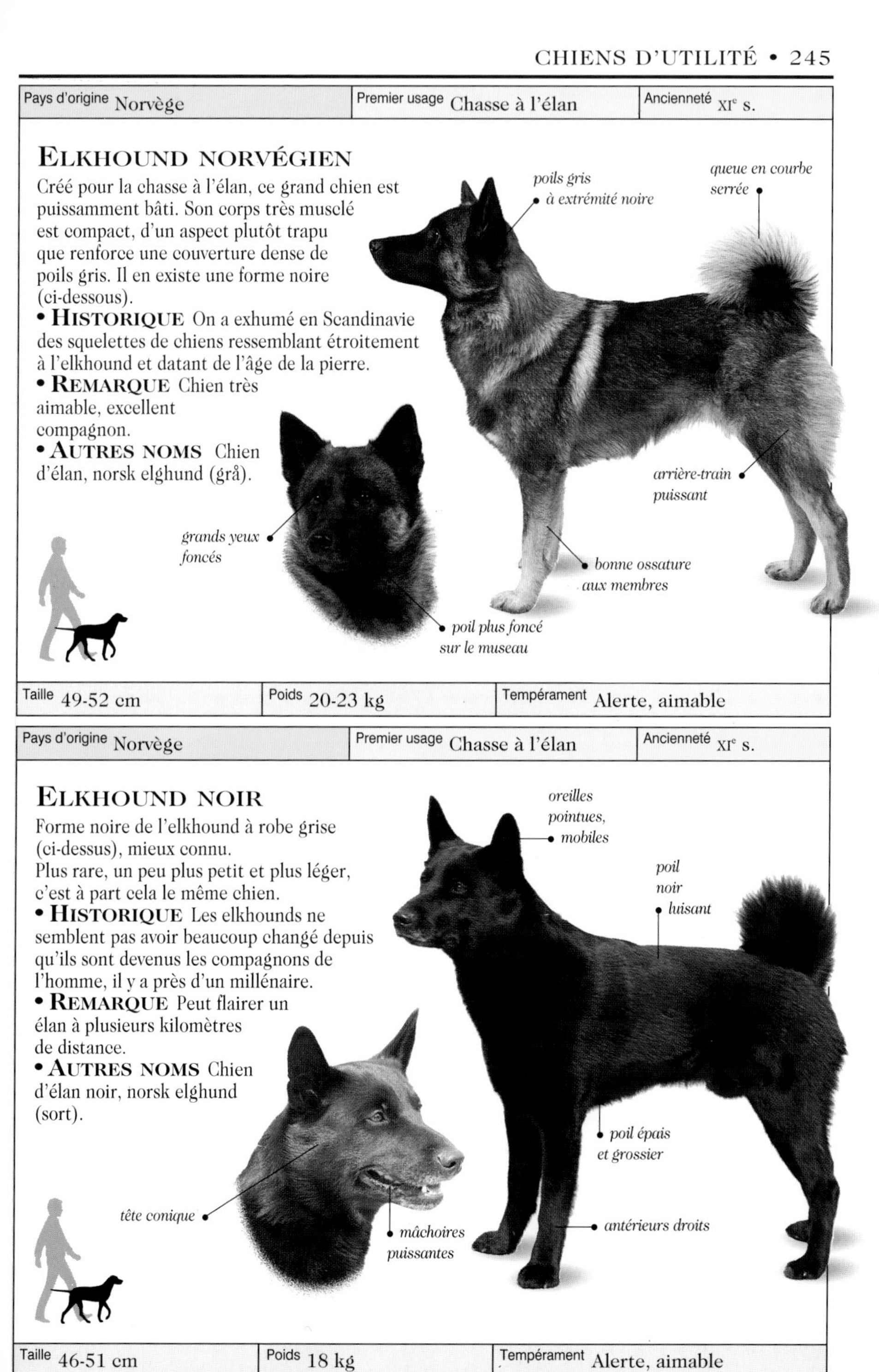

Pays d'origine Norvège	Premier usage Chasse à l'élan	Ancienneté XIe s.

ELKHOUND NORVÉGIEN

Créé pour la chasse à l'élan, ce grand chien est puissamment bâti. Son corps très musclé est compact, d'un aspect plutôt trapu que renforce une couverture dense de poils gris. Il en existe une forme noire (ci-dessous).

- **HISTORIQUE** On a exhumé en Scandinavie des squelettes de chiens ressemblant étroitement à l'elkhound et datant de l'âge de la pierre.
- **REMARQUE** Chien très aimable, excellent compagnon.
- **AUTRES NOMS** Chien d'élan, norsk elghund (grå).

Taille 49-52 cm	Poids 20-23 kg	Tempérament Alerte, aimable

Pays d'origine Norvège	Premier usage Chasse à l'élan	Ancienneté XIe s.

ELKHOUND NOIR

Forme noire de l'elkhound à robe grise (ci-dessus), mieux connu. Plus rare, un peu plus petit et plus léger, c'est à part cela le même chien.

- **HISTORIQUE** Les elkhounds ne semblent pas avoir beaucoup changé depuis qu'ils sont devenus les compagnons de l'homme, il y a près d'un millénaire.
- **REMARQUE** Peut flairer un élan à plusieurs kilomètres de distance.
- **AUTRES NOMS** Chien d'élan noir, norsk elghund (sort).

Taille 46-51 cm	Poids 18 kg	Tempérament Alerte, aimable

Pays d'origine Norvège	Premier usage Chasse aux oiseaux de mer	Ancienneté XVIe s.

LUNDEHUND

Une structure élégante et compacte caractérise cette race robuste et active. L'élevage sélectif lui a donné des pieds bien développés, des doigts additionnels et d'excellentes jointures pour l'aider à accomplir son travail traditionnel : escalader les falaises à la recherche de macareux moines. Très agile, peut tourner la tête presque à se toucher le dos.

• **HISTORIQUE** Chien utilisé pendant des siècles sur les côtes de Norvège. A décliné en même temps que la pratique de la chasse au macareux et s'est un moment trouvé réduit à 50 individus connus.

• **REMARQUE** Peut fermer les oreilles pour empêcher l'eau d'y entrer.

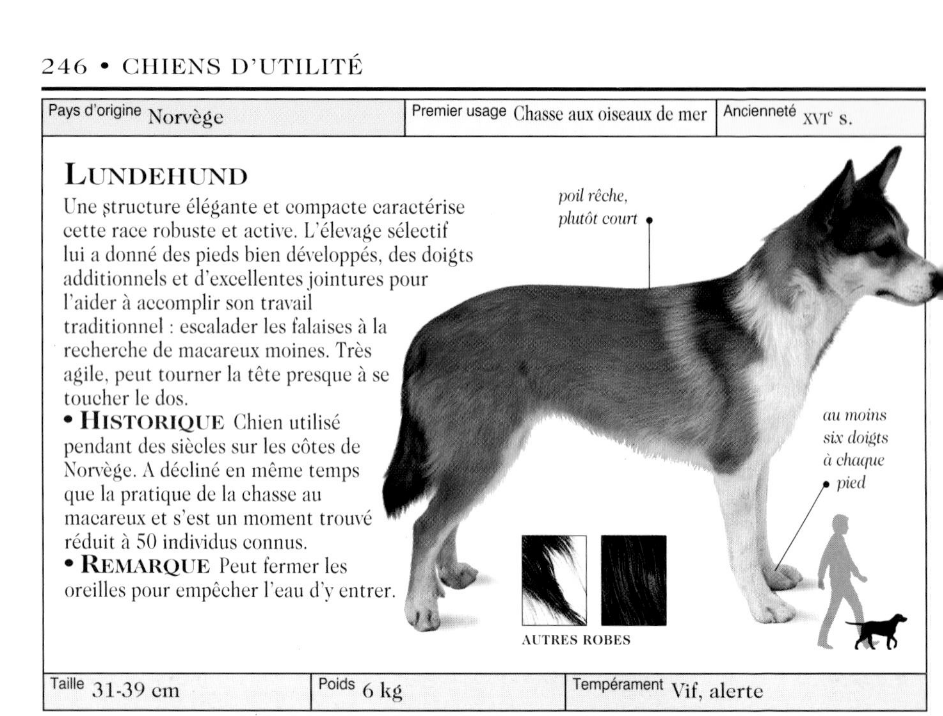

Taille 31-39 cm	Poids 6 kg	Tempérament Vif, alerte

Pays d'origine Norvège	Premier usage Chien de berger	Ancienneté IXe s.

BUHUND NORVÉGIEN

Il présente les caractéristiques du spitz, comme beaucoup de races nordiques. Il a les oreilles pointues et dressées, le corps puissant et trapu, la queue en trompette.

• **HISTORIQUE** Développé tout d'abord pour les travaux de la ferme, en assumant diverses tâches. L'instinct de berger est si enraciné chez le buhund qu'il rassemble même les poulets.

• **REMARQUE** Le nom vient du norvégien *bu* : « hangar », « étable ».

• **AUTRE NOM** Norsk buhund.

Taille 43-46 cm	Poids 24-26 kg	Tempérament Brave, sociable

Pays d'origine Finlande	Premier usage Chasse	Ancienneté XIXe s.

Spitz finnois

Une face éveillée et pointue, ainsi qu'une coloration brun roussâtre ou rouge doré, donnent à ce spitz une allure de renard.

• **Historique** Son standard a été établi en 1812. Autrefois, ce chien servait à la chasse aux oiseaux et au petit gibier.

• **Remarque** Dans les concours, les chiens, qui aboient pour indiquer la présence du gibier, sont notés d'après le nombre d'aboiements à la minute, lesquels peuvent atteindre 160.

• **Autres noms** Suomenpystykorva, finsk spets.

Taille 38-51 cm	Poids 14-16 kg	Tempérament Vif, bruyant

Pays d'origine Finlande	Premier usage Chasse au gros gibier	Ancienneté XVIIe s.

Björnhund carélien

Robuste et vive, cette race a une coloration très typique : surtout noire, avec des marques blanches sur la face, l'encolure, le poitrail, l'abdomen, les pieds et la queue.

• **Historique** Le nom signifie « chien d'ours » et se réfère à la province finlandaise de Carélie. Race reconnue par le Kennel Club finlandais en 1935.

• **Remarque** Après un déclin dans les années 60, ce chien augmente en nombre dans le monde entier.

• **Autre nom** Karjalankarhukoira.

Taille 48-58 cm	Poids 20-23 kg	Tempérament Brave, déterminé

Pays d'origine Suède	Premier usage Chasse à l'élan	Ancienneté XIe s.

ELKHOUND SUÉDOIS

C'est le plus grand et le plus puissant des elkhounds scandinaves. Il a la tête allongée, plutôt étroite, et, avec son museau droit, cela lui donne une légère allure de renard. Le pelage se compose d'une couverture longue et dure, ainsi que d'un sous-poil beaucoup plus doux, dense et laineux.

• **HISTORIQUE** Les ancêtres lointains de l'elkhound suédois accompagnaient peut-être les habitants de la Scandinavie à l'âge de la pierre. Race en tout cas connue depuis des siècles, bien qu'enregistrée seulement en 1946 par le Kennel Club suédois.

• **REMARQUE** Connu surtout dans la région suédoise du Jämtland, ce chien est fait pour vivre sous les climats froids.

• **AUTRE NOM** Jämthund.

oreilles grandes, droites, pointues

petits yeux foncés

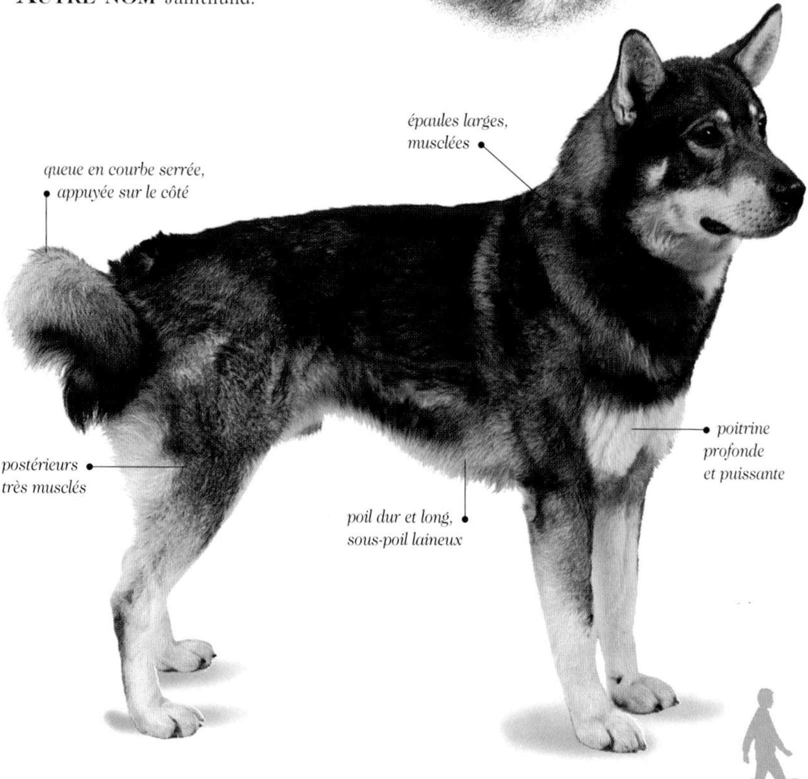

épaules larges, musclées

queue en courbe serrée, appuyée sur le côté

poitrine profonde et puissante

postérieurs très musclés

poil dur et long, sous-poil laineux

Taille 58-64 cm	Poids 30 kg	Tempérament Aimable, alerte

Pays d'origine Suède	Premier usage Garde des rennes	Ancienneté XIXe s.

LAPON SUÉDOIS

De taille moyenne, il présente les caractéristiques du spitz, avec sa face de renard et sa queue recourbée. Il est protégé du froid par un pelage double, dense et laineux.

• **HISTORIQUE** Les Lapons ont appris aux ancêtres de ce chien à faire paître les rennes, mais celui-ci s'est adapté à la garde des moutons. Race reconnue officiellement en Suède en 1944.

• **REMARQUE** Tend à être de couleur unie, bien que des individus marqués de blanc se voient et ne soient pas pénalisés.

• **AUTRE NOM** Lapplandska spets.

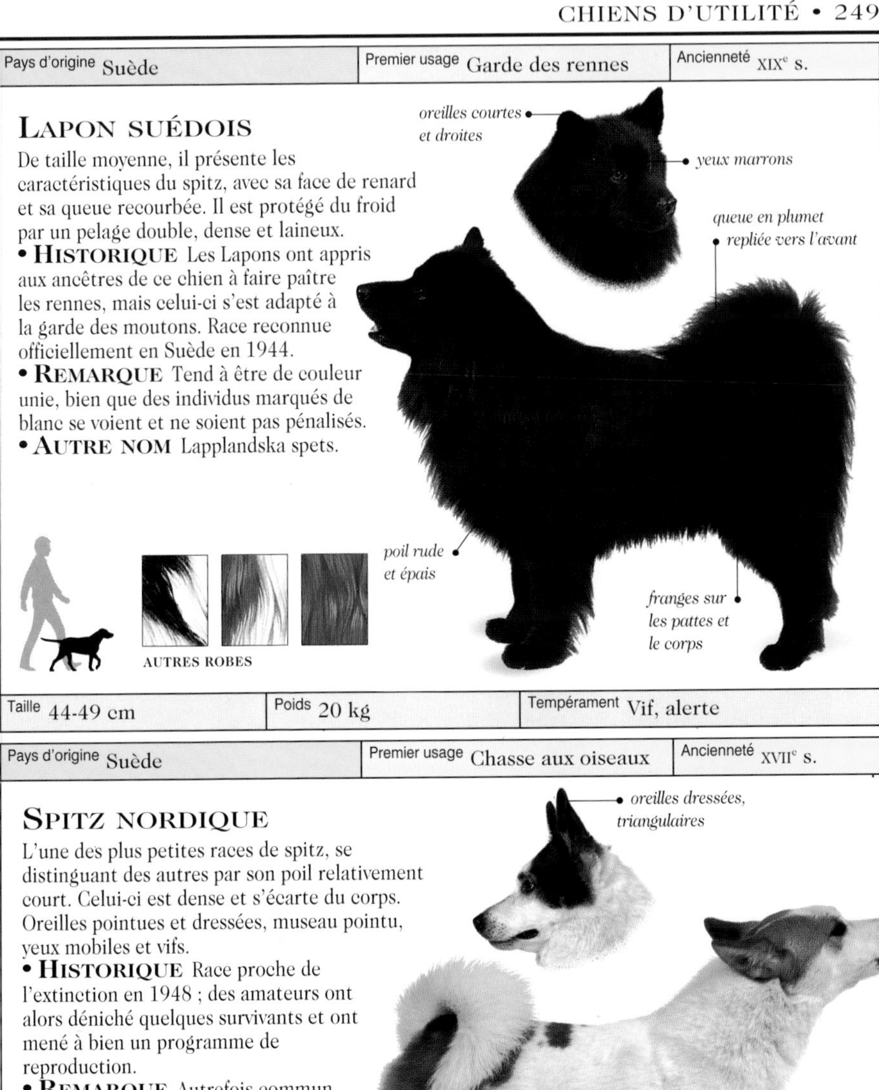

Taille 44-49 cm	Poids 20 kg	Tempérament Vif, alerte

Pays d'origine Suède	Premier usage Chasse aux oiseaux	Ancienneté XVIIe s.

SPITZ NORDIQUE

L'une des plus petites races de spitz, se distinguant des autres par son poil relativement court. Celui-ci est dense et s'écarte du corps. Oreilles pointues et dressées, museau pointu, yeux mobiles et vifs.

• **HISTORIQUE** Race proche de l'extinction en 1948 ; des amateurs ont alors déniché quelques survivants et ont mené à bien un programme de reproduction.

• **REMARQUE** Autrefois commun en Suède comme chien de chasse.

• **AUTRES NOMS** Norrbottenspets, pohjanpystykorva.

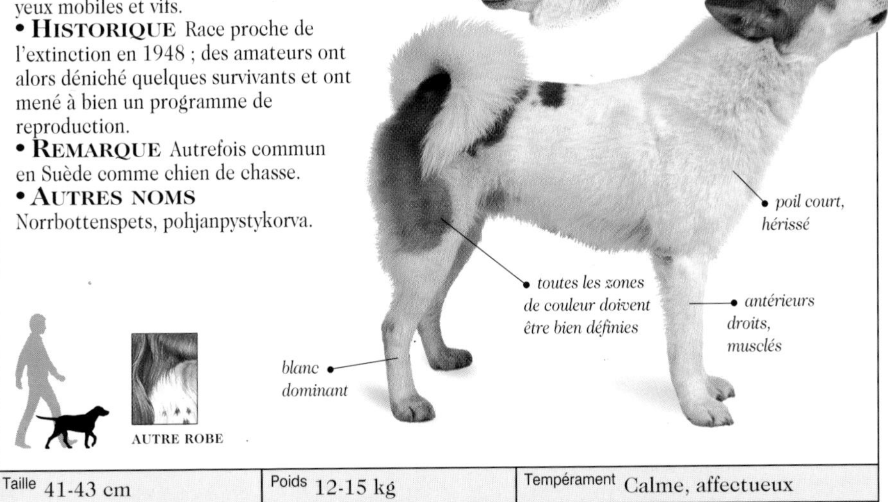

Taille 41-43 cm	Poids 12-15 kg	Tempérament Calme, affectueux

Pays d'origine Allemagne	Premier usage Chien de garde	Ancienneté XIXᵉ s.

DOBERMAN

Ce mâtin de taille moyenne a un physique élégant et sculptural. Il est élancé, bien musclé et puissant, habituellement de couleur noir et feu. Le doberman est un chien franc et alerte, doué d'une forte dose d'endurance.

• **HISTORIQUE** Race développée par un percepteur allemand, Ludwig Doberman, pour impressionner les voleurs, les contrebandiers et les contribuables mécontents. Il a fait intervenir diverses races, dont le berger et le bouvier allemands, le pinscher et le terrier de Manchester.

• **REMARQUE** Avait naguère une réputation de grande agressivité. Aujourd'hui, cela s'est considérablement atténué, mais un dressage sérieux reste nécessaire dès le plus jeune âge.

sommet du crâne plat

encolure mince, relativement longue

yeux en amande, ne devant pas être plus clairs que la robe

mâchoires puissantes, face bien pleine

Taille 65-69 cm	Poids 30-40 kg	Tempérament Franc, intrépide

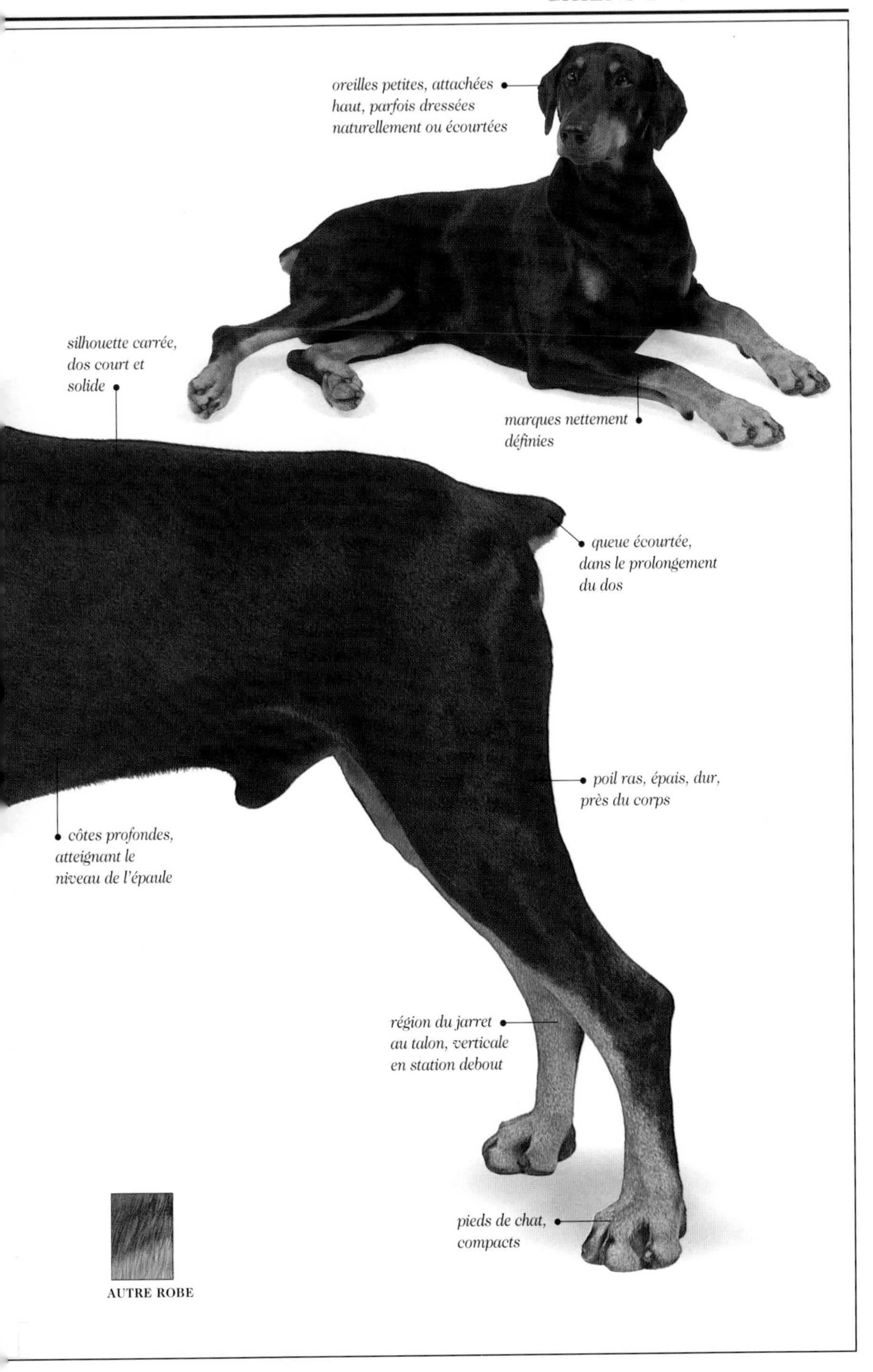
oreilles petites, attachées haut, parfois dressées naturellement ou écourtées
silhouette carrée, dos court et solide
marques nettement définies
queue écourtée, dans le prolongement du dos
poil ras, épais, dur, près du corps
côtes profondes, atteignant le niveau de l'épaule
région du jarret au talon, verticale en station debout
pieds de chat, compacts

AUTRE ROBE

Pays d'origine Allemagne	Premier usage Chasse au gros gibier	Ancienneté 2000 av. J.-C.

Dogue allemand

Géant tranquille, le dogue allemand combine une taille et une force considérables avec non moins de dignité et d'élégance. Sa face allongée, bien dessinée, a un air de distinction et d'intelligence. Les robes sont variées : noires, bleues, bringées, fauves et – les plus frappantes – arlequin. Les chiens sont le plus souvent essorillés, ce qui leur donne un aspect redoutable contredisant leur caractère affectueux.

• **Historique** D'origine ancienne, la race s'est développée en Allemagne et l'on croit qu'elle a hérité sa grâce et son agilité de croisements avec des lévriers.

• **Remarque** Connu pour sa tolérance envers les enfants, propre et aisé à toiletter, le dogue allemand fait un excellent animal familier pour quiconque a de l'espace et de quoi payer une note d'alimentation peu ordinaire.

• **Autres noms**
Grand danois, danois.

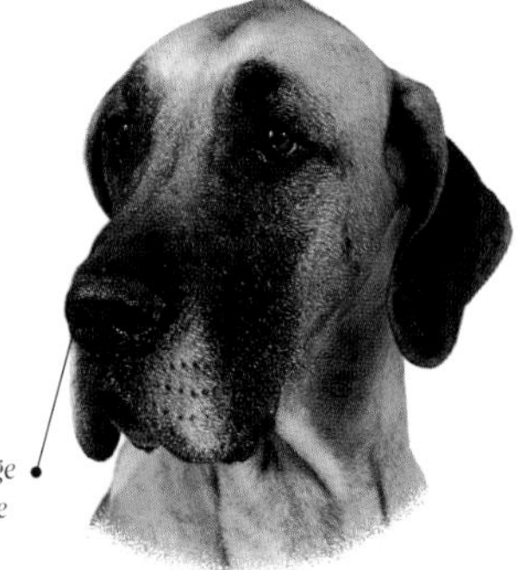

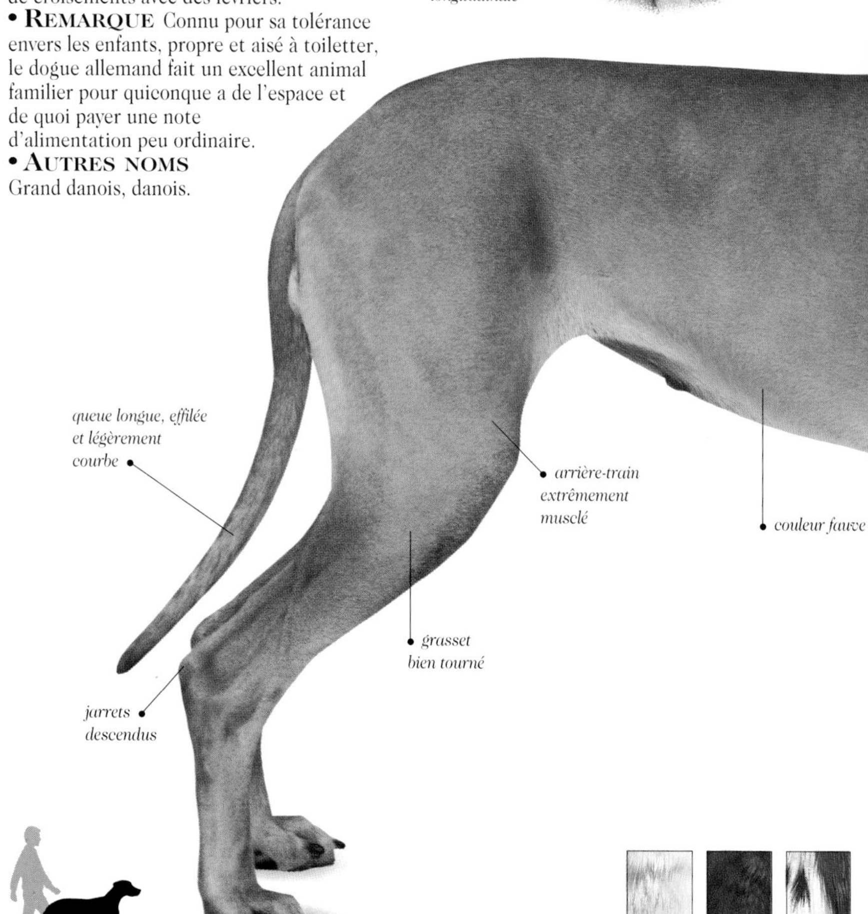

AUTRES ROBES

Taille 76-81 cm	Poids 45-55 kg	Tempérament Alerte, vif

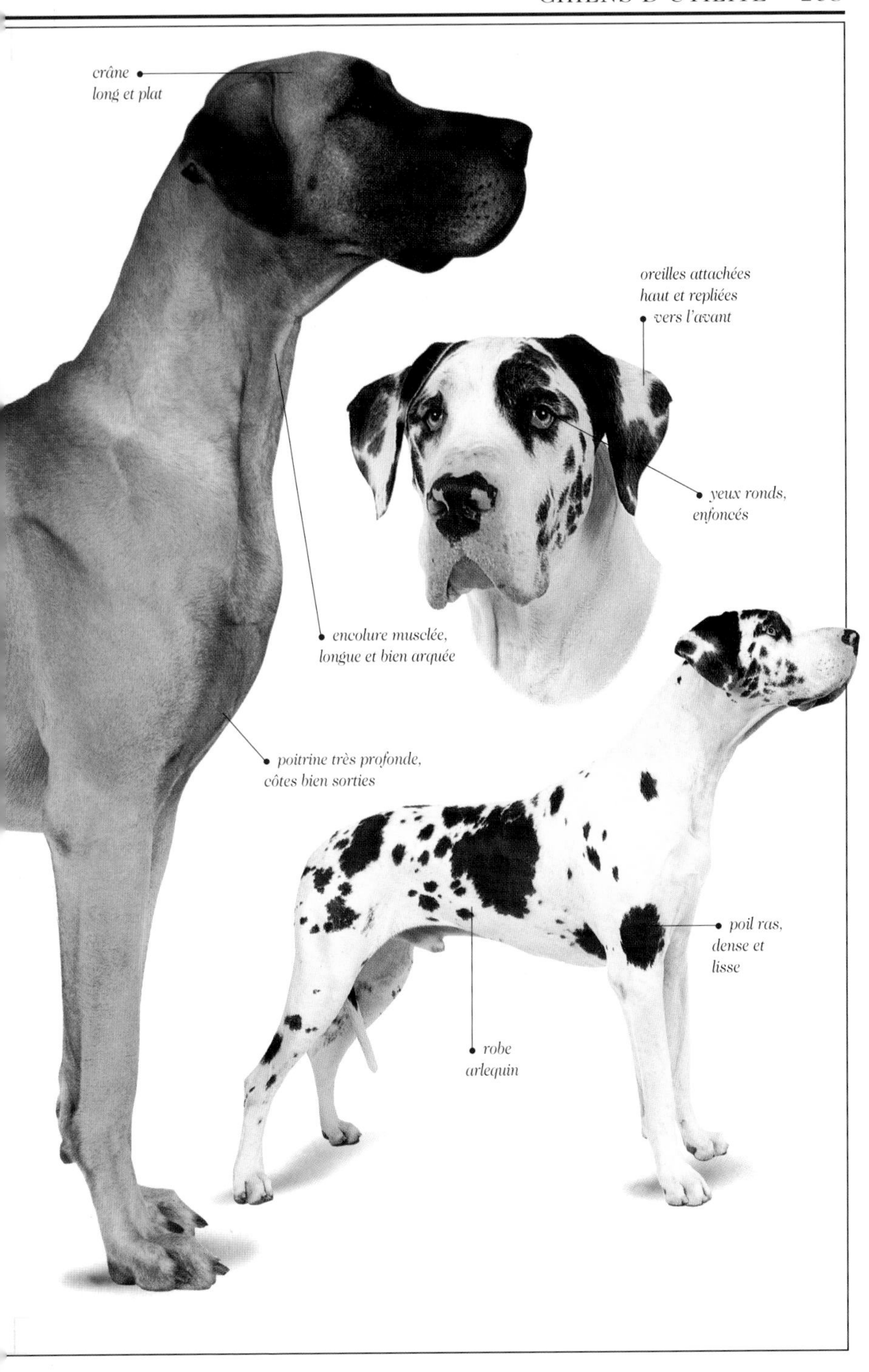
crâne
long et plat
oreilles attachées
haut et repliées
vers l'avant
yeux ronds,
enfoncés
encolure musclée,
longue et bien arquée
poitrine très profonde,
côtes bien sorties
poil ras,
dense et
lisse
robe
arlequin

Pays d'origine Allemagne	Premier usage Chien d'eau	Ancienneté XVe s.

Grand caniche

C'est la plus grande des trois races de caniches. Chien élégamment proportionné, bâti en carré, il est très apprécié comme rapporteur de gibier d'eau, en rivière ou en étang. L'illustration montre une tonte qui tient chaud aux articulations des chevilles, tandis que la crinière augmente la flottabilité.

• **Historique** Bien qu'originaire d'Allemagne, le caniche moderne descend vraisemblablement du barbet (voir p. 95), chien d'eau français devenu rare.

• **Remarque** Chez le chien de travail, un pelage trop abondant gêne les mouvements dans l'eau, d'où la nécessité de la tonte.

Taille 38 cm	Poids 20-32 kg	Tempérament Intelligent, vif

Pays d'origine Allemagne	Premier usage Tauromachie, chien de garde	Ancienneté XIXe s.

BOXER

Ce mâtin sculptural a une personnalité turbulente, exubérante. Et pourtant, il est d'apparence beaucoup plus raffinée que tant d'autres races de mâtins, avec une tête moins massive, plus sèche, et un corps plus agile.

• **HISTORIQUE** Résultat de croisements opérés vers 1850 à Munich entre des mâtins bullenbeisser et des bouledogues.

• **REMARQUE** Malgré son aspect pugnace et sa vivacité, le boxer est assez sensible pour être utilisé dans certains pays comme chien-guide.

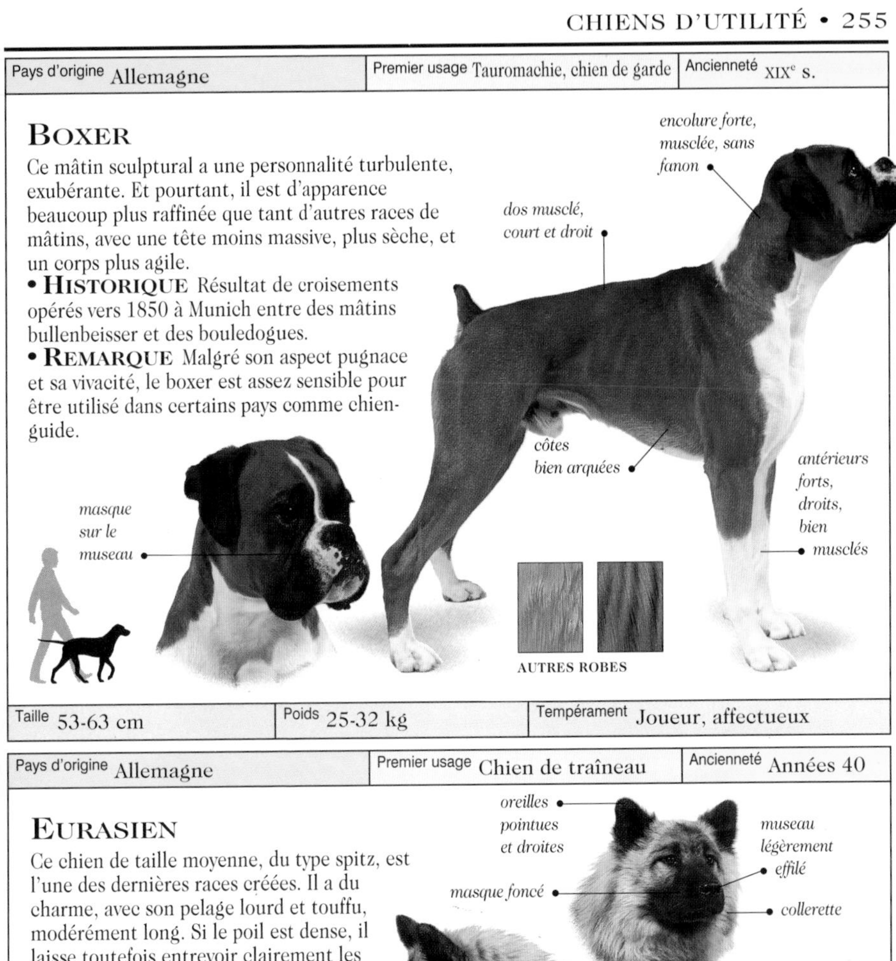

Taille 53-63 cm	Poids 25-32 kg	Tempérament Joueur, affectueux

Pays d'origine Allemagne	Premier usage Chien de traîneau	Ancienneté Années 40

EURASIEN

Ce chien de taille moyenne, du type spitz, est l'une des dernières races créées. Il a du charme, avec son pelage lourd et touffu, modérément long. Si le poil est dense, il laisse toutefois entrevoir clairement les formes de l'animal.

• **HISTORIQUE** Création de Julius Wipfel, à Weinheim, l'eurasien descend de lignées de chow-chows (voir p. 288), de spitz-loups allemands et de samoyèdes (voir p. 287). Reconnu par le Kennel Club allemand dans les années 60.

• **REMARQUE** Sensible, il préfère un dressage en douceur.

• **AUTRE NOM** Eurasier.

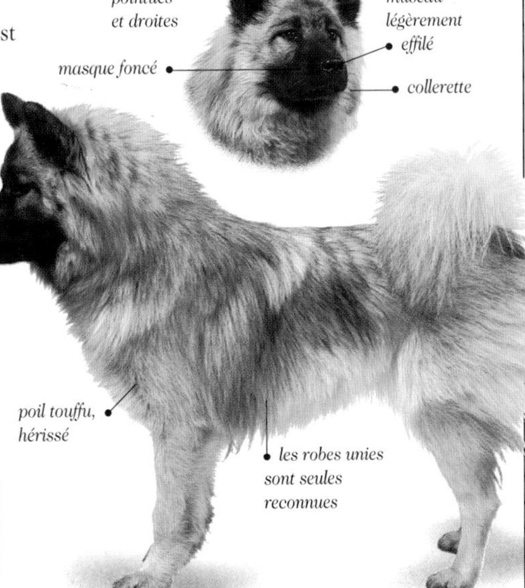

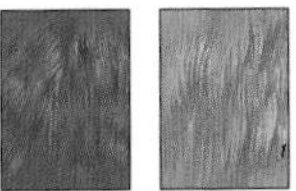

AUTRES ROBES

Taille 48-61 cm	Poids 18-32 kg	Tempérament Déterminé, alerte

Pays d'origine Allemagne	Premier usage Aide aux pêcheurs	Ancienneté XIXe s.

Landseer

Ce chien ressemble étroitement au terre-neuve (voir pp. 240-241) ; il s'en distingue surtout par la coloration. Les taches noires doivent dominer sur le dos et la croupe, ainsi que sur la tête où seule une mince liste blanche est présente. Dans certains pays, notamment anglo-saxons, le landseer n'est enregistré que comme une forme du terre-neuve.

• **Historique** Au début du XIXe siècle, les terre-neuve variaient beaucoup d'aspect. Peu à peu, deux types évoluèrent sur le continent européen : la forme traditionnelle, plus massive, au museau court et à la robe pratiquement noire ; et le landseer, plus haut mais plus léger, à la tête plus longue et au poil légèrement ondulé.

• **Remarque** Le peintre sir Edwin Landseer (1802-1873) a donné son nom à cette race. En représentant ces terre-neuve d'un genre nouveau dans son tableau *À la rescousse*, il leur a donné leurs lettres de noblesse.

Taille 66-71 cm	Poids 50-68 kg	Tempérament Alerte, aimable

tête massive
encolure forte, puissante
poil ras sur la face
étroite liste blanche
mâchoires grandes et puissantes
grands pieds, aptes à la nage

Pays d'origine Allemagne	Premier usage Mascotte	Ancienneté XIXe s.

LÉONBERG

Ce grand chien débonnaire présente de nombreuses caractéristiques propres aux races qui ont contribué à sa création, surtout au terre-neuve (voir pp. 240-241), dont il a hérité son amour de l'eau, et au saint-bernard (voir p. 273), sans doute aussi au grand bouvier suisse (voir p. 272). Aujourd'hui, seules des surfaces très réduites de blanc sont permises chez le léonberg.

• **HISTORIQUE** En 1840, Heinrich Essig, maire de Leonberg, décida de créer une race qui ressemblerait au chien représenté sur les armes de la ville. Rien de surprenant à ce qu'on la nommât *Leonberger*.

• **REMARQUE** Aime naturellement l'eau et s'est montré un excellent chien de sauvetage. Sa robe est imperméable et il a les pieds palmés.

• **AUTRE NOM** Leonberger.

Taille 65-80 cm	Poids 34-50 kg	Tempérament Intelligent, aimable

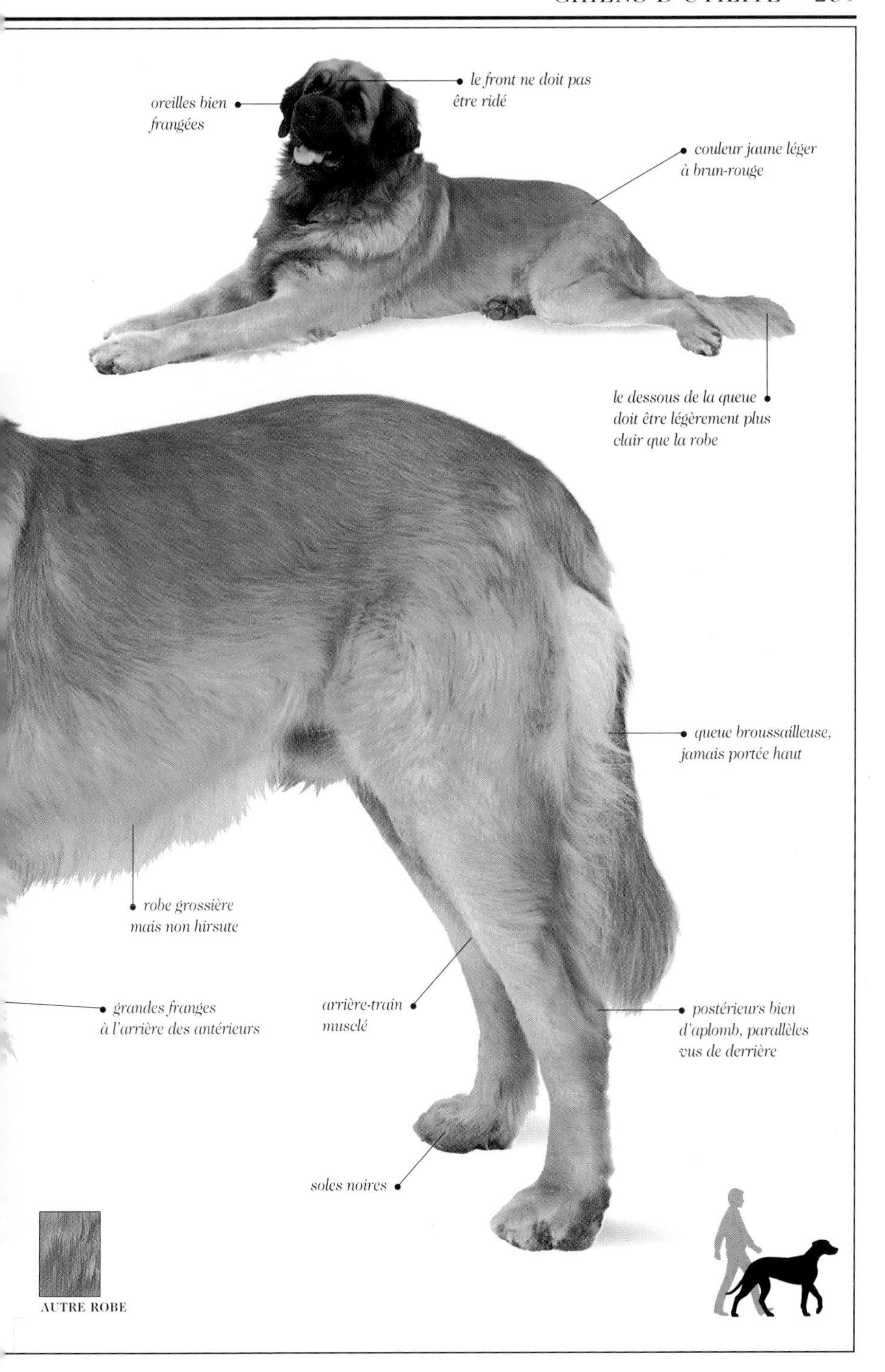
oreilles bien
frangées
le front ne doit pas
être ridé
couleur jaune léger
à brun-rouge
le dessous de la queue
doit être légèrement plus
clair que la robe
queue broussailleuse,
jamais portée haut
robe grossière
mais non hirsute
grandes franges
à l'arrière des antérieurs
arrière-train
musclé
postérieurs bien
d'aplomb, parallèles
vus de derrière
soles noires
AUTRE ROBE

Pays d'origine Allemagne	Premier usage Bouvier, chien de garde	Ancienneté XIXᵉ s.

BOUVIER ALLEMAND

Extrêmement puissant et musclé, ce chien a une expression calme et assurée qui reflète un tempérament tranquille. Il est de couleur noire, avec des marques feu symétriques. Se dresse bien et travaille avec enthousiasme.

• **HISTORIQUE** Développé dans la ville allemande de Rottweil, où on l'a utilisé comme chien de boucher et bouvier. Frôla l'extinction au début du XIXᵉ siècle, alors qu'aujourd'hui c'est l'un des cinq chiens les plus populaires aux États-Unis.

• **REMARQUE** Garde un puissant instinct territorial et peut devenir féroce si on l'excite.

• **AUTRE NOM** Rottweiler.

Taille 58-69 cm	Poids 41-50 kg	Tempérament Protecteur, déterminé

Pays d'origine Pologne	Premier usage Berger	Ancienneté XVIIIe s.

Berger des Tatras

Bien que grand et lourd, ce berger est étonnamment rapide et agile. Sa coloration usuelle est le blanc uni, bien qu'on trouve aussi des individus crème. Il y a des formes à poil raide et à poil ondulé. Cet animal robuste est capable d'affronter le rude hiver polonais.

• **Historique** C'est une idée reçue de considérer le berger de Bergame (voir p. 135) comme l'ancêtre de ce chien. Il vaut mieux songer à des bergers, très semblables, de Moravie, de Slovaquie et de Hongrie.

• **Remarque** Une des caractéristiques de cette race est sa nature placide : les individus irritables sont disqualifiés dans les expositions. Chien récemment adopté en Amérique du Nord à des fins militaires et policières.

• **Autre nom** Owczarek podhalanski.

Taille 61-86 cm	Poids 45-68 kg	Tempérament Indépendant, aimable

Pays d'origine Belgique	Premier usage Chien de marinier	Ancienneté XVIe s.

SCHIPPERKE

Le schipperke est plutôt petit pour un chien apparenté aux spitz, mais son charme est bien dû aux traits caractéristiques de ce groupe. Le poil est long, épais et dur ; il forme une collerette autour du cou. Aux États-Unis, le noir pur est la seule couleur acceptée, mais ailleurs d'autres robes sont permises.

• **HISTORIQUE** Le schipperke a toujours été une race petite. On l'a d'abord utilisé comme chien de garde sur les péniches et peut-être pour encourager les chevaux de halage. Son nom signifie, en néerlandais, « petit marinier ».

• **REMARQUE** La plupart des schipperkes naissent sans queue. Sinon, elle doit être amputée aux fins d'exposition.

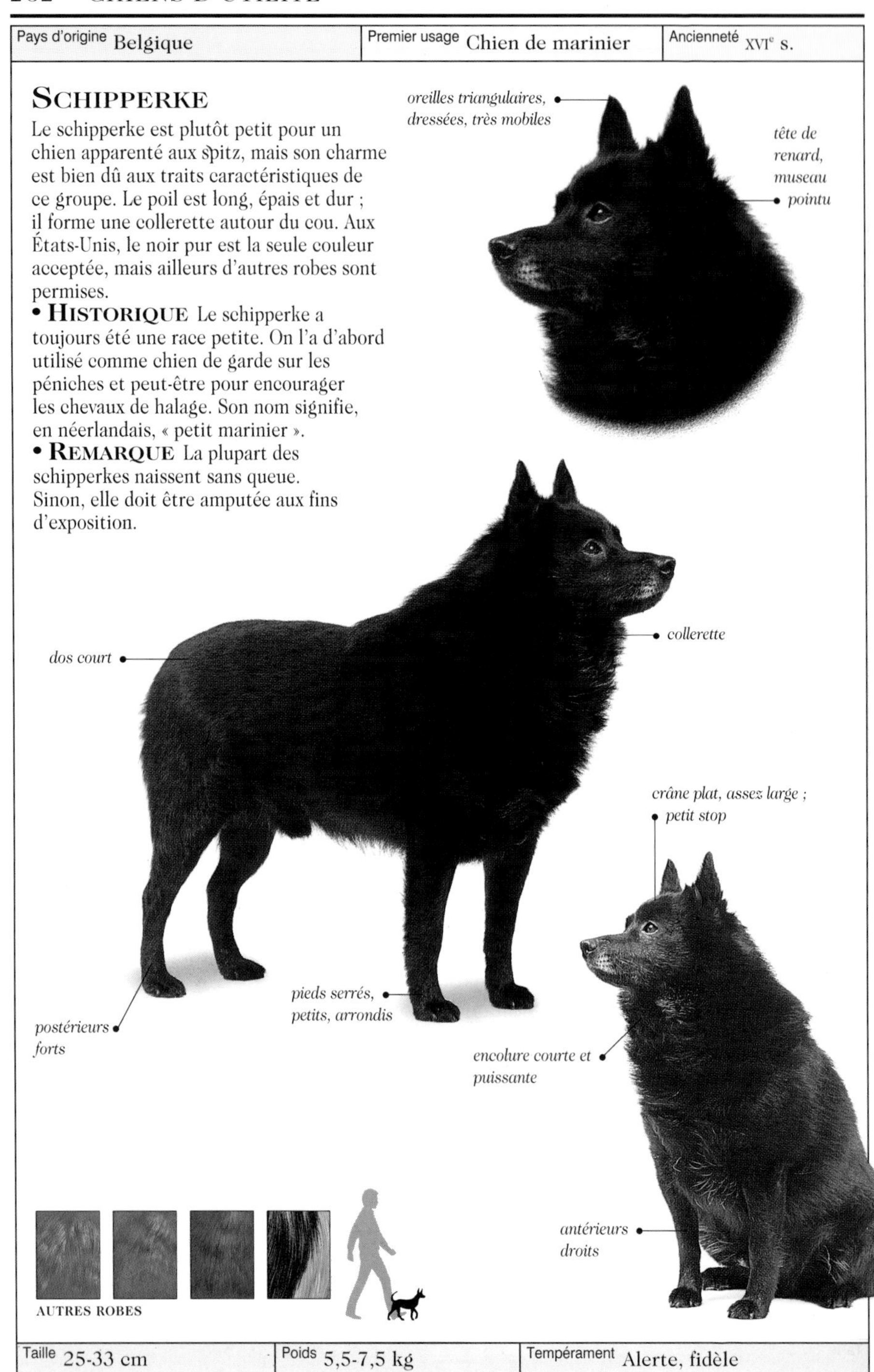

Taille 25-33 cm	Poids 5,5-7,5 kg	Tempérament Alerte, fidèle

Pays d'origine France	Premier usage Tauromachie	Ancienneté XIXe s.

BOULEDOGUE FRANÇAIS

Cette race petite et trapue a une grosse tête et de typiques oreilles de chauve-souris. Elle a moins souffert que son homologue anglaise des abus de l'élevage sélectif.

• **HISTORIQUE** Descend des bouledogues anglais nains du XIXe siècle, dont certains ont alors été importés en France.

• **REMARQUE** Les individus trop lourds peuvent avoir des ennuis respiratoires.

Taille 31 cm	Poids 10-13 kg	Tempérament Affectueux, joueur

Pays d'origine France	Premier usage Chasse et garde	Ancienneté IVe s.

DOGUE DE BORDEAUX

Descendante d'une souche de mâtins anciens, c'est une race très puissante. La face est très ridée et la tête si massive que ce pourrait être la plus grosse du monde canin.

• **HISTORIQUE** La grande force de ce mâtin l'a fait exhiber contre des taureaux dans des spectacles de cirque.

• **REMARQUE** À la suite d'un programme d'élevage établi dans les années 60, une sélection soigneuse a rendu ce chien pacifique.

Taille 58-69 cm	Poids 36-45 kg	Tempérament Déterminé, intrépide

Pays d'origine France	Premier usage Berger	Ancienneté 2000 av. J.-C.

Chien de montagne des Pyrénées

Parfois confondu avec le mâtin des Pyrénées (voir p. 278), ce chien géant mais élégant s'en distingue par la couleur de ses taches, qui peuvent être blaireautées, louvetées ou jaune pâle. Mais souvent il est tout blanc, avec les paupières bordées de noir. Son poil rustique lui permet de supporter les conditions climatiques les plus rudes.

• **Historique** De vieille souche française, cette race est supposée descendre d'anciens bergers pyrénéens de grande taille.

• **Remarque** Il lui faut trois à quatre ans pour atteindre sa pleine maturité.

oreilles triangulaires, plutôt petites

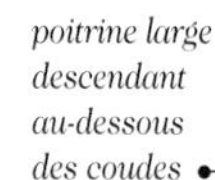

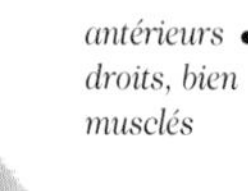

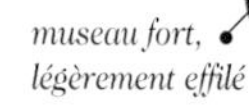

Taille 65-81 cm	Poids 41-57 kg	Tempérament Vigilant, fidèle

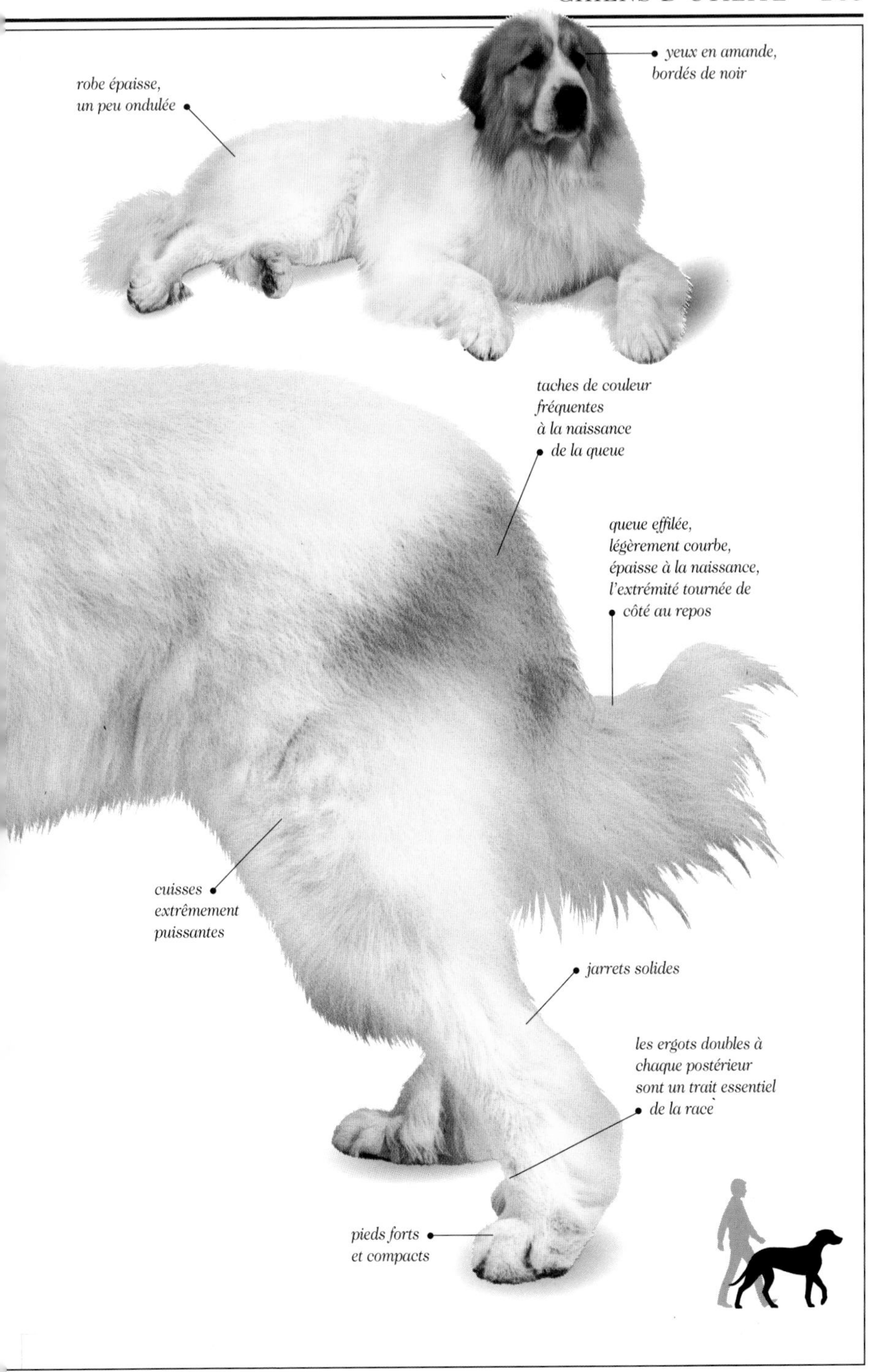
robe épaisse,
un peu ondulée
yeux en amande,
bordés de noir
taches de couleur
fréquentes
à la naissance
de la queue
queue effilée,
légèrement courbe,
épaisse à la naissance,
l'extrémité tournée de
côté au repos
cuisses
extrêmement
puissantes
jarrets solides
les ergots doubles à
chaque postérieur
sont un trait essentiel
de la race
pieds forts
et compacts

Pays d'origine Hongrie	Premier usage Berger	Ancienneté IXe s.

Komondor

La robe cordée qui distingue le komondor atteint le sol. Race d'aspect semblable à celui du puli (voir p. 133), mais beaucoup plus grande et à l'ossature forte.

• **Historique** Le komondor est bien adapté à son rôle traditionnel de berger. Sa robe l'aide à se dissimuler parmi les moutons, jusqu'au moment où il bondit sur un prédateur tout surpris. Son nom vient peut-être du hongrois *komondor kedvu*, qui signifie « sombre » ou « fâché ».

• **Remarque** Robe particulièrement exigeante en soins. Ne jamais la brosser ni la peigner, par exemple ; séparer les cordes et les éclaircir par élagage manuel.

Taille 66-81 cm	Poids 36-61 kg	Tempérament Protecteur, fidèle

Pays d'origine Hongrie	Premier usage Berger	Ancienneté XIIIe s.

KUVASZ

Race développée spécifiquement pour garder et protéger les troupeaux, non pour les rassembler et les mener. Structure robuste, squelette moyen, belles proportions. Robe dense, de préférence blanc pur ou ivoire. Oreilles repliées et tombant près de la tête, grande mais non volumineuse, avec un stop arrondi.

• **HISTORIQUE** Origine précise inconnue. Elle se trouve au Tibet, la race étant arrivée en Hongrie par la Turquie. L'aspect général ressemble à celui du berger des Abruzzes (voir p. 275) et du chien de montagne des Pyrénées (voir pp. 264-265), avec lesquels un ancêtre commun est possible.

• **REMARQUE** Le kuvasz aime les enfants, est très protecteur et noue un lien solide avec son maître.

tête allongée mais non pointue

museau droit

grande truffe noire, narines bien ouvertes

oreilles en V, à l'extrémité légèrement arrondie

encolure moyenne, musclée, sans fanon

poil ondulé sur le corps et les membres

poitrine profonde, côtes longues et bien sorties

pieds de chat, soles bien développées

Taille 56-66 cm	Poids 36-50 kg	Tempérament Fidèle, prudent

Pays d'origine Hongrie	Premier usage Berger, bouvier	Ancienneté XIXe s.

MUDI

Beaucoup moins connu que ses compatriotes plus anciens et mieux établis, le puli et le komondor (voir pp. 133 et 266), le mudi est un berger et bouvier polyvalent. Il est plus lourd et plus haut que le puli, et sa robe non cordée est plus aisée à toiletter. Celle-ci est généralement noire, mais le blanc n'est pas rare, et il en existe une forme pie, avec une distribution égale des deux couleurs.

• **HISTORIQUE** L'existence du mudi ne semble pas avoir été planifiée. Il s'agit d'un mélange fortuit mais heureux d'anciens bergers hongrois. Race inconnue jusqu'il y a environ un siècle.

• **REMARQUE** Bon pisteur et chasseur, le mudi sait aussi travailler le bétail.

Taille 36-51 cm	Poids 8-13 kg	Tempérament Adaptable, aimable

Pays d'origine Suisse	Premier usage Garde des chèvres	Ancienneté VIe s.

Bouvier des Alpes

L'un des quatre bouviers suisses. Chien rustique, bien bâti, se distinguant des races similaires par sa queue typiquement enroulée par-dessus la cuisse.

• **Historique** On pense qu'il descend du molosse, aujourd'hui éteint.

• **Remarque** Possède la capacité inhabituelle de protéger et de mener à la fois les troupeaux.

• **Autres noms** Bouvier d'Appenzell, appenzeller Sennenhund.

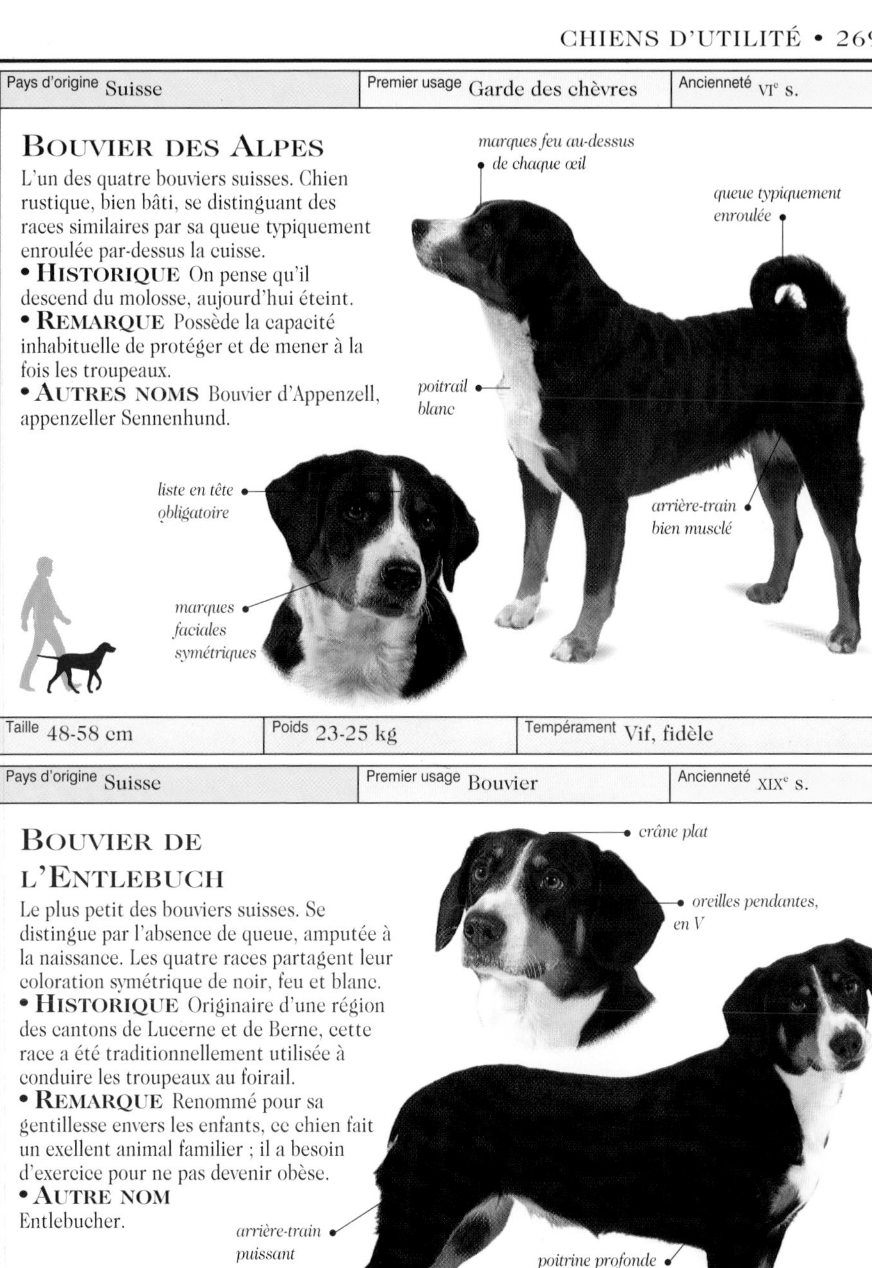

Taille 48-58 cm	Poids 23-25 kg	Tempérament Vif, fidèle

Pays d'origine Suisse	Premier usage Bouvier	Ancienneté XIXe s.

Bouvier de l'Entlebuch

Le plus petit des bouviers suisses. Se distingue par l'absence de queue, amputée à la naissance. Les quatre races partagent leur coloration symétrique de noir, feu et blanc.

• **Historique** Originaire d'une région des cantons de Lucerne et de Berne, cette race a été traditionnellement utilisée à conduire les troupeaux au foirail.

• **Remarque** Renommé pour sa gentillesse envers les enfants, ce chien fait un exellent animal familier ; il a besoin d'exercice pour ne pas devenir obèse.

• **Autre nom** Entlebucher.

Taille 48-51 cm	Poids 25-30 kg	Tempérament Obéissant, aimable

Pays d'origine Suisse	Premier usage Chien de trait	Ancienneté 100 av. J.-C.

BOUVIER BERNOIS

Le plus connu des bouviers suisses. Se distingue des autres variétés par sa robe. Le poil est long et légèrement ondulé, mais sans boucles. Pour ce qui est de la coloration et des marques, la race est identique aux autres. Ses caractéristiques sont une liste blanche sur la tête, se prolongeant entre les yeux, et une bavette blanche en croix. Elle doit aussi, pour bien faire, avoir des chaussettes blanches ne montant pas au-delà des paturons, et du blanc à l'extrémité de la queue. Ces chiens affectueux font de bons animaux familiers pourvu qu'on leur donne suffisamment d'exercice.

• **HISTORIQUE** Il se peut que des croisements entre bouviers locaux et chiens de garde emmenés en Helvétie par l'envahisseur romain aient jeté les bases de cette race. Plus récemment, les bouviers bernois ont travaillé dans les fermes, et particulièrement dans le canton de Berne comme chiens de trait pour conduire au marché des charrettes de produits agricoles.

• **REMARQUE** Cette race ne manque pas d'amateurs en Europe, mais elle n'a guère de succès ailleurs dans le monde.

Taille 58-70 cm	Poids 40-44 kg	Tempérament Attentif, aimable

poil doux,
soyeux,
brillant
bavette
caractéristique
corps trapu
encolure
moyenne,
forte,
musclée
arrière-train
large, fort,
musclé
queue touffue
pouvant descendre
sous les jarrets

Pays d'origine Suisse	Premier usage Chien de trait	Ancienneté IVe s.

GRAND BOUVIER SUISSE

C'est le plus grand des quatre bouviers suisses ; le poil est ras et la queue, portée bas, plus longue que celle des autres. Comme chez tous les représentants de ce groupe, la coloration est noir et feu, les régions feu étant bordées de noir mais aussi de marques blanches. Le blanc forme une liste en tête, qui se prolonge sur le poitrail, et se montre aussi aux pieds comme à l'extrémité de la queue.

• **HISTORIQUE** Ce chien a une longue histoire, liée à celle des fermes suisses. Il a décliné aux alentours de 1850, et il s'était presque éteint au tournant du siècle. Les rares pur-sang survivants ont été croisés avec des saint-bernard à poil ras. La race s'est à présent bien rétablie et elle a été introduite aux États-Unis en 1968.

• **REMARQUE** Malgré la taille du chien, le brossage de la robe est aisé.

• **AUTRE NOM** Grosser schweizer Sennenhund.

Taille 60-72 cm	Poids 59-61 kg	Tempérament Actif, calme

Pays d'origine Suisse	Premier usage Recherche et sauvetage	Ancienneté XIe s.

SAINT-BERNARD

Le saint-bernard est un chien de proportions imposantes : il est grand, large, lourd et doté d'une ossature massive. Cependant il a beaucoup de dignité dans l'expression et les attitudes. On en connaît des formes à poil ras et à poil long ; les combinaisons de couleurs préférées sont le blanc et rouge ou le rouge et jaune brunâtre.

• **HISTORIQUE** Descend du molosse romain, souche originelle des mâtins, introduite dans les Alpes par les légions il y a environ 2 000 ans. Le premier saint-bernard proprement dit est né à l'hospice Saint-Bernard de Menthon il y a à peu près un millénaire.

• **REMARQUE** Ce chien doit être conduit d'une main ferme quand on le promène à la laisse.

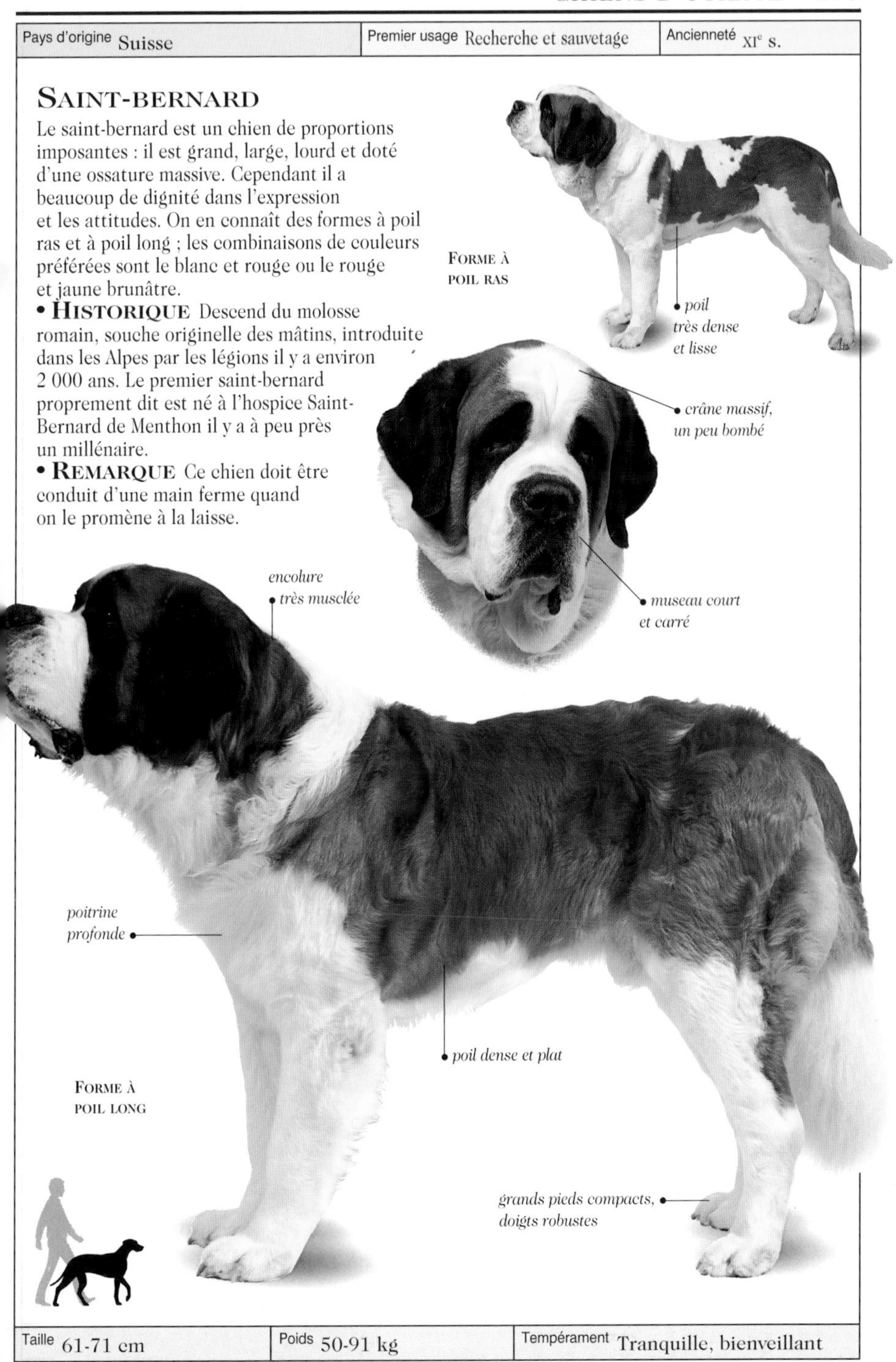

Taille 61-71 cm	Poids 50-91 kg	Tempérament Tranquille, bienveillant

Pays d'origine Croatie	Premier usage Chien de trait	Ancienneté XVe s.

DALMATIEN

Des taches bien nettes, se détachant sur un fond blanc pur, font du dalmatien la plus caractéristique, peut-être, de toutes les races de chiens. Les individus à taches noires sont beaucoup plus communs que ceux à taches foie. Les taches doivent être rondes, bien définies, ne se chevauchant pas. Elles doivent être plus petites aux extrémités que sur le reste du corps. Les chiots sont tout blancs à la naissance ; les taches n'apparaissent que progressivement.

• **HISTORIQUE** Race née en Dalmatie, région côtière de Croatie d'où elle tire son nom. Devenue très populaire au XIXe siècle comme chien de trait et « de cocher » : le dalmatien trottait à côté des chevaux en contribuant à tenir en respect les bandits de grand chemin.

• **REMARQUE** Chien devenu célèbre avec le dessin animé des studios Walt Disney *Les 101 Dalmatiens*, d'après le roman de Dodie Smith.

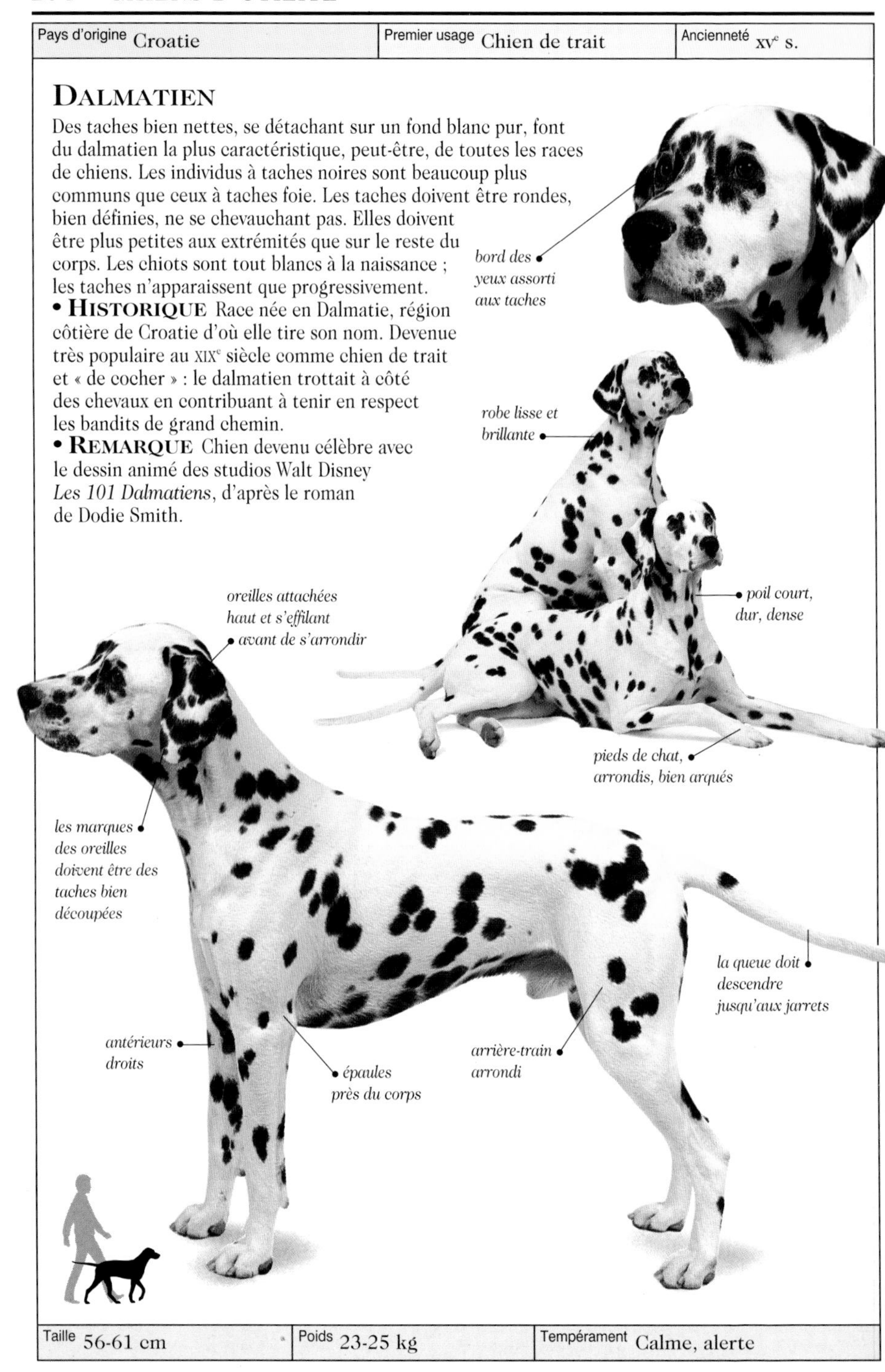

Taille 56-61 cm	Poids 23-25 kg	Tempérament Calme, alerte

Pays d'origine Italie	Premier usage Berger	Ancienneté 100 av. J.-C.

Berger des Abruzzes

Le blanc est la couleur dominante de ce berger majestueux, parfois teinté de nuances ivoire ou fauve pâle, surtout aux oreilles. Chien musclé et puissant, au poil long et assez rêche. Grande tête d'ours.

• **Historique** Cette race pourrait descendre de gardiens de troupeaux archaïques et exister dans les Maremmes et les Abruzzes depuis l'époque romaine.

• **Remarque** Grand chien intelligent mais malaisé à dresser car assez indépendant et distant.

• **Autres noms** Berger de la Maremme, pastore abruzzese, maremmano.

Taille 60-73 cm	Poids 30-45 kg	Tempérament Sensible, protecteur

Pays d'origine Italie	Premier usage Chien de garde et de combat	Ancienneté 100 av. J.-C.

MÂTIN NAPOLITAIN

Cette race ancienne a une lente et lourde démarche d'ours, commune à d'autres mâtins, et la tête très grande. De celle-ci, un fanon descend en replis profonds jusqu'à l'encolure, en donnant au chien l'air d'avoir un triple menton. Malgré sa sinistre réputation de chien de combat, c'est un animal généralement calme, placide même, et aimable, du moins avec les gens qu'il connaît bien.

• **HISTORIQUE** Son origine pourrait remonter au molosse romain. Sa force colossale en a fait un chien de combat mais aussi de garde et de trait. Ce n'est qu'en 1946 que des efforts ont été entrepris, par le peintre Piero Scanziani, pour sauvegarder la race. En créant un élevage, il a beaucoup fait pour en assurer la survie.

• **REMARQUE** Ce géant n'est pas d'un naturel agressif mais il se montrera un gardien fidèle, reflétant par là son ascendance de mâtin.

• **AUTRES NOMS** Mâtin de Naples, dogue de Naples, mastino napoletano.

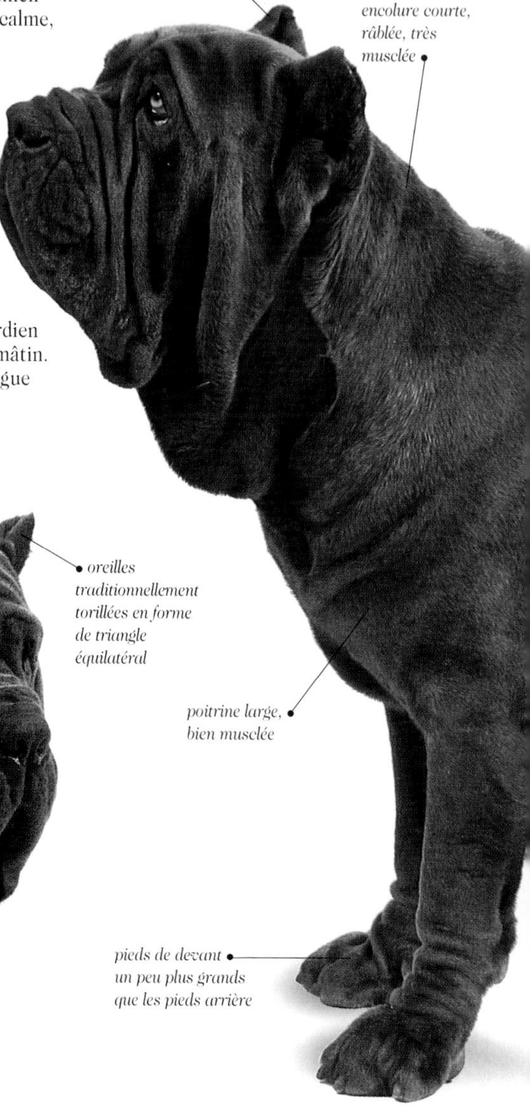

oreilles petites, bien espacées, en position avancée

encolure courte, râblée, très musclée

oreilles traditionnellement torillées en forme de triangle équilatéral

poitrine large, bien musclée

fanon pendant de la bajoue à la mi-encolure

pieds de devant un peu plus grands que les pieds arrière

Taille 65-75 cm	Poids 50-68 kg	Tempérament Protecteur, vigilant

crâne large et plat
grosse tête de forme sphérique
côtes longues et bien sorties
croupe large et musclée, légèrement oblique
queue épaisse à la naissance, éventuellement écourtée d'un tiers
beau poil ras, dense, dur et luisant
pieds ovales, doigts arqués
AUTRES ROBES

Pays d'origine Espagne	Premier usage Berger	Ancienneté 3000 av. J.-C.

Mâtin des Pyrénées

Il est un peu plus petit que le chien de montagne des Pyrénées (voir pp. 264-265), mais il partage avec celui-ci un ancêtre commun. Le mâtin est solidement bâti, symétrique ; il a la tête grande, l'encolure puissante (souvent avec trop de fanon) et le corps en hauteur sur des pattes très robustes.

- **Historique** Descend, comme le chien de montagne, d'animaux amenés en Espagne par des navigateurs.
- **Remarque** Malgré sa taille considérable, a peu d'appétit et la démarche légère.
- **Autre nom** Perro mastin del Pireneo.

Taille 72-86 cm	Poids 54-70 kg	Tempérament Sensible, alerte

Pays d'origine Espagne	Premier usage Bouvier	Ancienneté IXe s.

MÂTIN ESPAGNOL

Il a l'aspect typique d'un mâtin : tête large à museau relativement court, vaste poitrail et fanon caractéristique sur l'encolure. Les oreilles sont pointues et pendantes, mais non grandes.

• **HISTORIQUE** Ces chiens ont été utilisés pendant des siècles, dans les collines d'Espagne, comme gardiens de troupeaux. Leur origine remonterait aux anciennes souches de mâtins amenées dans la région par les Romains. Ils n'ont que récemment attiré l'attention des cynophiles d'Europe du Nord et des États-Unis.

• **REMARQUE** Ce mâtin n'est nullement agressif envers l'homme mais peut se montrer combatif vis-à-vis d'autres chiens.

• **AUTRE NOM** Mastin español.

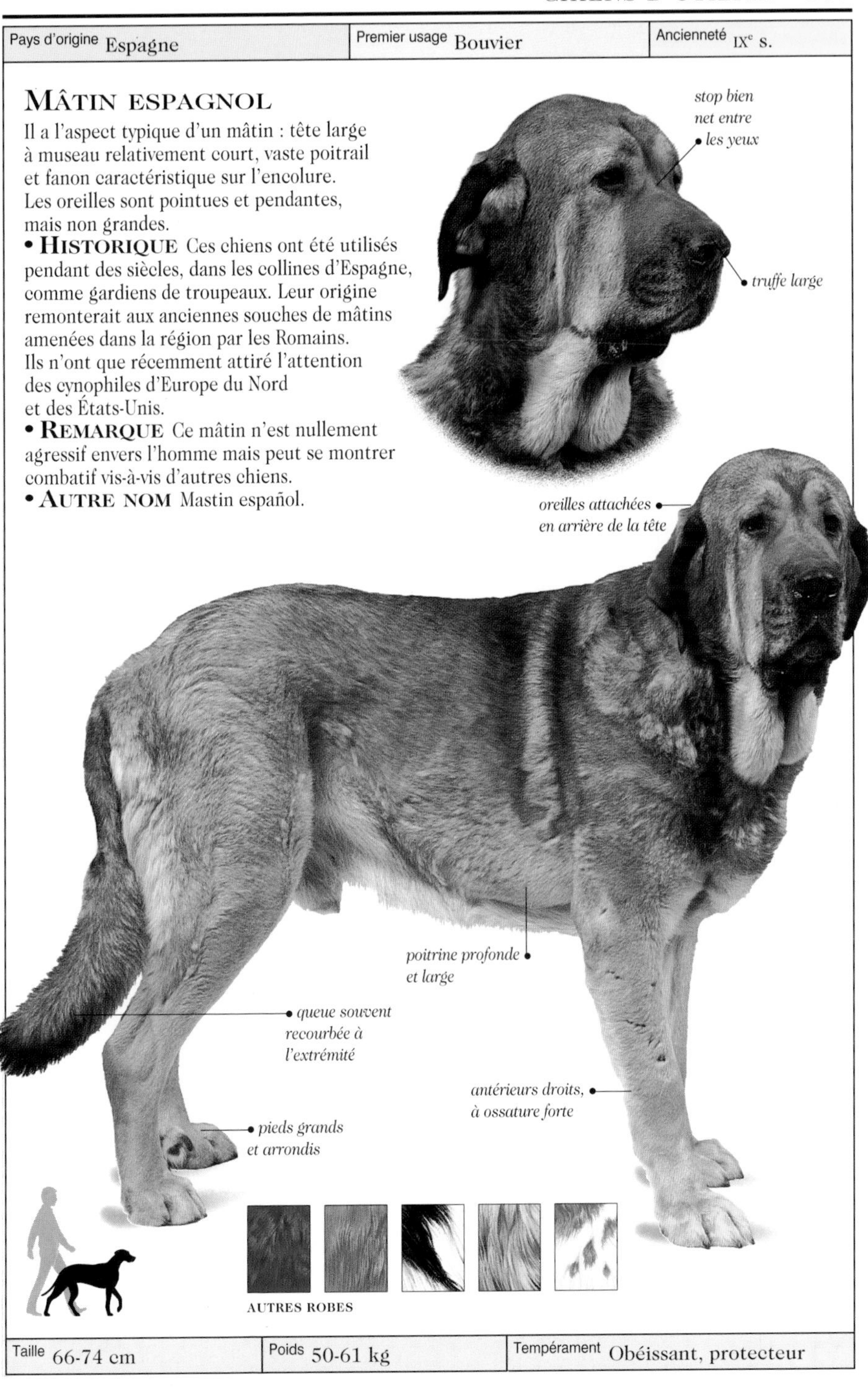

Taille 66-74 cm	Poids 50-61 kg	Tempérament Obéissant, protecteur

Pays d'origine Espagne (Baléares)	Premier usage Garde des fermes	Ancienneté XVIIIe s.

BERGER DE MAJORQUE

Une tête bien dessinée et un museau effilé donnent à cette race un aspect distingué. La queue est longue et en pointe. Il existe des formes à poil long et à poil ras.

• **HISTORIQUE** Ce chien est originaire des îles Baléares, au large de l'Espagne, où il a une fonction utilitaire.

• **REMARQUE** L'élevage sélectif l'a rendu résistant à la chaleur du soleil méditerranéen. Il peut être féroce et agressif.

• **AUTRES NOMS** Perro de pastor mallorquín, ca de bestiar.

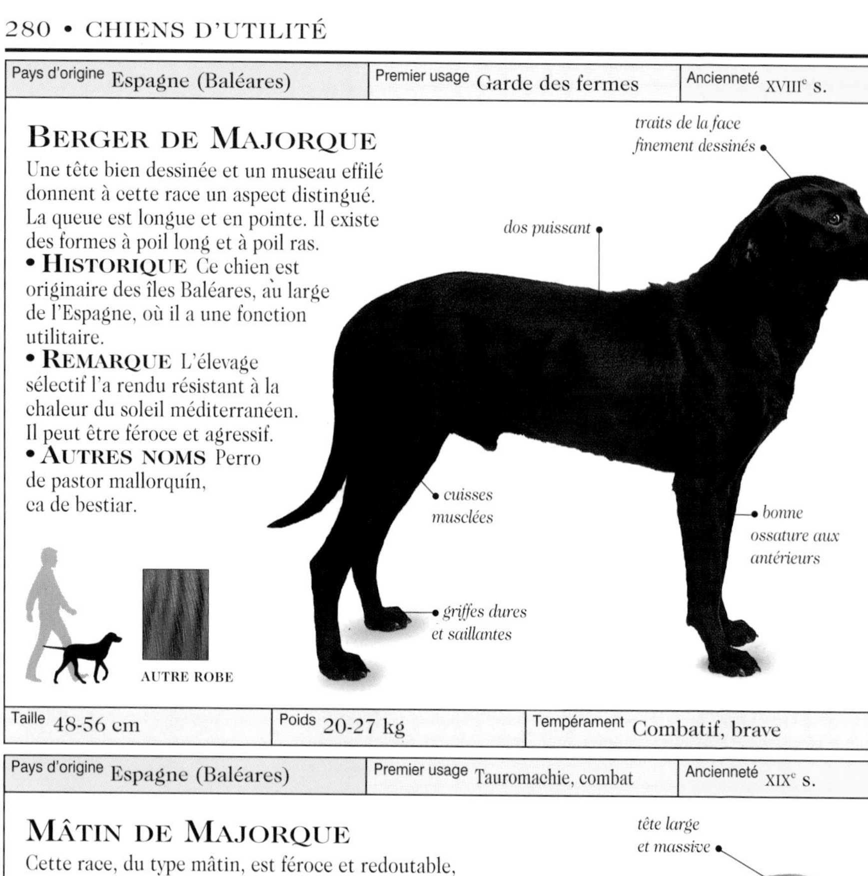

Taille 48-56 cm	Poids 20-27 kg	Tempérament Combatif, brave

Pays d'origine Espagne (Baléares)	Premier usage Tauromachie, combat	Ancienneté XIXe s.

MÂTIN DE MAJORQUE

Cette race, du type mâtin, est féroce et redoutable, puissamment musclée, dotée de mâchoires fortes et happantes. Le poil est très ras et luisant, habituellement jaune avec des taches de couleur plus claire ou plus foncée.

• **HISTORIQUE** La popularité de ce chien des Baléares a décliné en même temps que les combats de chiens entre eux ou contre des taureaux.

• **REMARQUE** A besoin d'une discipline stricte dès le plus jeune âge.

• **AUTRES NOMS** Perro de presa mallorquín, ca de bou.

Taille 58-61 cm	Poids 55-68 kg	Tempérament Indépendant, féroce

Pays d'origine Israël	Premier usage Berger	Ancienneté 2000 av. J.-C.

Chien de Canaan

Ce chien robuste du type spitz, de taille moyenne, est indigène depuis des siècles dans la région palestinienne. Ses ancêtres étaient des « chiens parias », domestiqués pour garder les troupeaux et pour protéger les chèvres contre les chacals et autres prédateurs.

• **Historique** La doctoresse Menzel et son mari ont entamé en 1935 un programme de reproduction visant à obtenir des chiots ressemblant à leurs parents *(breeding true)*. La plupart des spécimens actuels, où que ce soit dans le monde, trouvent leur origine dans l'élevage Shaar Hagai, à Jérusalem.

• **Remarque** Malgré son ascendance semi-sauvage, ce chien est aisé à dresser.

• **Autre nom** Kelef K'naani.

Taille 48-61 cm	Poids 16-25 kg	Tempérament Intelligent, astucieux

Pays d'origine Portugal	Premier usage Berger	Ancienneté XIXᵉ s.

Estrela

Deux sortes de robes habillent ce chien. La forme à poil moyennement long présente plus de parties frangées que son homologue à poil court, mais toutes deux ont un pelage double qui leur procure une excellente protection contre les intempéries. Leur grande taille et leurs aboiements bruyants peuvent impressionner, mais ce sont habituellement des animaux paisibles.

• **Historique** Race originaire de la Serra da Estrela, massif montagneux du centre du Portugal, où elle est traditionnellement utilisée à la garde des troupeaux.

• **Remarque** Comme tous les chiens puissants, il demande un dressage sans faiblesse.

• **Autres noms** Chien de montagne portugais, cão da serra da Estrela.

Taille 62-72 cm	Poids 30-50 kg	Tempérament Fidèle, actif

Pays d'origine Portugal	Premier usage Chien de garde	Ancienneté XIXe s.

Chien de garde portugais

Ce chien puissant a un corps comparable à celui du saint-bernard (voir p. 273), mais la tête conformée comme celle d'un ours. C'est un animal imposant, et la plus grande des races portugaises.

• **Historique** Originaire de l'Alentejo, au sud du Portugal. Le mâtin espagnol (voir p. 279) peut avoir contribué à la création de la race, tout comme l'estrela (voir p. 282).

• **Remarque** Chien d'un naturel agressif, avec une bonne dose d'indépendance.

• **Autre nom** Rafeiro do Alentejo.

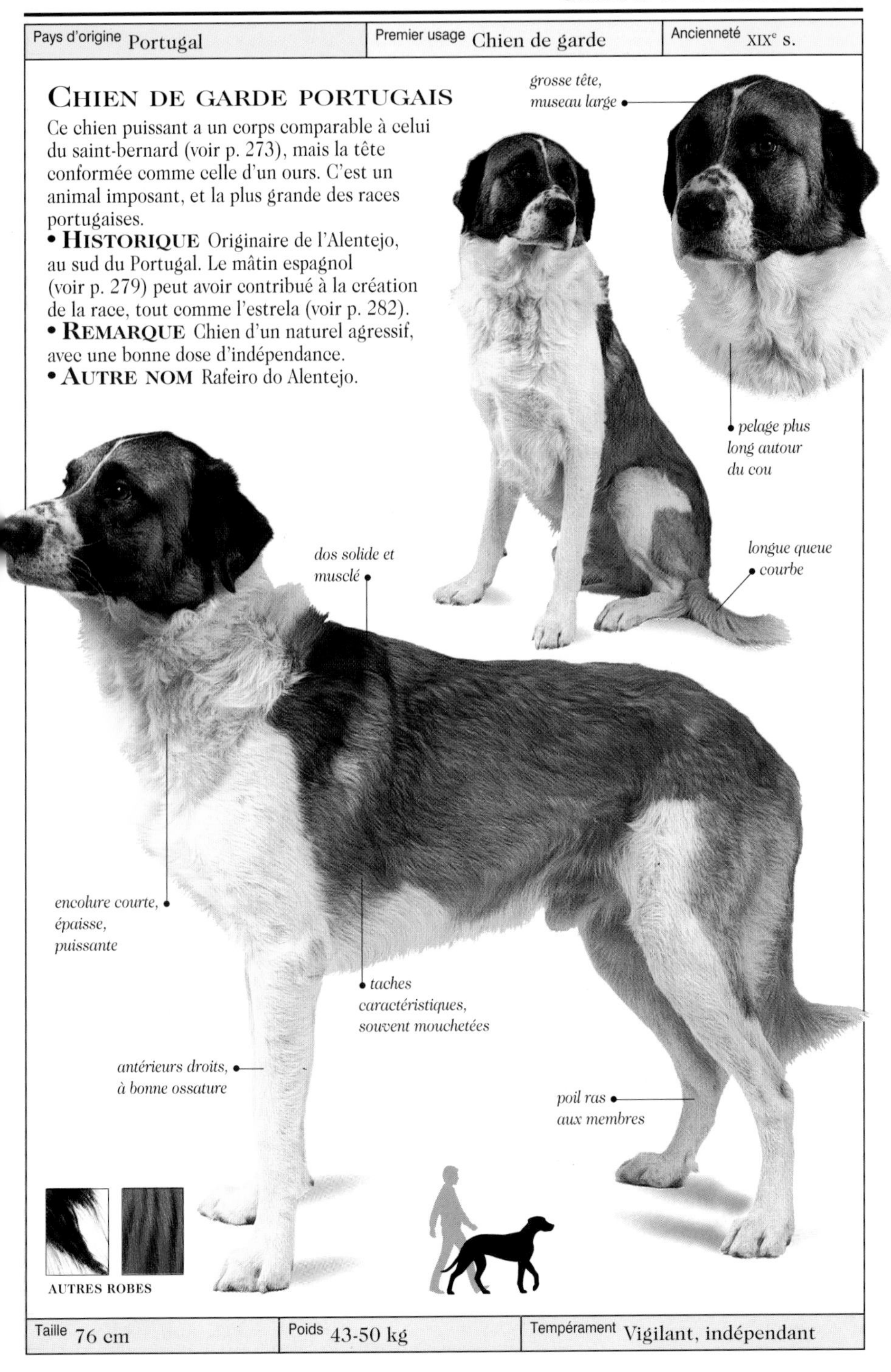

Taille 76 cm	Poids 43-50 kg	Tempérament Vigilant, indépendant

Pays d'origine Portugal	Premier usage Berger, bouvier	Ancienneté XVIe s.

Bouvier portugais

Ce chien râblé, bâti en puissance, a été traditionnellement utilisé pour mener les troupeaux dans les contrées rocheuses les moins accessibles du Portugal. Son corps assez long porte une couverture rude et imperméable sur un sous-poil plus fin et abondant : l'idéal pour le mauvais temps qui règne souvent sur les hautes terres.

• **Historique** Vu l'isolement du lieu où cette race est née – Castro Laboreiro –, c'est sans doute un pur produit des souches locales.

• **Remarque** Race toujours largement utilisée au Portugal pour mener et garder les troupeaux.

• **Autre nom** Cão de Castro Laboreiro.

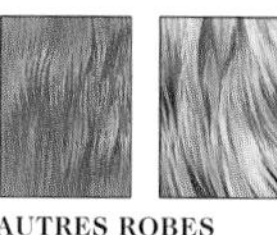

AUTRES ROBES

Taille 51-61 cm	Poids 23-34 kg	Tempérament Vigilant, brave

Pays d'origine Russie, Finlande	Premier usage Chasse au gros gibier	Ancienneté XVIIIe s.

Laïka russo-européenne

Chien bâti en puissance, caractérisé par sa coloration noir et blanc et par ses oreilles dressées. Queue en trompette mais souvent absente à la naissance.

• **Historique** La race s'est développée de part et d'autre de la frontière russo-finlandaise. Des croisements avec l'intrépide berger ostiak ont élargi le rôle d'un chasseur, déjà valeureux, d'élans et de loups, pour lui faire affronter l'ours.

• **Remarque** Cette race n'a rien d'un animal familier ou de compagnie.

• **Autre nom** Laïka carélienne.

Taille 53-61 cm	Poids 20,5-23 kg	Tempérament Indépendant, brave

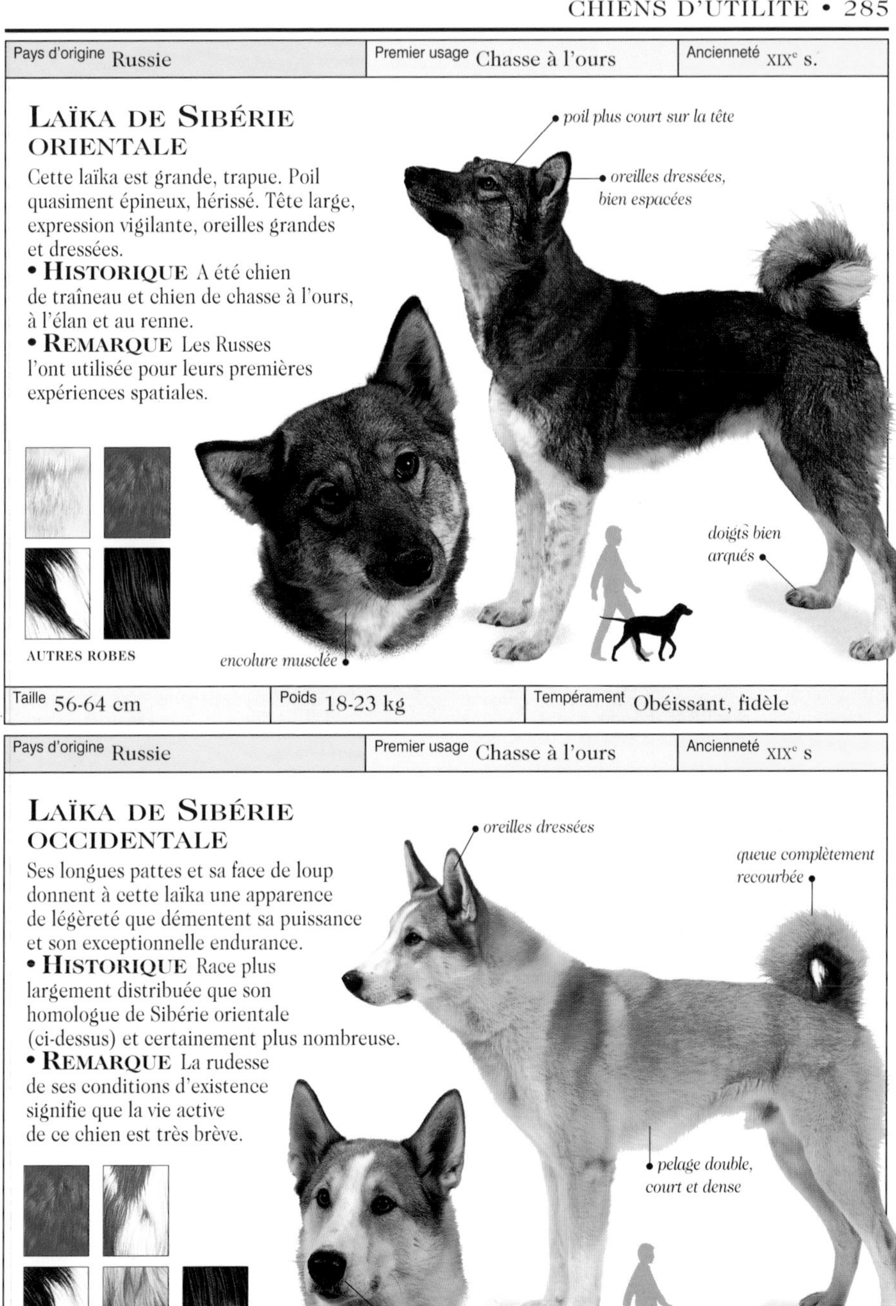

Pays d'origine Russie	Premier usage Chasse à l'ours	Ancienneté XIXe s.

Laïka de Sibérie orientale

Cette laïka est grande, trapue. Poil quasiment épineux, hérissé. Tête large, expression vigilante, oreilles grandes et dressées.

• **Historique** A été chien de traîneau et chien de chasse à l'ours, à l'élan et au renne.

• **Remarque** Les Russes l'ont utilisée pour leurs premières expériences spatiales.

Taille 56-64 cm	Poids 18-23 kg	Tempérament Obéissant, fidèle

Pays d'origine Russie	Premier usage Chasse à l'ours	Ancienneté XIXe s

Laïka de Sibérie occidentale

Ses longues pattes et sa face de loup donnent à cette laïka une apparence de légèreté que démentent sa puissance et son exceptionnelle endurance.

• **Historique** Race plus largement distribuée que son homologue de Sibérie orientale (ci-dessus) et certainement plus nombreuse.

• **Remarque** La rudesse de ses conditions d'existence signifie que la vie active de ce chien est très brève.

Taille 53-61cm	Poids 18-23 kg	Tempérament Actif, vif

Pays d'origine Russie	Premier usage Chien de traîneau	Ancienneté XIXe s.

HUSKY DE SIBÉRIE

Bien que plus petit et plus léger que d'autres races de chiens de traîneau, le husky de Sibérie est rapide et athlétique, agile et fort. C'est un travailleur infatigable. De taille moyenne, il a un sous-poil dense et laineux, bien protégé par une couverture de poils plus rudes qui donnent au chien sa plénitude de formes tout en l'isolant parfaitement du froid sibérien.

• **HISTORIQUE** Husky développé par le peuple tchouktche, dans le nord-est de l'Asie, comme unique moyen de transport.

• **REMARQUE** Les hurlements collectifs sont une caractéristique de la race. On admet une étonnante variété de robes et de marques.

• **AUTRE NOM** Chien arctique.

oreilles moyennes, triangulaires

yeux en amande, parfois bleus

museau de longueur moyenne

queue épaisse et broussailleuse

poitrine forte et profonde

épaules étroitement attachées à la cage thoracique

jambes relativement longues

pieds ovales, légèrement palmés, bien poilus

AUTRES ROBES

Taille 51-60 cm	Poids 16-27 kg	Tempérament Fiable, énergique

Pays d'origine Russie	Premier usage Garde des rennes	Ancienneté XVIIe s.

Samoyède

Cette race du Grand Nord a une robe très touffue, composée d'une couverture de poils longs, résistant aux intempéries, et d'une bourre extrêmement dense et laineuse. Les samoyèdes sont populaires et attirants comme animaux familiers mais aussi hautement appréciés comme chiens de traîneau.

• **Historique** On dit que la race actuelle descend de 12 chiens seulement, emmenés des régions arctiques par des explorateurs et des voyageurs. La souche de base a été créée par le peuple samoyède, jadis nomade mais qui vit aujourd'hui au nord-est de l'Oural.

• **Remarque** Les explorateurs polaires Scott et Amundsen ont utilisé des samoyèdes.

Taille 46-56 cm	Poids 23-30 kg	Tempérament Sociable

Pays d'origine Chine	Premier usage Garde et trait	Ancienneté IIe s.

Chow-chow

La forme que l'on voit le plus souvent est celle à poil long (illustrée ici) : robe touffue, épaisse et droite. La forme à poil ras révèle les formes trapues et extrêmement musclées de ce chien courageux et puissant. Le chow-chow doit être de couleur unie, allant du feu au roux ou du gris argent au noir ; le blanc est rare.

• **Historique** Populaire en Chine depuis au moins 2000 ans, il est apparu en Grande-Bretagne à la fin du XIXe siècle. Dans son pays d'origine, il servait à tirer des chariots et comme chien de garde. Sa fourrure y était appréciée et l'on y consommait sa chair.

• **Remarque** La langue étrange du chow-chow est, comme celle du shar-peï (page de droite), de couleur bleu-noir.

crâne large et plat

oreilles petites, noyées dans la collerette

queue attachée haut et portée sur le dos

poitrine large et profonde

pieds de chat, petits et arrondis

museau large sur toute son étendue

AUTRES ROBES

Taille 46-56 cm	Poids 20-32 kg	Tempérament Vigilant, indépendant

Pays d'origine Chine	Premier usage Chien de combat	Ancienneté XVIe s.

Shar-peï

Son poil raide est à lui seul caractéristique de ce chien, mais sa particularité la plus frappante consiste en replis de peau lâche, lui recouvrant le corps et surtout la tête, d'où un air renfrogné.

• **Historique** On pense que cette race ancienne résulte de croisements entre mâtins et chiens nordiques. A été en danger d'extinction jusqu'à ce qu'un amateur de Hong-Kong en établisse des souches aux États-Unis et ailleurs.

• **Remarque** Cette peau lâche a été, à l'origine, sélectionnée dans l'intention d'empêcher l'animal d'être cloué au sol au cours d'un combat de chiens.

Taille 46-51 cm	Poids 16-20 kg	Tempérament Indépendant, distant

Pays d'origine Japon	Premier usage Chasse au gros gibier	Ancienneté XVIIe s.

AKITA-INU

Ses oreilles droites et sa queue repliée sur le dos indiquent que le puissant akita descend d'une souche de spitz. La tête, grande, large, avec son expression typique, rappelle celle de l'ours.

• **HISTORIQUE** Race développée par un noble japonais exilé dans la province d'Akita, sur l'île de Honshu. Il y utilisait ses chiens en couples pour chasser des proies aussi redoutables que les ours.

• **REMARQUE** Officiellement reconnu en 1931 comme appartenant au patrimoine national.

• **AUTRE NOM** Chien japonais d'Akita.

Taille 60-71 cm	Poids 34-50 kg	Tempérament Actif, indépendant

Pays d'origine Japon	Premier usage Chasse au petit gibier	Ancienneté 1000 av. J.-C.

SHIBA-INU

Ce chien ressemble à l'akita-inu (à gauche), mais il est plus petit. En japonais, son nom signifie d'ailleurs « petit chien ». Son allure vive et alerte provient de son front large, de son museau pointu et des ses oreilles triangulaires, légèrement inclinées vers l'avant.

• **HISTORIQUE** Les origines de la race remontent, rien qu'au Japon, à plus de deux millénaires et il est possible qu'elle comporte du sang de chow-chow.

• **REMARQUE** La plus courante des races indigènes du Japon.

• **AUTRE NOM** Petit chien japonais.

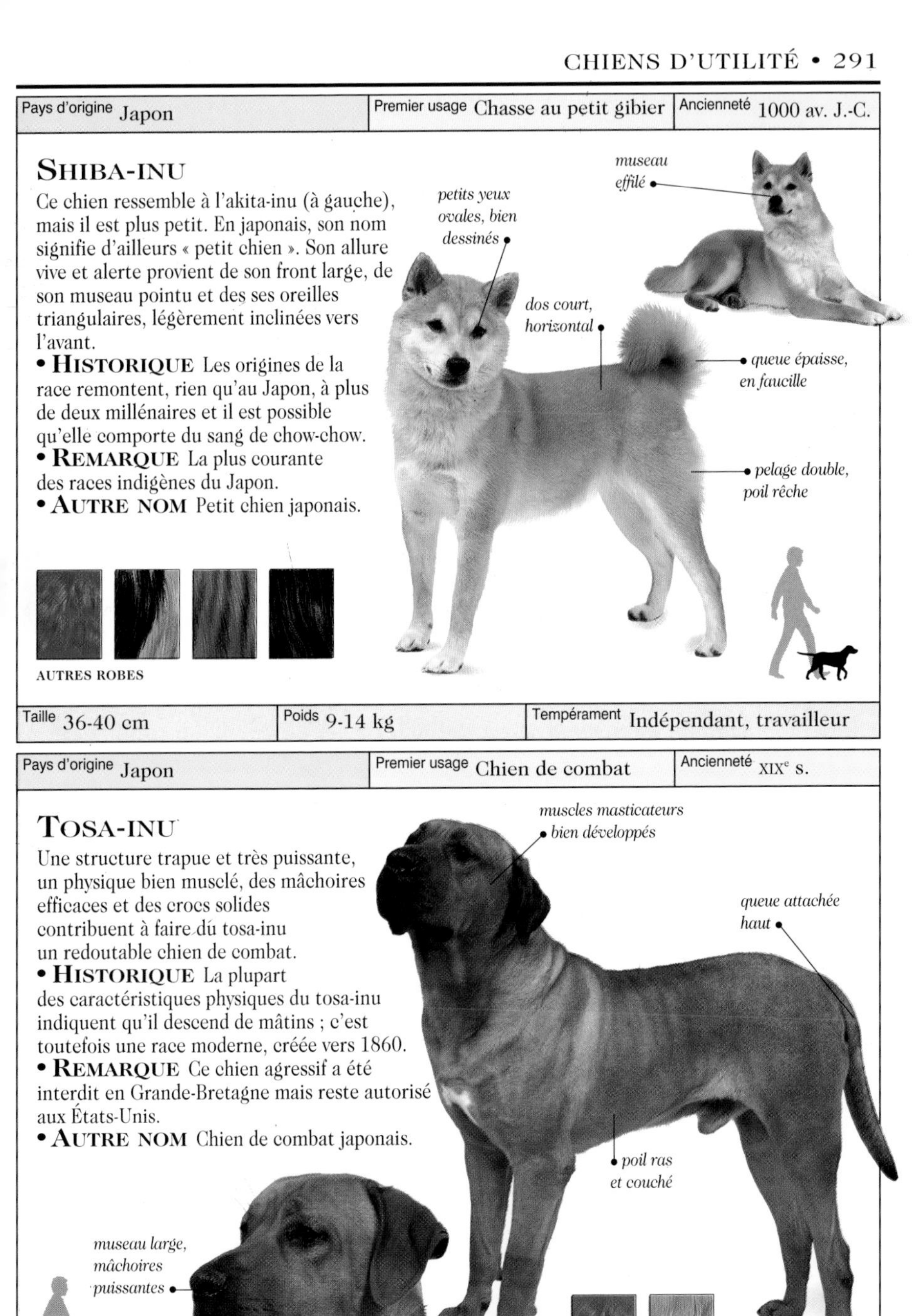

Taille 36-40 cm	Poids 9-14 kg	Tempérament Indépendant, travailleur

Pays d'origine Japon	Premier usage Chien de combat	Ancienneté XIXe s.

TOSA-INU

Une structure trapue et très puissante, un physique bien musclé, des mâchoires efficaces et des crocs solides contribuent à faire du tosa-inu un redoutable chien de combat.

• **HISTORIQUE** La plupart des caractéristiques physiques du tosa-inu indiquent qu'il descend de mâtins ; c'est toutefois une race moderne, créée vers 1860.

• **REMARQUE** Ce chien agressif a été interdit en Grande-Bretagne mais reste autorisé aux États-Unis.

• **AUTRE NOM** Chien de combat japonais.

Taille 62-65 cm	Poids 90 kg	Tempérament Stoïque, implacable

Pays d'origine Japon	Premier usage Rapporteur, ratier	Ancienneté XVIIIe s.

TERRIER JAPONAIS

Ce terrier a la tête relativement petite et, traditionnellement, on lui coupe la queue au ras du corps. Sa robe tricolore est caractéristique. À prédominance blanche, avec des taches noires et feu assez petites, elle est d'un bel effet moucheté.

• **HISTORIQUE** Cette race descend du fox-terrier à poil lisse, introduit au Japon en 1702, et elle a été développée dans les villes de Kobe et de Yokohama.

• **REMARQUE** Au Japon, ce chien travaille comme rapporteur de gibier d'eau.

• **AUTRE NOM** Terrier nippon.

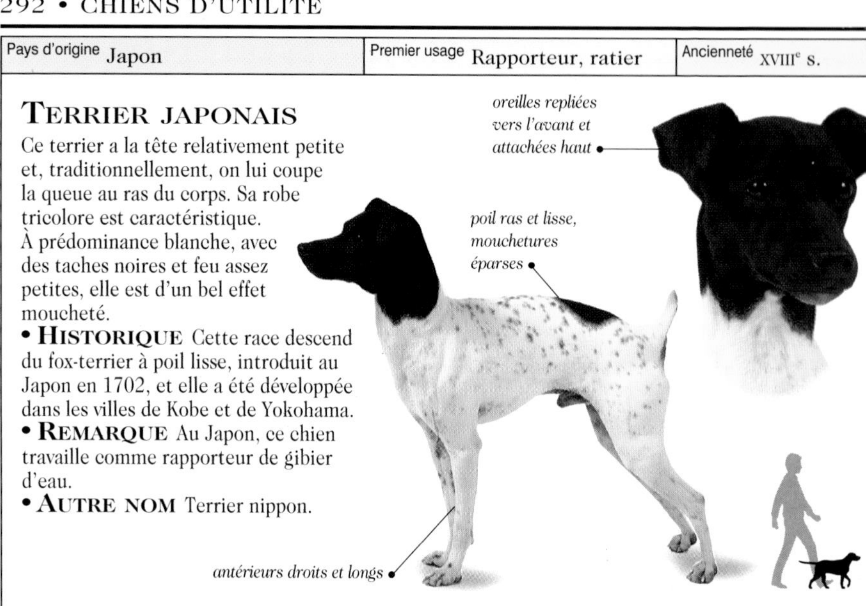

Taille 33 cm	Poids 4,5-6 kg	Tempérament Affectueux, adaptable

Pays d'origine Japon	Premier usage Chasse au gros gibier	Ancienneté 1000 av. J.-C.

AÏNOU

L'aïnou ressemble à l'akita-inu (voir p. 290), mais il est plus petit. Sa tête de renard et sa queue en trompette sont typiques des spitz. Cette race a une expression faciale exceptionnellement farouche.

• **HISTORIQUE** Développée par le peuple aïnou, cette belle race est probablement l'une des plus anciennes du Japon.

• **REMARQUE** Sans être encouragée par les éleveurs, une langue bleu foncé peut apparaître, comme chez le chow-chow et le shar-peï (voir pp. 288 et 289).

• **AUTRE NOM** Chien de Hokkaïdo.

Taille 46-56 cm	Poids 21-30 kg	Tempérament Brave, fidèle

Pays d'origine Tibet	Premier usage Berger, bouvier	Ancienneté Xe s.

Dogue du Tibet

Sa taille extraordinaire en fait un excellent chien de garde ; néanmoins, il répond bien au dressage et, en général, il se montre doux, y compris avec les enfants. Sa queue typique, attachée haut, se recourbe de côté. Au Tibet, on lui fait habituellement porter un collier en poil de yak.

• **Historique** Il se peut que la plupart des races actuelles de mâtins européens descendent d'un dogue tibétain, dont l'expansion serait due aux armées d'Alexandre le Grand.

• **Remarque** La femelle n'entre en œstrus qu'une fois par an et non deux, comme chez la plupart des autres races.

Taille 61-71 cm	Poids 64-82 kg	Tempérament Brave, fidèle

Pays d'origine Espagne (Canaries)	Premier usage Chien de combat	Ancienneté XIXᵉ s.

CHIEN DES CANARIES

Ressemblant fortement au mâtin de Majorque (voir p. 280), le chien des Canaries est un genre de mastiff, bâti en puissance, à la tête carrée. Sa coloration habituelle est fauve ou bringée, parfois avec des marques blanches ; le poil est ras et dur, sur une peau assez mobile.

• **HISTORIQUE** L'origine de la race implique des croisements entre le bardino majero, éteint, et le mastiff anglais, introduit aux Canaries au siècle dernier. Chien développé spécifiquement pour les spectacles de combats.

• **REMARQUE** Se redresse après avoir frôlé l'extinction dans les années 60, à cause de l'interdiciton des combats de chiens en Espagne.

• **AUTRE NOM** Perro de presa canario.

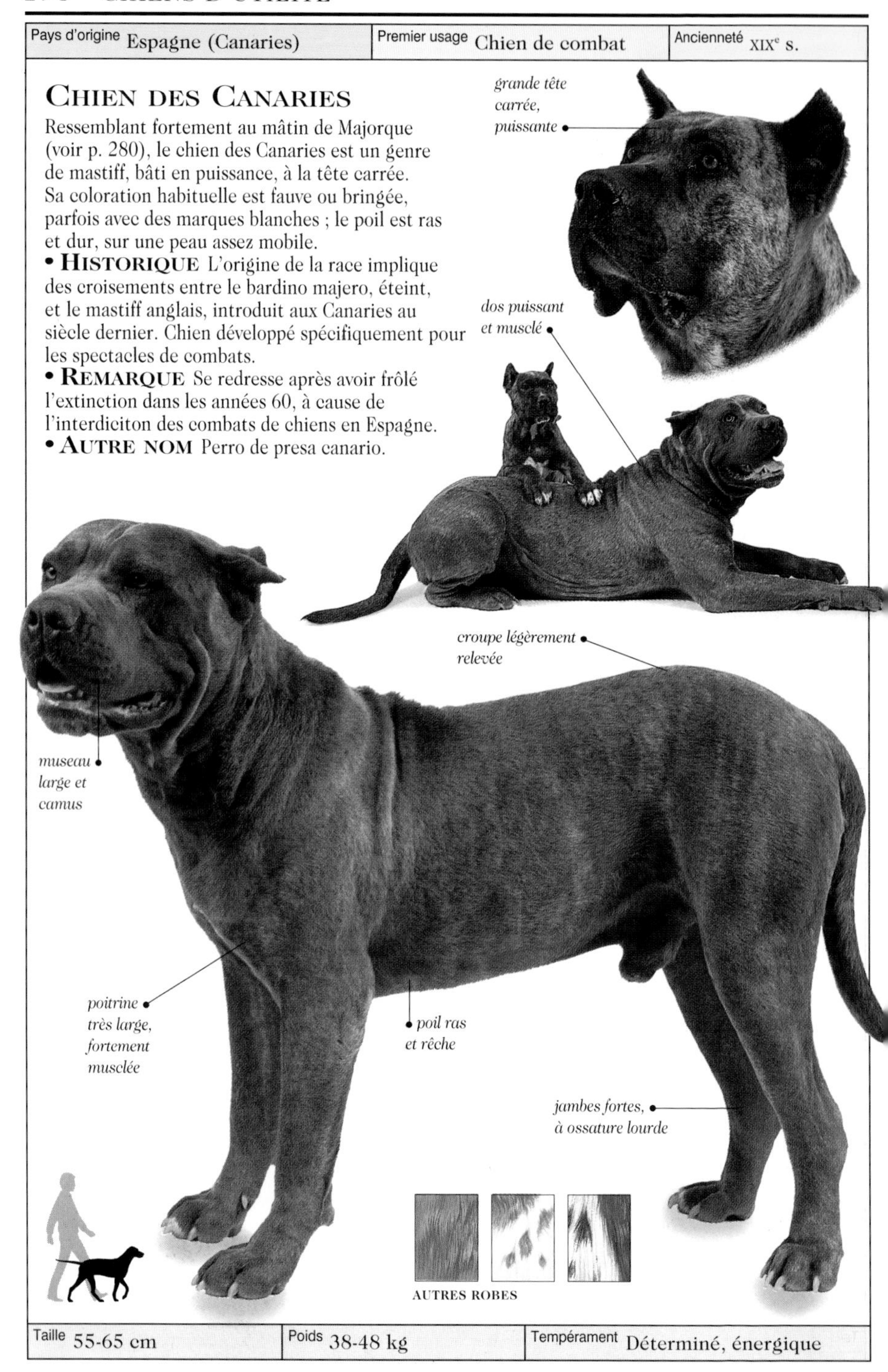

Taille 55-65 cm	Poids 38-48 kg	Tempérament Déterminé, énergique

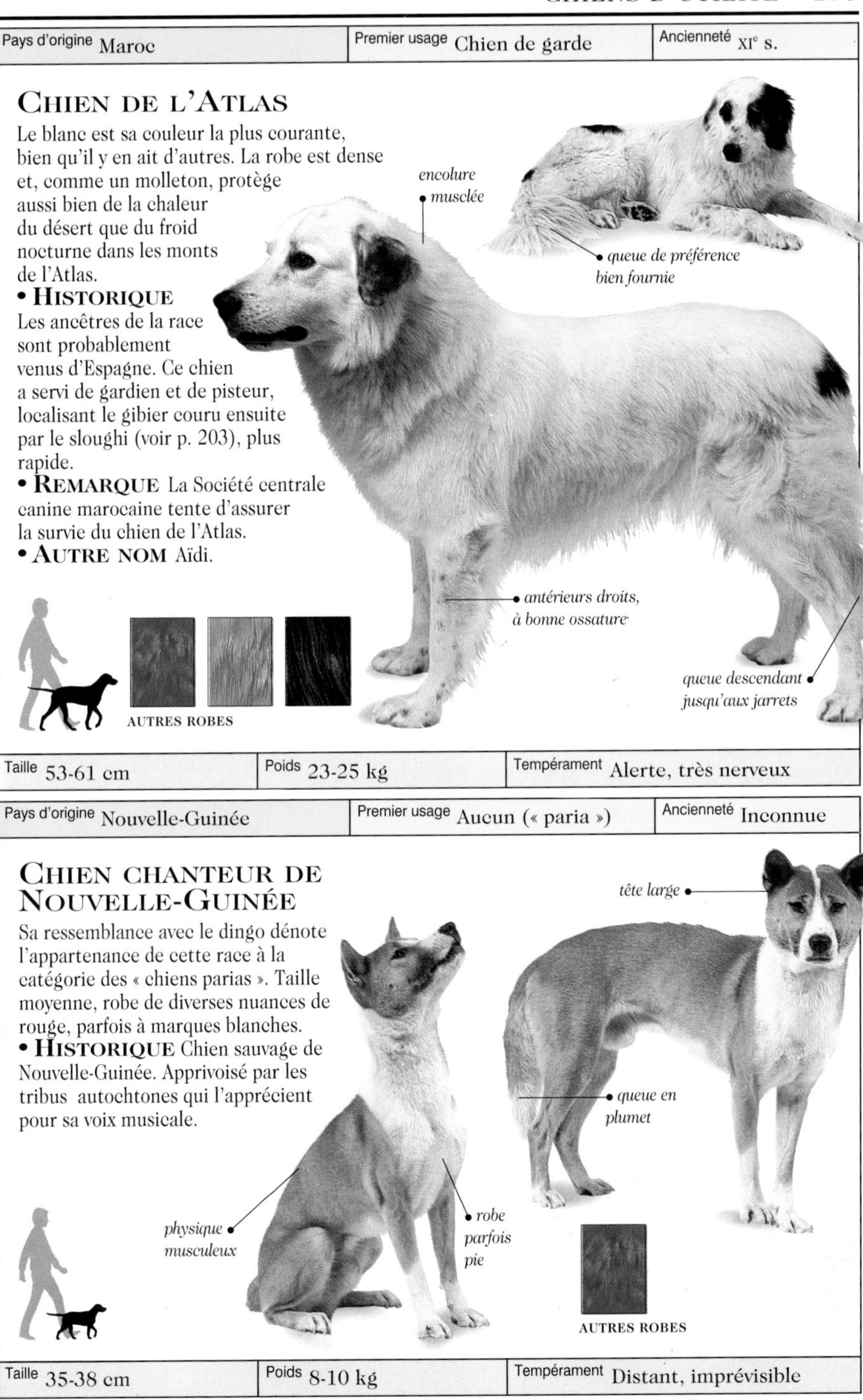

Pays d'origine Maroc	Premier usage Chien de garde	Ancienneté XIe s.

CHIEN DE L'ATLAS

Le blanc est sa couleur la plus courante, bien qu'il y en ait d'autres. La robe est dense et, comme un molleton, protège aussi bien de la chaleur du désert que du froid nocturne dans les monts de l'Atlas.

• **HISTORIQUE** Les ancêtres de la race sont probablement venus d'Espagne. Ce chien a servi de gardien et de pisteur, localisant le gibier couru ensuite par le sloughi (voir p. 203), plus rapide.

• **REMARQUE** La Société centrale canine marocaine tente d'assurer la survie du chien de l'Atlas.

• **AUTRE NOM** Aïdi.

Taille 53-61 cm	Poids 23-25 kg	Tempérament Alerte, très nerveux

Pays d'origine Nouvelle-Guinée	Premier usage Aucun (« paria »)	Ancienneté Inconnue

CHIEN CHANTEUR DE NOUVELLE-GUINÉE

Sa ressemblance avec le dingo dénote l'appartenance de cette race à la catégorie des « chiens parias ». Taille moyenne, robe de diverses nuances de rouge, parfois à marques blanches.

• **HISTORIQUE** Chien sauvage de Nouvelle-Guinée. Apprivoisé par les tribus autochtones qui l'apprécient pour sa voix musicale.

Taille 35-38 cm	Poids 8-10 kg	Tempérament Distant, imprévisible

CRÉDITS ICONOGRAPHIQUES

Les éditeurs doivent beaucoup aux nombreux propriétaires et éleveurs qui ont permis que l'on photographie leurs chiens pour ce livre ; sans leur aide et leur coopération enthousiaste, celui-ci n'aurait pu être réalisé. Bien que tous les efforts aient été entrepris pour citer toutes les personnes concernées, les éditeurs seront heureux d'introduire des informations supplémentaires dans d'ultérieures éditions. Les chiens et leurs maîtres sont répertoriés suivant l'ordre des pages.

CHIENS DE COMPAGNIE
- **38** *Kyi leo* D. Weber
- **39** *Esquimau nain d'Amérique* (cf. éditeur) ; *bouledogue anglais* C. Thomas & G. Godfrey
- **40** *Cavalier King Charles* T. Boardman, Hull ; *épagneul King Charles* D. Fry
- **41** *Chihuahua* S. Lee
- **42** *Chien nu du Mexique* S. Corrone, H. Hernandez, Terry, L. Woods
- **42** *Chien nu du Pérou* C. & B. Christofferson ; *bichon havanais* K. Olausson
- **44** *Grand spitz* A. Fiebich, M. Horhold ; *spitz moyen* Bodimeade
- **45** *Petit spitz* K. Hill & Trendle ; *loulou de Poméranie* Powell & Medcraft
- **46** *Spitz-loup* M.R. West ; *Phalène* J. Meijer
- **47** *Papillon* Urquhart & Urquhart ; *caniche toy* S. Riddett & Moody
- **48** *Caniche nain* Treagus
- **49** *Petit chien-lion* K. Donovan
- **50** *Levrette d'Italie* S. Dunning
- **51** *Bichon de Bologne* L. Stannard ; *volpino italiano* A. Hammond
- **52** *Pékinois* Stannard
- **53** *Carlin* N. Tarbitt ; *shih-tzu* J. Franks
- **54** *Chien chinois à crête* (nu) Moon ; (powder puff) S. Wrenn
- **55** *Épagneul tibétain* J. Lilley ; *terrier tibétain* T. & A. Medlow
- **56** *Lhassa apso* L. Chamberlain ; *épagneul japonais* J. Jolley
- **57** *Spitz japonais* S. Jones ; *bichon maltais* U. Campanis-Brockmann
- **58** *Bichon à poil frisé* S.M. Dunger
- **59** *Basenji* J. Gostynska ; *coton de Tulear* P. Zinkstok & H. & R. Bonneveld

CHIENS D'ARRÊT
- **60** *Cocker américain* L. Pichard
- **61** *Chesapeake bay retriever* P. Taylor-Williams
- **62** *Clumber spaniel* R. Furness
- **63** *Cocker* (chiot) T. Morgan & N. Memery ; (pie) M. Robinson ; (bleu) P. & T. Read
- **64** *Curly-coated retriever* A. Skingley
- **65** *Setter anglais* Grimsdell
- **66** *Setter gordon* M. Justice ; *English springer* D. & J. Miller
- **67** *Field spaniel* G. Thwaites ; *flat-coated retriever* A. Youens
- **68** *Golden retriever* R.A. Strudwick, C. Carter
- **69** *Labrador* M. Prior ; C. Coode
- **70-71** *Pointer* A. Morgan
- **72** *Welsh springer* J. Luckett-Roynon ; *Sussex spaniel* C. Mitchell
- **73** *Retriever de Nouvelle-Écosse* G. Flack
- **74** *Pointer danois* E. Karlsson
- **75** *Épagneul allemand* L. Ahlsson
- **76-77** *Braque de Weimar* F. Thibaut
- **78** *Chien d'arrêt allemand à poil rêche* M.J. Gorrissen-Sipos
- **79** *Petit épagneul de Munster* G. Petterson
- **80-81** *Grand épagneul de Munster* K. Groom
- **82** *Drentse patrijshond* S. Boersma, J.P.A. van den Zanden ; *kooiker* L.A. & B. Williams
- **83** *Stabyhoun* E. Vellenga ; *wetterhoun* J.P. Visser
- **84** *Épagneul d'eau irlandais* G. Stirk
- **85** *Setter irlandais bicolore* S.J. Humphreys
- **86** *Setter irlandais* Napthine
- **87** *Braque Saint-Germain* J.P. Perdry
- **88-89** *Braque français de grande taille* Y. Bassot
- **90** *Braque d'Auvergne* L. Ercole
- **91** *Braque du Bourbonnais* J. Régis
- **92** *Épagneul français* W. Klijn, G. de Moustier ; *épagneul picard* M. & P. Lempereur
- **93** *Épagneul breton* E. Reeves
- **94** *Épagneul de Pont-Audemer* Y. Fouquer, J.P. Tougard
- **95** *Barbet* J.C. Valée
- **96** *Épagneul bleu de Picardie* M. Debacker
- **97** *Griffon à poil dur* T. Schmeitz ; *cesky fousek* M. Hahné
- **98** *Braque hongrois* J. Perkins
- **99** *Vizsla à poil dur* J. & L.V. Essen
- **100** *Spinone* S. Grief
- **101** *Braque italien* J. & L. Shaw
- **102** *Braque espagnol* P. Moreira
- **103** *Chien d'eau portugais* J. & R. Bussell
- **104** *Braque portugais* Canil do Casal das Grutas

CHIENS DE BERGER
- **105** *Berger australien* Macintyre
- **106** *Collie barbu* J. Wiggins
- **107** *Collie des borders* P. Haydock ; *Lancashire heeler* S. Whybrow
- **108** *Berger d'Écosse* V. Tame
- **109** *Collie à poil ras* P. Sewell ; *berger des Shetland* J. Moody
- **110** *Bobtail* (adulte) J.P. & C. Smith ; (chiot) Anderson
- **111** *Cardigan welsh corgi* T. Maddox ; *Pembroke welsh corgi* Davies
- **112** *Bouvier australien* (adulte) S. & W. Huntingdon ; (chiots) S. Smyth
- **113** *Kelpie* P. Rönnquist, M. Nilsson
- **114** *Lapon de Finlande* S. Bolin ; (juvénile) S. Dunger ; *lapinporokoira* B. Schmitt
- **115** *Beauceron* M.V. Rie
- **116-117** *Briard* (fauve) Snelling ; (noir) R. Bumstead
- **118** *Berger picard* C.V. Doorn ; (bringé) J.C.P. Bormans
- **119** *Berger allemand* W. & J. Petrie
- **120-121** *Hovawart* (noir) K. Stenhols ; (doré) A. Göranson
- **122** *Schnauzer géant* Wilberg
- **123** *Berger polonais* M. de Groot ; *schapendoes* J. Wierda-Gorter ; (tête) C. Roux
- **124** *Berger hollandais* J. Pijffers, M. Vermeeren
- **125** *Chien-loup de Saarloos* C. Keizer
- **126** *Groenendael* J. Luscott
- **127** *Laekenois* Hogarty
- **128** *Tervueren* K. Ellis & A. McLaren
- **129** *Malinois* S. Hughes
- **130-131** *Bouvier des Flandres* K.S. Wilberg

• **132** *Berger suédois* J. Hammar ; *chien d'Islande* A.S. Andersson
• **133** *Puli* M. Crowther, Butler ; *pumi* (noir) P. Johansson ; (gris et crème) I. Svard
• **134** *Berger d'Istrie* M. Luttwitz ; *šar planina* P. Gvozenovic
• **135** *Berger de Bergame* B. Saraber ; (chiot) M. Andreoli
• **136** *Berger catalan* M. Guasch Soler
• **137** *Berger portugais* Borges, M. Loureiro ; Canil do Magoito ; Canil da Valeira ; Cunha, M.L.N. Lopes ; Gomez-Toldra
• **138** *Catahoula* M. Neal

CHIENS COURANTS

• **139** *Plott hound* J.M. Koons, B.L. Taylor & M. Seets ; *bluetick coonhound* D. McCormick, R. Welch & B. Slaymon
• **140** *Coonhound* M. Seets, J. Mantanona
• **141** *Coonhound redbone* J. & C. Heck, C. Elburn
• **142-143** *Coonhound noir et feu* K. & A. Shorter, D. Fentee & R. Speer Jr
• **144** *Treeing walker coonhound* L. Currens, J. Girnot & W. Haynes
• **145** *Foxhound américain* A. Cannon
• **146** *Basset hound* N. Frost ; *beagle* M. Hunt
• **147** *Foxhound* The Berks and Bucks Draghounds
• **148** *Lévrier d'Écosse* D. & J. Murray
• **149** *Otterhound* Smith
• **150** *Lévrier anglais* J. Baylis, A. Baudon
• **151** *Lévrier nain* Oliver, Harrier S. Horsnell
• **152** *Dunker* Almerud
• **153** *Chien de Halden* G. Lerstad
• **154** *Hygenhund* R. Langland ; *chien finnois* T. Olkkonen, A. Vilpula
• **155** *Drever* L. Jönsson ; *chien de Schiller* (cf. éditeur)
• **156** *Chien d'Hamilton* D. Cook
• **157** *Chien de Småland* K. Skolmi
• **158-159** *Teckel nain* (poil long) L. Mears ; (poil ras) B. Clark ; (poil dur) P. Seymour
• **160** *Chien rouge du Hanovre* I. Vœgelen ; *chien rouge de Bavière* I. Vœgelen
• **161** *Chien polonais* A. Marculanis
• **162-163** *Lévrier d'Irlande* (gris) Smith ; A. Bennett
• **164** *Kerry beagle* J. Sugrue, T. O'Shea, M. O'Sullivan, P. Daly, J. Kelly
• **165** *Lurcher* C. Labers
• **166-167** *Saint-hubert* Richards
• **168** *Billy* A. Benoit
• **169** *Basset fauve de Bretagne* N. Frost
• **170-171** *Grand bleu de Gascogne* Braddick
• **172** *Briquet* A. Lopez, N. Bellet
• **173** *Basset bleu de Gascogne* J. Nenmann ; *basset artésien-normand* B. Hemmingsson
• **174** *Grand gascon-saintongeois* (cf. éditeur)
• **175** *Basset griffon vendéen* N. Frost & V. Philips
• **176** *Grand griffon vendéen* G. Lamoureux, D. Boursier
• **177** *Briquet griffon vendéen* D. Fabre ; *griffon nivernais* D. Duede
• **178** *Petit bleu de Gascogne* (cf. éditeur)
• **179** *Petit griffon bleu de Gascogne* (cf. éditeur)
• **180** *Anglo-français de petite vénerie* A. Dubois
• **181** *Griffon fauve de Bretagne* Cann
• **182** *Porcelaine* R. Lavergne
• **183** *Bruno du Jura* P. Guenole
• **184-185** *Bruno du Jura type saint-hubert* M. Aigret
• **186** *Lévrier hongrois* T. Christiansen ; *bernois* R.J. Luchtmeijer
• **187** *Suisse blanc et orange* O. Bonslet
• **188** *Lucernois* M.B. Mervaille
• **189** *Chien courant des Balkans* I. Vicentijević ; *posavac* Z. Marinković
• **190** *Planinski* D. Milošević
• **191** *Yougoslave tricolore* R. Andelković
• **192** *Lévrier sicilien* D.H. Blom
• **193** *Chien des pharaons* J. Gostynska
• **194** *Chien d'Ibiza* Carter & Donnaby, F. Benecke
• **195** *Sabueso* J.C. Palomo Romero
• **196** *Galgo* J.F. Olij & J.W. Luijken, L. Rapeport
• **197** *Petit podengo portugais* Macedo, L. Vaz ; Reis, A.S. Oliveira
• **198** *Podengo portugais moyen* Canil G. Oleganense, Canil de Veiros, Canil do Vale do Criz
• **199** *Saluki* (noir) Ziman ; (poivre et sel) Spooner
• **200** *Barzoï* A.G.C. Simmonds
• **201** *Azawakh* A. Hellblom
• **202** *Lévrier afghan* R. Savage
• **203** *Sloughi* L. Vassalo
• **204** *Tora* M. Malone
• **205** *Rhodesian ridgeback* M. & J. Morris

TERRIERS

• **206** *Toy terrier américain* A. Mauermann
• **207** *Pitbull américain* P. Perdue ; (orange et blanc) T. Davis
• **208** *Staffordshire terrier américain* M. & K. Slotboom ; *terrier de Boston* Barker
• **209** *Airedale* M. Swash & O. Jackson ; *bedlington* A. Yearley
• **210** *Petit terrier anglais* T. Wright ; *terrier de Manchester* E. Eva
• **211** *Border terrier* Dean ; *terrier norwich* R.W.J. Thomas
• **212** *Bull-terrier nain* Berry ; *Staffordshire bull-terrier* G. & B. McAuliffe
• **213** *Dandie-dinmont terrier* P. Keevil & S. Bullock ; *Cairn terrier* K. Holmes
• **214** *Lakeland terrier* J.C. Ruiz Mogrera, Hedges ; *Norfolk terrier* N. Kruger
• **215** *Parson Jack Russell terrier* J.P. Wood ; *fox à poil dur* J. Palosaari, G. Düring
• **216** *Fox-terrier* L. Bochese ; *terrier gallois* G. Aalderink
• **217** *Aberdeen* M.L. Daltrey ; *Skye terrier* P. Bennett ; (chiots) D. & J. Miller
• **218** *Patterdale terrier* B. Nuttall ; *West Highland white terrier* S. Thompson ; J. Pastor & M. Gonzalbo
• **219** *Yorkshire terrier* H. Ridgwell
• **220** *Sealyham terrier* D. Winsley ; *terrier australien* R. Buch-Jorgens
• **221** *Terrier de soie* I. Schmied ; *jagdterrier* B. Andersson
• **222** *Pinscher* R. & M. Collicott, Boyer
• **223** *Griffon-singe* A.J. Teasdale ; *pinscher nain* Gentle, A. Coull
• **224** *Schnauzer nain* P. Gowlett
• **225** *Kromfohrländer* (poil dur) M. Schaub ; (poil long) H. Hoppert
• **226** *Terrier irlandais* A. Noonan & Williamson
• **227** *Soft-coated wheaten terrier* Hanton, Moyes & Pettit
• **228** *Glen of Imaal terrier* J. Withers ; *Kerry blue terrier* Campbell
• **229** *Griffon bruxellois, petit brabançon* A.V. Fenn ; *griffon belge* H. Bleeker & J. den Otte
• **230** *Pinscher autrichien* I. Hartgers-Wagener ; *terrier tchèque* D. Delplanque

CHIENS D'UTILITÉ

• **231** *Bouledogue américain* S. Leclerc
• **232** *Olde English bulldogge* (cf. éditeur)
• **233** *Chinook* T.J. & G. Anderson, D. & C. Hendricks ; *chien de Caroline* S. McKenzie
• **234-235** *Malamute* Lena-Britt Egnell
• **236-237** *Mastiff* D. Blaxter ; (bringé foncé) B. Stoffelen-Luyten
• **238** *Bullmastiff* J. & A. Gunn
• **239** *Bull-terrier* Youatt ; *esquimau* E. & S. Hammond
• **240-241** *Terre-neuve* Cutts & Galvin ; (noir et blanc) Cutts
• **242** *Dogue argentin* Roelofs
• **243** *Mâtin brésilien* E.H. Vlietman
• **244** *Esquimau du Groenland* M. Dragone, M. Demoor

• **245** *Elkhound norvégien* A. Meijer ; *elkhound noir* K. Bonaunet
• **246** *Lundehund* M. Jansson ; *buhund norvégien* R.W.J. Thomas
• **247** *Spitz finnois* Gatti ; *björnhund carélien* P. Gritsh
• **248** *Elkhound suédois* A. Johansson
• **249** *Lapon suédois* R.A. Wind-Heuser ; *spitz nordique* A. Piltto
• **250-251** *Doberman* K. le Mare ; (tête) B. Schellekens & S. Franquemont
• **252-253** *Dogue allemand* (fauve à masque noir) D.J. Parish ; (arlequin) N. Marriner
• **254** *Grand caniche* E.A. Beswick
• **255** *Boxer* G. Nielsen & D. Spencer ; *eurasien* J. Bos Waaldijk
• **256-257** *Landseer* G. Cutts
• **258-259** *Léonberg* F. Inwood
• **260** *Bouvier allemand* Hine, T. Barnett
• **261** *Berger des Tatras* G.V. Rijsewijk
• **262** *Schipperke* L. Wilson
• **263** *Bouledogue français* J. Keates ; *dogue de Bordeaux* A.E. Neuteboom
• **264-265** *Chien de montagne des Pyrénées* I. & W. Spencer-Brown
• **266** *Komondor* P. & M. Froome
• **267** *Kuvasz* J. Schelling, I. & H. Wallin
• **268** *Mudi* (cf. éditeur)
• **269** *Bouvier des Alpes* W. Glocker ; *bouvier de l'Entlebuch* C. Fransson
• **270-271** *Bouvier bernois* A. Hayden ; (chiot) A. Hearne
• **272** *Grand bouvier suisse* H. Hannberger
• **273** *Saint-bernard* (à poil ras) H. Golverdingen ; (à poil long) T. Hansen
• **274** *Dalmatien* K. Goff
• **275** *Berger des Abruzzes* T. Barnes
• **276-277** *Mâtin napolitain* (noir) A.E. Useletti ; (gris) A.P. van Doremalen
• **278** *Mâtin des Pyrénées* G. Marin
• **279** *Mâtin espagnol* Camps & Ritter
• **280** *Berger de Majorque* J.M. Martínez Alonso ; *mâtin de Majorque* J.J. Calderón Ruiz, E. Lurbe, M. Calvino Breijo
• **281** *Chien de Canaan* M. Macphail
• **282** *Estrela* P. Olsson, E. Bentzer
• **283** *Chien de garde portugais* Gomes, J. Oliveira
• **284** *Bouvier portugais* Canil do Casal da Granja ; Amorim, J.M.P. de Lima ; Macedo, L. Vaz ; *laïka russo-européenne* S. Enochsson, B. Vujasinović
• **285** *Laïka de Sibérie orientale* L. Milić ; *laïka de Sibérie occidentale* S. Enochsson
• **286** *Husky de Sibérie* S. Hull
• **287** *Samoyède* C. Fox
• **288** *Chow-chow* P. Goedgezelschap ; U. Berglöf
• **289** *Shar-peï* B. & C. Lilley
• **290** *Akita-inu* A. Rickard
• **291** *Shiba-inu* M. Atkinson ; *tosa-inu* F. Kappe
• **292** *Terrier japonais* M. Delaye ; *aïnou* M.G. Schippers Hasselman
• **293** *Dogue du Tibet* P. Rees-Jones & E. Holliday
• **294** *Chien des Canaries* D. Kelly, Grupo Los Enanos
• **295** *Chien de l'Atlas* M. Bouayad (Club Chien Atlas) ; *chien chanteur de Nouvelle-Guinée* A. Riddle, P. & F. Persky

Adresses utiles

Société centrale canine pour l'amélioration des races de chiens en France
55, avenue Jean-Jaurès
93535 Aubervilliers cedex

Société royale Saint-Hubert
25, avenue de l'Armée
1040 Bruxelles, Belgique

Société cynologique suisse
C.P. 2307, 3001 Berne I Facher, Suisse

Union cynologique Saint-Hubert du Grand-Duché de Luxembourg
42, rue J.-P. Huberty, Luxembourg

Société canine de Monaco
Palais des Congrès, avenue d'Ostende
Monte-Carlo, Monaco

Club canin canadien
89, avenue Skyway, suite 100
Etobicoke, Ontario M9W 6R4, Canada

Société centrale canine marocaine
B.P. 78, Rabat, Maroc

The Kennel Club
1, Clarges Street
London W1Y 8AB, Grande-Bretagne

Verband für das deutsche Hundewesen
Westfalendamm 174
Postfach 10 41 54, 4600 Dortmund, Allemagne

Raad van Beheer op kynologisch gebied in Nederland
Postbus 75901, 1070 AX Amsterdam Z, Pays-Bas

Real Sociedad Central de fomento de las razas caninas en España
Los Madrazos 20, Madrid 14, Espagne

Ente nazionale della cinofilia italiana
Viale Premuda 21
20129 Milano, Italie

Glossaire

• Aplomb
Position des membres chez l'animal debout ; elle doit se rapprocher de la verticale des attaches.
• Arlequin
Se dit d'une robe blanche semée de petites taches noires, comme chez certains dogues allemands.
• Arrêt
Attitude du chien qui s'immobilise pour signaler la présence du gibier.
• Babines
Lèvres en général ou, plus spécialement, lèvres supérieures pendantes.
• Belton
Robe blanc et citron mouchetée, propre à certains setters anglais.
• Bertauder
Couper les oreilles presque à ras.
• Blaireauté
Composé de fauve et de louvet.
• Bleu
Composé de poils gris et noirs donnant un effet bleuté.
• Bourre (ou Sous-Poil)
Couche isolante de poils courts, fins ou laineux, au-dessous de la couverture, ou jarre, dans les pelages doubles.
• Bringé
Composé de poils clairs et foncés formant des stries.
• Brisé
Poil dur, mi-long et recourbé.
• Caille (couleur)
Blanc bringé.
• Campé
Se dit d'un chien dont l'aplomb des postérieurs est excessivement oblique vers l'arrière.
• Canon
Partie du pied entre le jarret et les doigts.
• Carpe (dos de)
Dos considérablement voussé.
• Chanfrein
Arête du museau, entre le stop et la truffe.
• Chat (pied de)
Pied court et arrondi.
• Ciseaux (dents en)
Position relative des dents inférieures et supérieures quand les mâchoires sont décalées (par prognathisme ou brachygnatisme).
• Collerette
Longs poils entourant l'encolure et descendant en jabot sur le poitrail. Peut prendre l'aspect d'une crinière.
• Conformation
Forme générale résultant d'un ensemble de relations entre toutes les parties du corps d'un chien.
• Courtauder
Couper à un chien la queue et les oreilles.
• Descendu
Se dit de la poitrine, du dessous des flancs ou des jarrets lorsqu'ils atteignent une position relativement basse.
• Ensellé (dos)
Dont la ligne est concave.
• Ergot
Griffe placée à l'intérieur du canon, correspondant à un doigt surnuméraire généralement atrophié. Souvent amputé à la naissance.
• Essoriller
Couper le cartilage de l'oreille pour la redresser. Pratique interdite en Grande-Bretagne.
• Fanon
Repli de peau lâche pendant sous la gorge, comme chez le saint-hubert.
• Feu
Couleur rouge orangé.
• Foie
Couleur marron rougeâtre.
• Fouet
Synonyme de queue, quand elle est d'une certaine longueur.
• Franges
Poils plus longs que les autres et festonnés, sur les oreilles, les flancs, les membres ou la queue.
• Garrot
Saillie de la base de l'encolure, entre les épaules.
• Grasset
Articulation cuisse-jambe, dont l'angle importe souvent pour la conformité au standard d'une race.
• Hanches
Région entre la croupe et les cuisses, en contact avec le sol quand le chien est assis.
• Jarre
Couverture de poils dépassant de la bourre, dans un pelage double.
• Jarret
Articulation du membre postérieur, entre la jambe et le canon, correspondant à notre talon.
• Levretté
Dont le ventre remonte comme chez la levrette.
• Lièvre (pied de)
Se dit d'un pied long et étroit.
• Liste
Marque blanche courant le long du chanfrein, du front à la truffe.
• Louvet (ou Louveté)
Composé de poils fauves et noirs, comme chez le loup.
• Manteau
Marque de couleur sombre couvrant le dos et les flancs.
• Masque
Zone de poils foncés sur la tête.
• Merle
Se dit d'une robe marbrée, composée de taches plus foncées et plus claires d'une même couleur.
• Moucheté
Semé de petites taches rondes.
• Nez
Qualité de l'odorat chez un limier ou un chien courant.
• Papilloté
Formant des plis verticaux, en parlant d'une oreille tombante.
• Paria
Chien semi-apprivoisé par les hommes d'une société archaïque, parfois même dressé à la chasse ou à la garde des troupeaux.
• Paturon
Terme emprunté à l'hippologie pour désigner l'articulation jambe-pied.
• Pelage double
Robe composée d'un jarre, couverture de poils extérieurs et, par-dessous, d'un sous-poil, ou bourre, plus doux et isolant.
• Quête
Recherche à l'odorat de la piste du gibier.
• Rapporteur (ou Retriever)
Chien spécialisé dans le rapport du gibier, c'est-à-dire capable de retrouver la pièce abattue et de la rapporter, morte ou vive, au chasseur.
• Rose (oreille en)
Oreille petite et repliée de manière à montrer l'intérieur du pavillon.
• Rouanné
Composé de poils blancs et de la gamme fauve-rouge.
• Sable
Couleur blanche ombrée de noir.
• Selle
Marque noire ayant la forme et la position d'une selle d'équitation.
• Sole
Ensemble des coussinets plantaires formant le dessous du pied.
• Sous-poil : voir Bourre
• Stop (ou Cassure du nez)
Dépression éventuelle entre les yeux, à la jointure du crâne et de l'os nasal.
• Stripping
Opération de toilettage consistant à éclaircir le poil au peigne de fer.
• Trimming
Mode de toilettage par tonte partielle ou épilation manuelle.
• Truffe
« Nez », c'est-à-dire bout du museau, à peau nue et souvent pigmentée, où s'ouvrent les narines.
• Truité
Semé de mouchetures brunes ou rouges.
• Voie
Piste (odeur, empreintes, brisures) d'un gibier de vénerie.
• Voix
Qualité des aboiements d'un chien courant.
• Voussé (dos)
Dont la ligne est convexe.

INDEX

A

Aberdeen 217
Affenpinscher 223
African lion hound 205
Agression 19
Aïdi 295
Aïnou 292
Airedale 35, 209
Akita-inu 290
Alaskan malamute 234-235
Alopex lagopus 10
American black and tan coonhound 142-143
American bulldog 231
American cocker spaniel 60
American foxhound 145
American pitbull 207
Amertoy 206
Anglo-français de petite vénerie 180
Anubis 6
Appenzeller Sennenhund 269
Atelocynus microtis 10
Australian Queensland heeler 112
Australian silky terrier 221
Azawakh 201

B

Bain 26
Balkanski gonic 189
Barbet 95
Barzoï 200
Basenji 59
Bas-rouge 115
Basset 30, 146
Basset allemand 158
Basset artésien-normand 173
Basset bleu de Gascogne 173
Basset fauve de Bretagne 169
Basset griffon vendéen 175
Basset hound 146
Bayerischer Gebirgsschweisshund 160
Beagle 22, 30, 146, 164
Bearded collie 106
Beardie 106
Beauceron 115
Bedlington 209
Bergamasque 135
Berger allemand (alsacien) 119
Berger australien 105, 113
Berger catalan 136
Berger de Beauce 115
Berger de Bergame 135
Berger de Brie 116-117
Berger d'Écosse 108
Berger de la Maremme 275
Berger de Majorque 280
Berger de Picardie 35, 118
Berger des Abruzzes 275
Berger des Shetland 31, 109
Berger des Tatras 261
Berger d'Illyrie 134
Berger d'Islande 132
Berger d'Istrie 134
Berger du Karst 134
Berger hollandais 124
Berger hongrois 133
Berger malinois 129
Berger picard 118
Berger polonais 32, 123
Berger portugais 137
Bergers belges 126-129
Berger suédois 132
Berner Laufhund 186
Bernois 186
Bichon à poil droit 57
Bichon à poil frisé 58
Bichon de Bologne (bolonais) 51
Bichon havanais 43
Bichon maltais 14, 57
Billy 168
Bingley terrier 209
Björnhund carélien 247
Black and tan terrier 210
Bleu d'Auvergne 90
Bleus de Gascogne 170-171, 173, 178, 179
Bloodhound 166-167
Blue heeler 112
Bluetick coonhound 139
Bobtail 21, 110
Bolognese 51
Border collie 107
Border terrier 211
Bouledogue américain 231
Bouledogue anglais 39
Bouledogue français 263
Bouvier allemand 260
Bouvier australien 21, 112
Bouvier bernois 270-271
Bouvier d'Appenzell 269
Bouvier de l'Entlebuch 269
Bouvier des Alpes 269
Bouvier des Flandres 36, 130-131
Bouvier portugais 284
Bouviers suisses 269-272
Boxer 37, 255
Bracco italiano 101
Braque d'Auvergne 90
Braque de Gascogne 88-89
Braque de Weimar 34, 76-77
Braque du Bourbonnais 91
Braque espagnol 102
Braque français de grande taille 88-89
Braque gascon 88-89
Braque hongrois 98
Braque italien 101
Braque portugais 104
Braque Saint-Germain 87
Braque suédois 155
Briard 33, 116-117
Briquet 172
Briquet griffon vendéen 35, 177
Brossage 24
Bruno du Jura 183-185
Buhund norvégien 246
Bulldog 39
Bullmastiff 238
Bull-terrier 239
Bull-terrier nain 30, 212

C

Ca de bestiar 280
Ca de bou 280
Cairn terrier 32, 213
Cane da pastore bergamasco 135
Cane del Quirinale 51
Caniche nain 48
Caniches 47, 48, 254
Caniche toy 47
Canidés 10
Canis 10
Cão da serra da Estrela 282
Cão da serra de Aires 137
Cão de agua 103
Cão de Castro Laboreiro 284
Cardigan welsh corgi 111
Carlin 33, 53
Catahoula 138
Cavalier King Charles 40
Cerdocyon thous 10
Česky 230
Česky fousek 97
Chacal 10
Chacal à chabraque 10
Chacal à flancs rayés 10
Charnigue 194
Chesapeake bay retriever 61
Chien arctique 286
Chien chanteur de Nouvelle-Guinée 295
Chien chinois à crête 54
Chien courant des Balkans 189

Chien courant espagnol 195
Chien courant italien 192
Chien d'arrêt allemand à poil rêche 78
Chien d'Artois 172
Chien d'eau portugais 103
Chien de Canaan 281
Chien de Caroline 233
Chien de combat japonais 291
Chien de Franche-Comté 182
Chien de garde portugais 283
Chien de Halden 153
Chien de Hokkaïdo 292
Chien d'élan 245
Chien de l'Atlas 295
Chien de montagne des Pyrénées 264-265
Chien de montagne portugais 282
Chien de montagne yougoslave 190
Chien de Saint-Hubert 166-167
Chien des buissons 10
Chien des Canaries 294
Chien de Schiller 155
Chien de Småland 157
Chien des pharaons 34, 193
Chien de Ténériffe 58
Chien d'Hamilton 156
Chien d'Ibiza 194
Chien d'Islande 132
Chien domestique 10, 12
Chien du Groenland 244
Chien du Jura 183
Chien esquimau 239
Chien finnois 154
Chien japonais d'Akita 290
Chien-loup 46
Chien-loup de Saarloos 34, 125
Chien norvégien 152
Chien nu du Mexique 42
Chien nu du Pérou (inca) 43
Chien polonais 161
Chien rouge de Bavière 160
Chien rouge de Hanovre 160
Chien sauvage à oreilles courtes 10
Chiens courants 13, 22, 138
Chiens courants suisses 186-188
Chiens courtauds 14
Chiens d'arrêt 12, 60
Chiens de berger 13, 105
Chiens de compagnie 12, 38
Chiens de garde 23
Chiens d'utilité 12, 231
Chiens moyens 32-37
Chien viverrin 10
Chihuahua 31, 41
Chinook 34, 233
Chiots 20, 21
Choisir un chien 22, 23
Chow-chow 33, 288
Chrysocyon brachyurus 10
Cirneco dell'Etna 192
Clé d'identification 28
Clumber spaniel 62
Cocker américain 60
Cocker spaniel 21, 63
Collie à poil long 108
Collie à poil ras 109
Collie barbu 106
Collie des borders 35, 107
Colliers 25
Collies 106, 107, 108, 109
Communication 18
Compagnie 19
Comportement 18
Concours 8
Coonhound 140
Coonhound noir et feu 142-143
Coonhound redbone 141
Coonhounds 139-144
Corgis 111
Corsac 11
Coton de Tuléar 59
Couche 24
Couleurs 17
Coyote 10
Crâne 15
Cruft 7
Cuon alpinus 10
Curly-coated retriever 64

D

Dalmatien 274
Dandie-dinmont terrier 30, 213
Danois 7, 23, 36, 252-253
Deerhound 148
Dents 25
Deutsche Spitz 45
Dhokhi apso 55
Dhole 10
Dingo 10, 11, 16
Doberman 23, 250-251
Dogo Argentino 242
Dogue allemand 23, 252-253
Dogue anglais 236-237
Dogue argentin 242
Dogue de Bordeaux 36, 263
Dogue du Tibet 293
Drahthaar 78
Drentse patrijshond 82
Drever 155
Drótszörü Magyar vizsla 99
Dunker 152
Dusicyon 11

E

Elkhound noir 245
Elkhound norvégien 245
Elkhound suédois 248
English beagle 146
English cocker spaniel 63
English coonhound 140
English foxhound 147
English pointer 70-71
English springer 66
English toy spaniel 40
Entlebucher 269
Entretien du pelage 24
Épagneul allemand 75
Épagneul bleu de Picardie 96
Épagneul breton 93
Épagneul cocker américain 60
Épagneul cocker anglais 63
Épagneul d'eau irlandais 84
Épagneul de Pékin 52
Épagneul de Pont-Audemer 94
Épagneul tibétain 55
Épagneul français 92
Épagneul frison 83
Épagneul japonais 56
Épagneul King Charles 40
Épagneul nain 46, 47
Épagneul picard 92
Épagneuls 22, 40, 46, 47, 52, 55, 56, 60, 63, 75, 79, 80-81, 83, 84, 92, 93, 94, 96
Ergot 13
Esquimau 239
Esquimau du Groenland 244
Esquimau nain d'Amérique 39
Essorillage 29
Estrela 282
Eurasien (Eurasier) 255
Expositions 8, 26, 27

F

Fennec 11
Field spaniel 67
Fila brasileiro 243
Finsk spets 247
Flat-coated retriever 67
Fox à poil dur 33, 215
Fox à poil lisse 216
Foxhound 7, 147
Foxhound américain 145
Fox-terrier 32, 215, 216
Friaar dog 132

G

Galgo 196
Gammel dansk Honsehund 74
Glen of Imaal terrier 228
Golden retriever 20, 68
Gos d'atura Catalá 136
Grand bleu de Gascogne 170-171
Grand bouvier suisse 272
Grand caniche 254
Grand danois 252-253
Grand épagneul de Munster 80-81
Grand gascon-saintongeois 174
Grand griffon vendéen 176
Grand loulou 44
Grand spitz 44
Grands chiens 23, 36-37
Greyhound 150
Griffon à poil dur 97
Griffon d'arrêt à poil laineux 95
Griffon fauve de Bretagne 181
Griffon italien 100
Griffon nivernais 177
Griffons 31, 95, 97, 100, 176, 177, 179, 181, 223, 229
Griffons belges 229
Griffon-singe 31, 223
Groenendael 126
Groenlandais 244
Grosser münsterländer Vorstehhund 80
Grosser schweizer Sennenhund 272

H

Haldenstövare 153
Hamiltonstövare 156
Hannoverscher Schweisshund 160
Harrier 151
Heidewachtel 79
Hollandse herdershond 124
Hovawart 120-121
Husky 239
Husky de Sibérie 286
Hygenhund 154

I

Irish red and white setter 85
Irish red terrier 226
Irish setter 86
Irish terrier 226
Irish water spaniel 84
Irish wolfhound 162-163

J

Jämthund 248
Jouets 25
Jugoslavenski tribarvni gonič 191

K

Kaï 204
Karjalankarhukoira 247
Keeshond 46
Kelb tal-fennek 193
Kelef K'naani 281
Kelpie 113
Kerry beagle 164
Kerry blue terrier 228
King Charles spaniel 40
Kleiner münsterländer Vorstehhund 79
Komondor 266
Kooiker (kooikerhondje) 31, 82
Korthals 97
Krašky ovčar 134
Kromfohrländer 225
Kuvasz 267
Kyi leo 38

L

Labrador 17, 32, 69
Laekenois 35, 127
Laïka 284-285
Laisses 25
Lakeland terrier 33, 214
Lancashire heeler 107
Landseer 37, 256-257
Lapinkoira 114
Lapinporokoira 114
Lapon de Finlande 114
Lapon suédois (lapplandska spets) 249
Laufhunde 186-188
Léonberg (Leonberger) 258-259
Levrette d'Italie 30, 50
Lévrier afghan 27, 34, 202
Lévrier anglais 150
Lévrier anglais à poil dur 148
Lévrier arabe 203
Lévrier d'Écosse 37, 148
Lévrier des pharaons 193
Lévrier d'Ibiza 194
Lévrier d'Irlande 37, 162-163
Lévrier espagnol 196
Lévrier hongrois 186
Lévrier irlandais 162-163
Lévrier nain 151
Lévrier persan 199
Lévrier portugais 197-198
Lévrier russe 200
Lévrier sicilien 192
Lhassa apso 56
Loulou de Poméranie 45
Loup 10, 14, 15
Loup à crinière 10
Loup d'Abyssinie 10
Loup roux 10
Löwchen 49
Lucernois 188
Lundehund 246
Lurcher 165
Luzerner Laufhund 188
Lycaon *(Lycaon pictus)* 10

M

Magyar agár 186
Magyar vizsla 98
Malamute (malemute d'Alaska) 234-235
Malinois 129
Maltais 57
Manchester terrier 210
Maremmano 275
Marquage olfactif 19
Mastiff 36, 236-237
Mastin español 279
Mâtin brésilien 243
Mâtin de Majorque 280
Mâtin de Naples 276-277
Mâtin des Pyrénées 36, 278
Mâtin espagnol 279
Mâtin napolitain 36, 276-277
Médicament 25
Mopse 53
Mudi 268

N

Norrbottenspets 249
Norfolk terrier 214
Norsk buhund 246
Norsk elghund 245

Nova Scotia tolling retriever 73
Nyctereutes procyonoides 10

O

Odorat 18
Ogar polski 161
Olde english bulldogge 232
Old English sheepdog 110
Oreilles 25, 29, 30-37
Österreichischer kurzhaariger Pinscher 230
Otocyon *(Otocyon megalotis)* 10
Otterhound 149
Ouïe 18
Owczarek podhalanski 261

P

Papillon 22, 31, 47
Parson Jack Russell terrier 32, 215
Patterdale terrier 20, 218
Pékinois 52
Pembroke welsh corgi 111
Perdigueiro português 104
Perdiguero de Burgos 102
Perro de pastor mallorquín 280
Perro de presa canario 294
Perro de presa mallorquín 280
Perro mastin del Pireneo 278
Petit bleu de Gascogne 178
Petit brabançon 229
Petit chien japonais 291
Petit chien-lion 49
Petit épagneul de Munster 79
Petit griffon bleu de Gascogne 179
Petit lévrier italien 50
Petit lévrier portugais 197
Petit podengo portugais 31, 197
Petits chiens 22, 30-32
Petit spitz 45
Petit terrier anglais 30, 210
Phalène 46
Pinscher 222
Pinscher autrichien 230
Pinscher nain 223
Pitbull américain (pitbull terrier) 207
Planinski 190
Plott hound 139
Podenco Ibicenco 194
Podengo portugais moyen 35, 198
Podengo português 197-198
Pohjanpystykorva 249
Poil 29
Pointer 70-71
Pointer danois 74
Polski owczarek nizinny 123
Porcelaine 182
Posavac (posavski gonič) 189
Pug 53
Puli 133
Pumi 37, 133

Q/R

Queue 29
Race 6, 7
Rafeiro do Alentejo 283
Redtick coonhound 140
Renard 10, 11
Renard à oreilles de chauve-souris 11
Renard à petites oreilles 11
Renard argenté 11
Renard colfeo 11
Renard crabier 10
Renard de Blanford 11
Renard de la pampa 11
Renard des Falkland 11
Renard du Bengale 11
Renard du Cap 11
Renard famélique 11
Renard gris d'Argentine 11
Renard gris d'Islande 11
Renard pâle des sables 11
Renard polaire 10
Renard sable du Tibet 11
Renard véloce 11
Reproduction 20
Retriever doré 68
Retriever de Nouvelle-Écosse 73
Retriever jaune 68
Retriever russe 68
Rhodesian ridgeback 205
Riesenschnauzer 122
Robes 16, 29
Rottweiler 260

S

Sabueso 195
Saint-bernard 273
Saint-hubert 166-167, 184-185
Saluki (salouki) 199
Samoyède 287
Santé 20, 25
Šar Planina (šarplaninac) 134
Schapendoes 123
Schillerstövare 155
Schipperke 262
Schnauzer géant 122
Schnauzer nain 224
Schwyzerois (schweizer Laufhund) 187
Scottish terrier 217
Sealyham terrier 33, 220
Segugio italiano 192
Sennenhunde 269, 272
Sens 18
Setter anglais 9, 65
Setter gordon 66
Setter irlandais 86
Setter irlandais bicolore 35, 85
Shar-peï 21, 289
Sheltie (Shetland collie) 109
Shiba-inu 291
Shih tzu 53
Silky terrier 221
Skye terrier 32, 217
Sloughi 34, 203
Sloughi touareg 201
Smålandstövare 157
Soft-coated wheaten terrier 35, 227
Soins 16, 24, 25
Soumission 19
Speothos venaticus 10
Spinone 35, 100
Spion 79
Spitz 34, 44, 45, 46, 57, 247, 249
Spitz allemand 45
Spitz finnois 247
Spitz japonais 57
Spitz-loup 34, 46
Spitz moyen 30, 44
Spitz nain 45
Spitz nordique 249
Springer spaniel anglais 22, 66
Springer spaniel gallois 72
Squelette 14
Stabyhoun 83
Staffordshire bull-terrier 212
Staffordshire terrier américain 208
Standard 6, 27
Stövare 153, 155-157
Suisse blanc et orange 187

Suomenajokoira 154
Sussex spaniel 31, 72
Sydney silky 221

T

Taille 15, 21, 28
Tazi 202
Tchin 15, 56
Teckel nain 158-159
Teckels 31, 158-159
Tepeizeuintli 42
Terre-neuve 37, 240-241
Terrier australien 31, 220
Terrier de Bohême 230
Terrier de Boston 32, 208
Terrier de Manchester 210
Terrier de soie 221
Terrier du Congo 59
Terrier écossais 217
Terrier gallois 33, 216
Terrier irlandais 226
Terrier japonais (nippon) 32, 292
Terrier norwich 211
Terriers 13, 206
Terrier tchèque 30, 230
Terrier tibétain 30, 55
Tervueren 128
Tête 28, 30-37
Toilettage 24, 26
Tonte 26
Tora 204
Tosa-inu 291
Toy American eskimo 39
Toy black and tan terrier 210
Toy fox-terrier 206
Toy Manchester terrier 210
Toy terrier américain 206
Toy terrier anglais 210
Treeing walker coonhound 144

V

Vallhund suédois (väsgötaspets) 132
Vizsla 98
Vizsla à poil dur 99
Volpino italiano 51
Vue 18
Vulpes 11
Vulpes vulpes 10, 11

W

Wachtelhund 75
Waterside terrier 209
Weimaraner 76
Welsh springer 72
Welsh terrier 33, 216
West Highland white terrier 218
Wetterhoun 83
Whippet 151

X/Y

Xoloitzcuintli 42
Yorkshire terrier 219
Yougoslave tricolore 191

Z

Zwergpinscher 223
Zwergschnauzer 224

Remerciements et Crédits photographiques

L'AUTEUR ET LES ÉDITEURS remercient les institutions et les personnes suivantes, sans lesquelles ce livre n'aurait pu voir le jour : Mia Sandgren, Magnus Berglin, Thomas Miller, Maria Bruga, Steve Fiedler, Jovan Serafin, Luis Isaac Barata, Luis Manuel Calado Catalán, Dr J.L. Slack, Anita Bryant, Sergio Montesinos Vernetta, Ann Houdijk, Antonio Consta, José Carrera, Steven Boer, Egon Erdenbreeher, M. & Mme Lawlor, M. K. Bent, E. Vanherle, Dr Herbert R. Axelrod, John Miller, M. Peonchon, Patrick Schwab, Mme Dhetz, Stella Smyth, Mandy Hearne, Heather Head ; Sabine Weiss, SDK Verlags GmbH ; Suzanne Marlier, Fédération cynologique internationale ; Susanne Lindberg, Norsk Kennel Club ; M. Noblet, Société centrale canine ; Mme Mila, Fédération cynologique de Yougoslavie ; Mme Durando, Société canine de Monaco, et S. A. la princesse Antoinette de Monaco.

Photographies de Tracy Morgan, sauf : P. 6 (gauche) Bridgeman Art Library ; p. 7 (milieu et bas) The Kennel Club ; pp. 8 (bas), 13 (haut et bas), 151 (bas) Animal Photography ; pp. 8 (milieu), 174, 178, 179 Marc Henrie ; pp. 152, 153, 154 (haut), 157, 187, 245 (bas), 268 Sandra Russell ; pp. 155 (bas), 249 (bas) Neil Fletcher ; pp. 11 (droite), 12 (bas), 16 (haut), Bruce Coleman Picture Library ; p. 145 (en haut à droite et milieu) TFH Publications, Inc. ; p. 181 (haut) Sunset NHPA.

L'auteur remercie les nombreux amateurs de chiens du monde entier qui ont permis que l'on photographie leurs chiens. Il se sent particulièrement obligé envers Tracy Morgan qui, avec l'aide de son mari Neil, a réalisé ces photographies, ainsi qu'envers Andrea Fair, qui a organisé les déplacements. Merci encore à Neil Fletcher, Marc et Fiona Henrie, James Harrison, Bon Gordon et Jonathan Hilton pour leurs interventions aux différentes étapes de l'ouvrage ; à tous les collaborateurs de Dorling Kindersley, et en particulier à Jonathan Metcalf, Carole McGlynn, Constance Novis, Mary-Clare Jerram, Gill della Casa, Spencer Holbrook, Vicki James, Anne Thompson et Sam Grimmer ; enfin à Rita Hemsley pour ses talents de dactylographe ainsi qu'à Les Crawley et à John Mandeville pour leur aide inestimable.

Dorling Kindersley remercie Lemon Graphics, Alastair Wardle, Pauline Bayne, Elaine Hewson et Sharon Moore pour leur aide à la mise en page ; Mike Darton et Amanda Ronan pour la relecture des épreuves ; Michael Allaby pour l'index ; Julia Pashley pour l'iconographie ; Helen Townsend, Angeles Gavira et Lucinda Hawksley pour leur aide à l'édition.